RETOURS DU MONDE

René ÉTIEMBLE

Retours
du monde

nrf

GALLIMARD

Il a été tiré de cet ouvrage quarante exemplaires
sur vélin pur fil Lafuma-Navarre numérotés
de 1 à 40.

Je ne voyagerai plus guère : le temps m'est court, et je m'aperçois un peu tard que, si j'ai donné bien des jours aux tombes thébaines, quelques-uns aux grottes de Touen-houang, je ferais bien d'aller voir d'un peu près, tout près de moi, cet art roman de Normandie que je connais encore assez mal, cet art roman du Poitou, dont je ne connais que des images. Il est grand temps pour moi de découvrir la France.

Voici donc un bilan de ce que m'ont donné quelques-uns des pays dont je me suis construit. S'il paraît peu en proportion avec le nombre d'années, ou de mois, que je passai là ou ici, c'est d'abord qu'il est beaucoup plus malaisé d'écrire sur un pays très familier que sur celui que l'on découvre. C'est aussi que le livre a disparu que je préparais sur les Etats-Unis de 1937 à 1943, et qui, confié à la valise diplomatique de la France libre, s'évanouit très bien dans les bureaux d'Alger. Les Yanquis devaient y avoir des amis. Ce livre est ici remplacé par trois articles qu'on me commanda, et qu'on me refusa, sur trois aspects de la politique américaine.

Au moment où nous voyons remonter la barbarie, je ne veux que porter un témoignage encore en faveur de l'humanisme, que refusent aujourd'hui les « gauchistes » parce que la droite l'étrique et le monopolise. Si pourtant vous renoncez à l'humanisme, à quoi bon l'homme?

266504

Les voyages déforment l'âge mûr

On ne voyage vraiment que pauvre, ou assez pauvre : le chemineau de mon enfance, les moines mendiants de jadis, la grand-route et les chemins creux leur en apprenaient beaucoup plus qu'à nos cadres, hommes d'affaires, commerçants aisés, l'Intourist ou l'Agence Cook.

J'ai vu quelques pays, entre vingt et quarante ans, mais le plus souvent dans des conditions que refuserait aujourd'hui le plus chétif des clients de l'American Express. De 1937 à 1948, en particulier, je vécus hors de France, à peu près constamment. Je m'établis au Mexique, aux Etats-Unis, en Egypte; en outre je passai un mois aux Antilles, deux en Algérie, quelques jours au Liban.

Aux Etats-Unis, j'étais pauvre. Du fait de la guerre, la loi de l'offre et de la demande jouait encore plus cyniquement. Mon salaire de jeune professeur à l'université de Chicago était sensiblement inférieur à celui du garçon laitier qui chaque matin déposait à ma porte les œufs ou le lait dont je ferais le plus nourrissant de mes menus. Au Mexique, où je passai en tout dix-huit mois, je vécus une année au moins dans une étroitesse à ce point rigoureuse qu'un tube de pâte dentifrice m'était un luxe rare. Je me lavais les dents au savon. Je ne regrette rien; car je connais les Etats-Unis et le Mexique. Quand on a plusieurs fois traversé le continent de Chicago à Laredo (Tex.), de Nouillorque à Phœnix (Ariz.), en dernière classe et non point dans ces vagons-lits que prodigue Hollywood, on en sait long sur la propreté corporelle et sur la misère sexuelle de ses compagnons de voyage. Quand on a bringuebalé au Mexique en dernière classe des chemins de fer, au milieu des ballots que trimbalent les Indiens, ou encore dans les autobus qu'ils fréquentent à peu près seuls (tout gringo, *tout* gachupin [1] *étant possesseur ou locataire d'une voiture), on découvre, notamment, que la femme mexicaine du peuple est plus soignée, beaucoup plus, que la bourgeoise yanquie qui se prélasse en vagon-lit et qui, dans les* rest-rooms, *comme on dit pudiquement pour désigner les toilettes, se conduit de façon à révolter une Européenne de même milieu (j'en ai vingt témoignages); ne parlons pas de ce que penserait une Mexicaine. Mais pour avoir fait la queue en attendant au Pérou l'autobus, haut dans la montagne, je dois avouer que l'odeur m'y était aussi pénible que me reste agréable le souvenir des autobus mexicains.*

Pour connaître un pays, quel qu'il soit, il faut donc vivre près des humbles et se mêler à eux. Autrement, on ne sera qu'un touriste : espèce entre toutes ridicule. Pour connaître un pays étranger, il faut également s'isoler, sans faiblesse ni compromission, de la colonie à laquelle on appartient. Français, fuyez les Barcelos de Mexico, les catholiques du Caire, les békés des Antilles. Les Barcelos de Mexico reconnaîtront que le Mexique offre d'assez beaux paysages; et leurs épouses avoueront que « c'est fou, c'est chou, Chichen-Itza ». Pour ajouter aussitôt : « Quel dommage qu'il y ait partout ces Indiens! » Impossible de leur faire comprendre que le Mexique est terre indienne, que ce sont des Indiens qui bâtirent les monuments, rédigèrent les codices. Descendez à Cuernavaca, vers les terres chaudes. Si vous y rencontrez des Européens, ou des Gringos (et le diable sait qu'ils y foisonnent), ils gémiront contre ce fichu pays où il n'y a pas de fruits. Les Français pleurnicheront sur les Cœurs-de-pigeon ou la Doyenné du comice. J'aime la Doyenné et le Cœur-de-pigeon.

---

1. Le *gringo* est le *yanqui*; le *gachupin*, l'Espagnol de souche.

Mais où trouve-t-on ailleurs qu'au Mexique une telle profusion de fruits, les plus beaux, les plus savoureux? Les cent variétés de bananes auprès desquelles ce que nous mastiquons ici sous ce nom n'a consistance et saveur que de ouate hydrophile; les variétés du sapote (ah! le sapote noir); les anones, que nos pédants veulent appeler chirimoyas; *la papaye, qu'on ne tolère au début que relevée du jus de limon, mais que bientôt on sait apprécier toute nue; les mammées à la chair coq-de-roche; les ananas gros et rugueux comme hure de sanglier, les avocats, dix autres fruits tous à qui sera le plus succulent. En Egypte, mêmes réactions dans les milieux européens. Et aux Antilles donc! Partout, le remugle du racisme! Le tourisme crée ou confirme les préjugés. Si je crois avoir à peu près compris les Etats-Unis, c'est sans doute pour avoir choisi d'y vivre aux quartiers juifs de Chicago, de Nouillorque. Dès que je donnais mon adresse, la réaction de mon interlocuteur me permettait infailliblement de comprendre à qui j'avais à faire au juste. Qu'un homme qui n'est pas juif choisisse de s'installer au ghetto, c'est louche, non? Alors, quand on me dit qu'il n'y a pas de ghettos aux Etats-Unis...*

Voyager, ce n'est pas seulement boire à Boston le bourbon, à Glasgow l'écossais (car votre scotch, *figurez-vous, c'est tout bêtement de l'écossais), la vodka Stolitchnaïa à l'hôtel Ukraïna. C'est manger la* tortilla *(la crêpe de maïs), et le frijol (un haricot rouge) avec les petits bougres du plateau mexicain; c'est boire à Huehotzingo le* pulque, *au Pérou la* chicha *(même si on ressent un haut-le-cœur à la vue des édentées qui mâchent le grain dont se fait la boisson mousseuse). Montaigne l'humaniste avait raison, qui se reprochait comme une faiblesse de n'avoir pu aimer la bière. Voyager, ce sera donc se faire indigène du pays où l'on débarque : et d'abord, en apprendre la langue, si par infortune on ne la sait pas encore. Trois phrases cueillies au vol, l'entretien d'un chauffeur de taxi, vous en apprendront bien plus sur un pays que les haut-parleurs quadrilingues de vos « cicermatics » officiels.*

Voyager, ce sera aussi fréquenter une ville étrangère au

*moment précis où les touristes s'en éloignent : durant les
émeutes raciales, ou celles que produisent la passion politique,
la misère, les conflits langagiers. Si j'ai longtemps à l'avance
annoncé la fin de Farouk, c'est sans doute que j'en savais long
sur ce « roi » par son beau-frère; c'est surtout que, sitôt que
ça bardait ici ou là dans sa bonne ville d'Alexandrie, je coiffais
le tarbouche qu'en principe j'étais tenu de porter en ma qualité
de fonctionnaire égyptien et priais mon* soufragui *(autrement
dit : mon bon à tout faire) de m'accompagner. Comme je ne
faisais que baragouiner l'arabe et que lui, Soudanais musulman, ne risquait rien, je ne voulais pas manquer ce qui se
disait durant les bagarres, les pillages; parfois, les émeutes.
Quand je voyais piétiner l'image du roi des putains (comme
en ces circonstances on appelait Sa peu gracieuse Majesté)
ou les étudiants fraterniser avec les policiers, cependant que,
dans la rue voisine, une colonne de pillards promenait le
butin des boutiques grecques derrière deux voyous dont l'un
brandissait le Coran, l'autre l'image du Roi bien-aimé, désar-
mant ainsi les longs bâtons de la police, j'en apprenais un
peu plus qu'en lisant le* Journal d'Egypte *tout acquis à la
cour.*

*Quand on n'est pas très riche, et surtout quand on est pauvre
comme je le fus au Mexique, il est vrai qu'on ne « fait » pas
toujours tout ce que « font » les cadres supérieurs, les P.D.G.,
les « V.I.P. » en vue de nourrir les substantielles conversations
du pousse-café : « — Connaissez-vous Prétoria? — Non, mais
j'ai fait Khajuraho. — Et moi, Chichen-Itza. » En dix-huit
mois de Mexique, je n'ai pu « faire » Chichen-Itza. Je ne
connais le Yucatan que par les ouvrages qui en traitent. Bien
que j'aie longuement séjourné près du Grand Canion, comme
je n'avais pas un dollar vaillant qui me permît « l'excursion »,
je n'ai pas « fait » ce canion-là. En revanche, deux mois à
Sedona dans le « canion du nant du chêne » m'ont mieux instruit sur l'Ouest, la grande peur de 1929-1930, que vingt ouvrages de spécialistes. Parce que j'avais échoué là faute d'argent,
j'y fis amitié avec le vacher qui avait fourni à Zane Grey le plus*

clair de sa documentation pour sa littérature sur l'Arizona, et
un vieux médecin anarchiste, le docteur Woodcock, dont
j'appris plus tard qu'il s'était suicidé avec autant de noblesse
et de discrétion qu'il en avait mis dans sa vie.

Parce que j'avais très peu d'argent, le pays de L. B. Johnson,
du lynch, du poll-tax, du no dogs and Mexicans allowed (à San
Antonio, Texas), de la guerre au Viêt-nam est donc aussi
pour moi celui de ces deux justes, de ces frères humains.

Depuis 1949 (j'avais alors quarante ans) j'ai voyagé encore,
mais trop confortablement parfois, et toujours beaucoup trop
vite. Les années passent; le temps me presse. Un mois de
Chine; à peine un mois pour l'Inde; aussi peu pour le Japon.
Voilà où j'en suis, maintenant. Par bonheur, durant mes années
de vaches maigres, j'appris à voyager; je me suis formé l'œil;
je vois assez bien ce qu'on me cache ou ne me montre pas.
Si j'ai « fait » moi aussi le Tadj Mahal au clair de lune, ce
fut en compagnie d'une Indienne intelligente qui m'entretint
(et Maurice Duprez avec moi) de la condition qui reste en son
pays celle de presque toutes les femmes. Pour compenser les
repas qu'il fallait prendre dans les meilleurs hôtels, j'ai voulu,
une fois au moins, manger dans un endroit pour hindouistes
pauvres, et j'ai visité quelques villages qui n'étaient point
modèles : ceux qui prouvent à quel point le roman de Prem
Chand, La Vache (qu'on devrait publier en France, non pas
tant pour sa valeur littéraire que pour sa qualité sociologique),
demeure, trente ans après, atrocement « actuel ». Quelques
jours de tête à tête avec un ami japonais, en vivant constamment à la japonaise, m'en ont plus appris sur son pays que
tout le reste du voyage. Suis-je en Russie? je ne vois que des
Russes; en Hongrie? que des Hongrois; en Pologne? que des
Polonais. Voilà ce que ne peuvent jamais s'offrir les « touristes » à la page. Je sais qu'on leur montre désormais la famille
américaine idéale, the typical American family, celle qui fait
métier de se montrer aux étrangers; cette nouvelle forme de
prostitution ne vaut pas mieux que celle des villageoises de
Marken ou de Vollendam, qui attendent, tout costume dehors,

que le gogo de touriste vienne « la prendre » en photo (comme
des citadines ailleurs attendent que le gogo de miché vienne
les prendre au sens propre).

Egalement aptes à nous abrutir avec méthode, on discerne
aujourd'hui deux sortes de tourisme : le tourisme conçu à
l'américaine pour ceux des Yanquis qui ne sauraient voyager
sans leur coca-cola, leur insipide pain en tranches, leur café
au lait dont on arrosera la soupe de poisson (vu, de mes
yeux vu, à Cannes, en 1966); tourisme où sans jamais quitter
Middletown, ou le XVI° arrondissement, on « fait » tout ce
qu'il faut avoir « fait ». Ce touriste-là vous demandera ingénument, à Tokyo : « Y a-t-il des gens cultivés au Japon? »
(entendu, de ma seule mais fine oreille, en 1964). L'autre
tourisme, à la manière du Club Méditerranée : paréos, colliers
de fleurs, vahinés, si on « fait » le Pacifique; couscous et
djellaba, si on officie au Maroc. On se mélange beaucoup
sexuellement et même un petit peu socialement (grâce à l'uniforme exotique). Pour rien au monde on ne se mêlerait à la vie
des Tahitiens; à celle des bergers berbères.

J'oubliais les photos! Eh bien, j'ai trouvé la solution. Je
ne la vends pas. Je la donne. Je propose que les touristes,
tous, soient rigoureusement confinés dans leur pays d'origine.
On leur fournira contre argent comptant bien compté toutes
les diapositives conventionnelles des sites qu'il faut avoir
« fait ». Ils se les projetteront, inviteront à leur gré leurs amis;
raconteront leur voyage. L'honneur est sauf, non? L'Unesco
vend d'excellentes séries savamment commentées, que le touriste à domicile apprendra par cœur, s'il en est capable, pour
les réciter à son auditoire. « J'arrivai aux grottes des Dames
de Sigiri. Ah! j'oubliais de préciser que c'était à Ceylan... »
Le voyageur, le vrai, je propose qu'il circule sans visa, mais
pourvu d'un sauf-conduit universel. Je lui conseillerai, même
à lui, de ne pas gâcher trop de pellicule, dont Pierre Verger
ou Cartier-Bresson feraient un meilleur usage. Il m'arriva
d'accompagner au Mexique Pierre Verger, quand il préparait
un album sur ce pays. Nous assistâmes ensemble à quelque

fiesta. *Je sais ce qu'il en tira, lui, et publia. J'ai gardé mes photos. Je peux comparer. Depuis, j'ai réussi quelques images passables de l'Egypte, du Mexique et d'ailleurs. Je continue pourtant à me méfier de moi : jamais, hélas, je ne saurai obtenir un seul cliché qui vaille les leurs. Toute l'Inde, tous les Etats-Unis, tout le Mexique, toute la Turquie s'imposent là irréfutables; à Cartier-Bresson, il suffit de quatre ou cinq déclics!*

Je veux ruiner Kodak, c'est clair. Ne vous affligez pas : je n'y parviendrai point. Le tourisme va prospérer; abrutir mieux que jamais les « cosmopolites » de palace. Déjà, il m'arriva de circuler au pas, en rangs par vingt, pour « faire » un des hauts lieux de la statuaire japonaise, cependant que des haut-parleurs endoctrinaient un troupeau d'écoliers. L'autre mois, à l'exposition Vermeer, un gardien zélé faisait activement circuler, étrangers compris, ceux des spectateurs qui étaient assez indiscrets pour s'attarder plus de dix secondes devant la Vue de Delft. *Tel est l'avenir du tourisme : obligatoire sous peine de mort. Il faudra en venir là pour faire marcher le commerce, notre veau d'or.*

Permettez-moi donc d'accorder ici une pieuse pensée à Pythéas le Massaliote, qui découvrit tout seul les îles du nord de l'Angleterre; au discret Hannon, à son fameux périple; à Fa Hien (340-416) qui partit âgé de cinquante-neuf ans et ne rentra chez soi qu'à soixante-treize, ayant parcouru à pied le Kan-sou, la région du Lob-Nor et de Touen-houang, l'Inde, Ceylan, Java; à Hiuan Tsang, qui resta douze ans par monts et vaux de l'Inde; à ces moines intrépides qui, sous la dynastie mongole, allèrent à pied de Paris à Karakorum pour rencontrer les khans tatars. Salut à Plan Carpin, Rubruquis, à Oderic de Pordenone, que je voulais éditer quand j'avais vingt ans, et en compagnie de qui je « fis » l'Eurasie quelques semaines durant au British Museum. Point de safaris organisés, en ce temps-là; de vraies bêtes bien sauvages vous attendaient à chaque tournant. Point de « Chaîne Hilton » pour assurer le gîte d'étape. On couchait sur la dure, à la belle étoile. C'est *pourquoi nous lisons encore Rubruquis, Hiuan Tsang [1]. Nul jamais ne préfacera les notes de voyages d'un client de l'Agence Cook. En ce siècle de tourisme, puissent les pèlerins bouddhistes, puissent les moines franciscains du Moyen Age nous rendre le sens du voyage! Mais, au fait, lisez l'admirable bouquin de Vincent Monteil, Soldat de fortune. Voilà le voyageur, le vrai, le courageux, le pur, tel qu'on ne le croyait plus possible au XXe siècle.*

1. Voyez, chez Calmann-Lévy, *L'Inde du Bouddha, vue par des pèlerins chinois sous la dynastie T'ang, VIIe siècle,* 1968.

RETOUR DES ANTILLES

1944

Aimé Césaire et « Tropiques »

« Terre muette et stérile. C'est de la nôtre que je parle...
Point de ville, point d'art, point de poésie. » Il s'agit de la
Martinique. C'était sans doute vrai en 1939. Ce ne l'était plus
tout à fait en avril 1941, lorsque Aimé Césaire exprime ce
regret en présentant *Tropiques*, revue « culturelle » publiée à
Fort-de-France. « Il n'est plus temps de parasiter le monde.
C'est de le sauver plutôt qu'il s'agit » écrivait Césaire; « il est
temps de se ceindre les reins comme un vaillant homme ».

Pour avoir lu dans *Volontés*, en 1939, son *Cahier d'un retour
au pays natal*, plusieurs lui faisaient confiance : n'eût-il écrit
que cette image : « ma race, raisin mûr pour pieds ivres », ou
cette phrase : « et le lit de planches d'où s'est levée ma race
tout entière, ma race de lit de planches, avec ses caisses de
kérosène, comme s'il avait l'éléphantiasis, le lit... », l'auteur
s'emparait de notre estime. Même à Nouillorque, nous savions
que Césaire existait, qu'il n'avait rien perdu de son élan.
Breton lui ouvrait *VVV* et Péret saluait en lui « le seul poète »
qui nous soit né depuis vingt ans. Jugement de valeur surréaliste, soit. Reste que le *Cahier d'un retour au pays natal*
vient d'être traduit en espagnol et de sortir à Cuba, illustré
par Wilfredo Lam; reste que, depuis juin 1941, *Tropiques*
existe.

Il faut ici rappeler un passé sordide : en juin 1941, Hitler
règne en Martinique, par amiraux interposés. Les *blancs* se

terrent, ou collaborent (exceptons l'évêque, un rhumier, le
trésorier payeur). Nulle nouvelle du monde encore libre; pas
une revue, pas un livre. Affamés et matraqués par des sou-
dards, les Martiniquais devaient en outre écouter, en guise
de *Marseillaise : Maréchal, nous voilà*. C'est alors que Césaire
parla, et avec lui Suzanne Césaire, et avec eux René Ménil,
Georges Cratiant, etc. Tous noirs, et pas même « bons nègres »;
tous « mauvais nègres » : Français. Et que disaient ces « mauvais nègres », en leur excellent français, eux qui auraient dû
babiller en créole? « Où que nous regardions, l'ombre gagne.
L'un après l'autre, les foyers s'éteignent. Le cercle d'ombre
se resserre, parmi des cris d'homme et des hurlements de
fauves. Pourtant nous sommes de ceux qui disent *non* à
l'ombre. » Et s'ils parlaient de Péguy, c'était pour interdire à
Vichy d'en parler, « louanges pires que des injures. Les
hommes au regard darne ne comprirent pas que passait
devant eux, terrible, accusatrice, l'incarnation de la véritable
grandeur ». La censure ne comprit pas le mot « darne », mais
elle reconnut quelque part dans *Tropiques* les syllabes du mot
proscrit : liberté.

Dieu, je veux dire la liberté

Elle assigna donc deux flics à la filature de ce « trop piqué »
— comme on disait spirituellement. Césaire répondit par un
manifeste qui disait leur fait aux « flics et flicaillons », à leurs
« sourires de kystes suppurants ». Le quatrième cahier, toutefois, atténua les inquiétudes des censeurs : on y parlait du
folklore martiniquais, on y donnait des contes créoles : du
bon régionalisme, n'est-ce pas. Il suffisait pourtant de lire ce
numéro : « Quand l'homme, écrasé par une société inique,
cherche en vain autour de lui le grand secours, découragé,
impuissant, il projette sa misère et sa révolte dans un ciel de
promesse et de dynamite. » Ou bien, du milieu d'un texte
d'apparence surréaliste, surgissait ce grand cri : « Ah! vous ne
m'empêcherez pas de parler, moi qui fais profession de vous

déplaire... je maudis l'impuissance qui m'immobilise dans le réseau arachnéen des lignes de ma main. » « Accommodez-vous de moi. Je ne m'accommode pas de vous. » Soucieux de se montrer libéral, l'amiral Robert interdit aux imprimeurs martiniquais de travailler pour Césaire. En février 1943, un cahier double sortait des presses de l'Amiral, celles du gouvernement. Les flicaillons n'avaient pas prévu tant d'audace. Il fallut se démasquer, interdire *Tropiques*.

Le ban ne fut levé qu'après la libération des Antilles françaises. *Tropiques*, de nouveau, paraît tous les trois mois. En février 1944, c'était le dixième cahier.

En lisant la collection complète, on remarque une évolution, ou plutôt une révolution surréaliste. Pour l'absoudre, il faut comprendre la raison de cet engouement. En route vers l'exil, André Breton passa par Fort-de-France. Pour Césaire et pour ses amis, cette rencontre fut merveilleuse; très exactement : celle du merveilleux. « Abîmes du merveilleux. Liberté, cet autre abîme », écrira Suzanne Césaire. Et encore : « André Breton, le *plus riche*, le *plus pur*. » Les cahiers 6-7 sont presque entièrement dédiés à Lautréamont; les cahiers 8-9, à l'exaltation de Breton. Ce ne serait rien, si l'engouement surréaliste n'impliquait quelque complaisance pour des textes qui n'ont d'autre vertu qu'orthodoxe. Voici par exemple quelques-unes des quarante et une raisons pour lesquelles Brauner réclame notre admiration :

« Vous aimerez ma peinture :

17 parce qu'elle est prophétique
20 parce qu'elle est... dialectique
25 parce qu'elle est surestimante
32 parce qu'elle est matérialiste
35 parce qu'elle est délirante, obsédante, etc. »

C'est également par souci doctrinal, ou doctrinaire, que l'on interprète un sonnet mallarméen *(Ses purs ongles...)* selon l'esthétique de l' « érotique-voilée » telle que suggérée dans *Minotaure*; il y faut deux contre-sens sur *ptyx* qui est *coquillage* et nullement *superposition du mot à la pensée*), sur *nixe* qui ne vient point de *nitor, nixus sum, niti,* mais qui signifie certain génie femelle), sans compter beaucoup d'autres hypothèses. C'est enfin sous l'influence du surréalisme que *Tropiques* mentionne à deux reprises le trop fameux texte où Vinci recommande au peintre de cultiver son imagination en se laissant guider par les taches d'un vieux mur; or les surréalistes — Max Ernst, notamment, qui semble avoir pris ce conseil comme norme esthétique — oublient toujours de dire que, dans les *Carnets* de Léonard de Vinci, au chapitre toujours cité, il est enjoint au peintre, complémentairement, de s'exercer à dessiner d'après nature, plantes et animaux, et avec tant d'exactitude, et avec tant d'obstination que chaque dessin puisse être reproduit de mémoire, minutieusement, après quelques mois écoulés. Ce sont là broutilles, si l'on veut. Voici plus grave : Césaire est un de nos plus authentiques poètes. Or il s'égare en exercices d'automatisme; pour se libérer de la tyrannie des « superstitieux faiseurs d'alexandrins », il découpe ainsi une image :

> *les aubes nouvelles*
> *montaient*
> *roulant leurs têtes de lionceaux libres*

sans apparemment s'apercevoir qu'il substitue, à la rhétorique rimailleuse — laquelle du moins a ses excuses — une rhétorique grammairienne, grammaticale, celle qu'impose le professeur qui fait traduire par *groupes de mots :* groupe du sujet « les aubes nouvelles »; groupe du verbe « montaient »; groupe de l'attribut, ou de l'apposition si l'on préfère, « roulant leurs têtes de lionceaux libres ».

Or, dès son *Cahier d'un retour au pays natal,* la seule qualité qui manquait encore à Césaire, c'était la rhétoricienne. Tempérament lyrique, précision et richesse du vocabulaire, syntaxe savante et pourtant personnelle, il avait tout d'emblée.

Il avait aussi quelque chose à dire; il avait beaucoup à dire. Dans une belle prière qu'il s'adressait alors, il demandait d'être

fait « rebelle à toute vanité » mais « docile » au génie de son
peuple « comme le poing à l'allongée du bras ». Prière qui fut
exaucée, puisque le poète ne priait que soi-même. Rebelle à
toute vanité, il est vraiment « tête de proue », et forte tête
puisque tête forte, aussi français que nègre, mais aussi nègre
que français; « mauvais nègre », par bonheur pour la France
et pour les lettres. Et, certes, les collaborateurs de *Tropiques*
ont sujet d'être fiers de leur négrerie, fiers de leur négritude,
car ils ont lu Frobenius. Ils savent que « les révélations des
navigateurs du XVᵉ au XVIIᵉ siècle fournissent la preuve certaine que l'Afrique nègre qui s'étendait au sud de la zone
désertique du Sahara était encore en plein épanouissement,
dans tout l'éclat de civilisations harmonieuses et bien for-
mées ». Ils savent que l'homme blanc d'alors, aveuglé par ses
superstitions, inventa la notion de « fétichisme » afin de
donner au négrier la carte blanche qu'il exigeait. « C'est un
fait que l'exploration n'a rencontré en Afrique équatoriale que
d'anciennes civilisations vigoureuses et fraîches partout où la
prépondérance des Arabes, le sang hamite ou la civilisation
européenne n'ont point enlevé aux noirs phalènes la poussière
de leurs ailes jadis si belles. Partout! » Ainsi parle Frobenius [1].
Césaire est français, aussi français qu'on peut l'être; et même
normalien; et même il enseigne le grec et le latin; comme
L. S. Senghor, nègre d'Afrique et agrégé. Et s'ils sont l'un et
l'autre si exactement français, c'est parce qu'ils ne renient
point l'héritage de leur Afrique, parce qu'ils acceptent tout
l'homme, tous les hommes, y compris l'homme jaune et
l'homme blanc; parce qu'ils ont lu Homère, et ce passage en
particulier sur les « irréprochables Ethiopiens, eux dont le
sacrifice est celui que préfèrent les dieux ». Ainsi donc, sous
la tyrannie raciste, Césaire et ses amis, qui pensent l'homme
universel, ont été les seuls à continuer Montaigne et Diderot,
les seuls à exprimer ce que sentait leur « race », une des plus
belles que j'aie vues. Depuis la libération des Antilles, Césaire

---

1. Frobenius, *Histoire de la civilisation africaine*, N.R.F., 1936, p. 14.

et ses amis sont les plus têtus défenseurs de la France; hostiles à toute idée d' « indépendance antillaise » — car ils savent trop bien ce que signifie ce mot dans ces parages —, ils ne sont pas moins hostiles au plus virulent ennemi de la France aux Antilles, à « ce monument d'obscurantisme, de paresse, d'ignorance, de jésuitisme qu'est le capitalisme martiniquais ».

« Terre muette et stérile »... allons donc! Une fois dompté le capitalisme martiniquais, un demi-million de Français antillais remercieront celui qui, selon son vœu, aura été l' « homme d'ensemencement » [1].

1944.

---

1. Pour s'abonner, écrire *Tropiques,* 100, rue Saint-Louis, Fort-de-France, Martinique. Tarif annuel : un dollar.

RETOUR DU MEXIQUE

1953

Notes sur le Mexique au cinéma

Depuis quelques mois je vivais à Tlalpan, près de Mexico,
et non pas en touriste, pauvreté merci, une de ces pauvretés
qui vous enrichissent de vie, lorsque la *Revue de littérature
comparée* me chargea de vérifier à son intention quelle était
au Mexique l'influence de Jean Racine.

Vingt-huit traductions de Montépin illustraient le catalogue
de la Bibliothèque nationale; de Racine, pas grand-chose :
ceux des Mexicains que leur goût, leur culture, devaient incli-
ner vers *Bajazet* ou vers *Britannicus*, pourquoi diable auraient-
ils fait un sort au *Británico* de Don Saturnio Iguren, à l'introuvable *Bayaceto* du prêtre Anastasio María de Ochoa y Acuña?
Ne savaient-ils pas le français tous ceux-là? Quant à interpréter Racine en espagnol : autant que je sache il fallut attendre
1933 pour que Rodolfo Usigli produisît à la Radio une *Fedra*
qu'il avait mise en prose. Rien de surprenant : « Le Mexicain,
disais-je alors, n'a pas le sens du tragique; s'il a besoin, dans
ses églises, de Christs sanguinolents, percés de trous énormes
où les petits enfants trempent leurs mains, si des crucifixions
mimées — celle d'Ixtapalapa — lui laissent le cœur et l'esprit
libres assez pour l'admiration des paillasses qui opèrent au
pied de la croix, c'est la preuve qu'il n'est pas mûr encore
pour *Bénénice*. » Exemple mal choisi, je m'en aperçois un
peu tard. J'ajoutais, ce qui vaut un peu mieux : « S'il acceptait
un Hippolyte, ce serait celui de Sénèque, dont sur la scène on

lui rassemble les morceaux. » En lisant la revue, je constatai
avec déplaisir que, si l'on n'avait point osé ou point su corriger
le style de ces notes rapides (« *ce serait celui* » et les sifflantes
de la phrase, à siffler!), on me prêtait une sottise et le contraire
de ma pensée : « Le Mexicain n'a pas le sens du tragique
au théâtre. » En ajoutant deux mots, on cachait aux Français
la seule idée que j'eusse envie de leur communiquer et qu'à
la vérité j'aurais dû formuler ainsi : « Le Mexicain n'a pas le
sentiment tragique de la vie, *el sentimiento trágico de la vida.* »
Fort éloigné de reprocher aux Indiens leur aisance devant la
mort, je l'admirais et l'enviais. Pour les intéresser à leur dieu
crucifié, qu'il fallût le truffer d'ecchymoses, le barbouiller
d'égratignures, de sang et de caillots, voilà qui me rassurait
sur leur santé! Révolté contre la mort, et singulièrement contre
la mienne, de mort, car je savais par cœur mon Rimbaud et
vivais son Imitation, soudain je découvrais tout ce que devait
à l'histoire, à la religion, à la géographie, une angoisse que je
croyais fondée en raison, en viscères. Or voilà qu'on me cen-
surait ma nouvelle, ma très joyeuse et très neuve nouvelle.

   J'en viens à me demander si la seule courtoisie incita Paul
Hazard à me corriger de la sorte, ou si plutôt je dois lire en
ces deux mots superflus : « au théâtre », la force de nos préjugés. Par ce temps de lugubres athées et qui presque tous
cachent mal des curés manqués, j'ai parfois confié mon espoir
au cinéma : grâce à lui le péon finirait bien par nous toucher,
par nous réconcilier avec du moins *notre* mort; quelle tenue
chez lui, quelle pudeur : contagieuses.

   Je sors des *Orgueilleux.* Déception! Encore une! Le gosse
qui vous court après en criant *para hoy,* ou *para mañana*
(pour aujourd'hui, ou pour demain) car la loterie là-bas se
tirait tous les deux jours, et le voilà souriant, obstiné qui
sous le nez vous secoue ses billets de bonheur; la dévotion
des humbles et les Christs purulents : les chapeaux à passes
démesurées — ceux que nous appelons des *sombreros* —, les
pistolets un peu voyants, un peu trop touristiques; sans doute
à ces images entrevues j'accrocherai mes souvenirs; comme

aussi à « libre », qui veut dire un taxi là-bas. Mais il me faut
après coup y réfléchir; il y faut ce désir en moi d'un des rares
pays au monde où je sais que j'aimerais vivre. De toute évidence il ne s'agissait que de maintenir en obsédante vedette
un couple de héros populaires et rentables : la nouveauté de
Gérard Philipe en ivrogne, et le regard si aisément absent
de Michèle Morgan, parfaite, vous en souvient-il, dans un rôle
d'aveugle. Alors, à quoi bon les transplanter au Mexique, et
encore, dans un village? Pour que la moiteur d'une journée
en terres chaudes permît à notre aveugle enfin d'ôter ses bas
avec juste assez d'insistance? pour les pétards de la semaine
sainte? pour que, flattés de parler une langue universelle —
le médecin, l'hôtelier, le curé, tous les gens *bien* savent du
français, peu ou prou — les spectateurs oublient qu'il aurait
pu s'agir de la vie mexicaine? Comment savoir? Mais que
Michèle Morgan et que Gérard Philipe nous cachent les
Mexicains, ça je le sens. De tant les voir, je ne peux plus les
voir.

Du moins Yves Allégret, qui nous fait le coup des vedettes,
nous épargne-t-il celui du pittoresque. J'en ai tant vu, aux
Etats-Unis, d'innombrables machins où, comme sur les pros-
pectus des agences de voyage *(land of love and romance :
charros, jarabe, azulejos, tortillas* et filles qui se tortillent),
l'Anahuac s'affadit en pays d'amours romanesques. A vous
dégoûter de *La Perle,* où le décor, le costume et le visage de
l'Indien sont toujours étranges, étrangers : ça me rappelle ce
mot de « barcelo [1] » : « Belle ville, Mexico; dommage qu'on
y voie tant d'Indiens! » Moins dépaysant pour un Yanqui,
pour un Européen, l'Anahuac en effet serait moins périlleux :
a-t-il fixé quelques images, le premier amateur frais débarqué
peut espérer séduire ses amis; le Tibet l'eût aussi bien servi,
les Canaques, ou les Pygmées. Du Mexique, nulle question.
Dans la mesure où comme à plaisir ils tournent aux « wes-

---

1. Les « barcelos » sont les bourgeois français du Mexique. Ils viennent,
quasi tous, des Basses-Alpes, et de Barcelonnette.

terns », les films de guerre civile, sur Zapata et sur Pancho Villa *(Viva Villa!)*, risquent de ne jamais valoir beaucoup mieux que le *Cangaceiro;* or, je m'étonne que le ridicule n'ait pas encore tué celui qui dirigea cette puérile production. Ni les chevauchées, ni les bons bandits qui redressent les torts et préparent à leur guise un partage des terres, ne satisfont celui qui aime le Mexique. Quant au film fabriqué sur le roman de Graham Greene, et de quelque façon qu'on le juge en tant que film, il ne peut que tout obscurcir : vainement y chercherez-vous le sentiment religieux du péon, ou celui des *gatchoupines* [1]; on ne vous propose que celui d'un catholique anglais, fanatisé comme tout minoritaire, et sataniste autant qu'on doit l'être en ce temps de satans. *The Fugitive* me semble un contresens *parfait :* historique et sociologique. Combien de Français m'ont pourtant parlé de cette bande, et des *Olvidados,* les oubliés? Frères indiens de ces musulmans que présente Albert Cossery dans les nouvelles qui composent *Les Hommes oubliés de Dieu. Yaouleds, besprizornis,* gosses de notre « zone », et de toutes les « zones », sans doute il convenait qu'à la faveur d'une œuvre forte et souvent réussie, Buñuel les rappelât à notre souvenir. Mais par la vertu même de cette beauté, voici que nous oublions le sens du titre, et que l'histoire, un peu atroce, nous console aisément, un peu trop, de nos *enfants martyrs.* « Eux aussi, voyez-vous, et même, c'est bien pis... » Illusion d'autant plus persuasive qu'agréable et qu'à deux ou trois exceptions les séquences filmées au pénitencier sentent de loin leur patronage. Illusion d'autant plus nocive, que ceux-là dont l'enfance a connu nos chiourmes lycéennes, ou les amoureuses rossées à quoi les soumit la piété filiale, ont apprécié les Mexicains, pour cette gentillesse, pour ce respect surtout, dont le péon favorise les tout-petits, ou les honore. Pas une fois en dix-huit mois je n'intervins contre

---

1. On appelle *gachupinos* ceux des grands bourgeois qui se piquent de n'être point contaminés de sang indien. Nombreux jadis, au temps où l'on méprisait officiellement le péon, ils se raréfient depuis que le *Día de la raza* est devenu le « jour de la race indienne ».

ces mères-fesseuses ou ces papas-gifleurs que je me fais un
devoir, ici, d'engueuler dans la rue, quand il leur advient
devant moi de lâcher leur lâcheté. A ces gros plans de visages
tuméfiés ou sanglants, gardez-vous d'admirer le trait de mœurs,
ou le secret de la sensibilité mexicains : retrouvez-y plutôt
la nature de celui qui manifestement se complaît à trancher
un œil au fil de son rasoir, ou qui élimine avec soin de
son métrage sur les *Hurdes* tout détail qui le divertirait
de l'horrible beauté. Vers le moment où Antonin Artaud
annonçait un « théâtre de la cruauté » — qu'il obtenait
dans plusieurs scènes des *Cenci* — Buñuel se proposait
de créer un art complémentaire, le ciné de la cruauté : bien
digne de cette Europe; moins heureux s'il s'agit des enfants
mexicains.

Faut-il désespérer d'aimer au cinéma une œuvre belle, oui,
mais juste aussi, sur le Mexique? Non pas, car en dépit de
ce qui pourrait passer pour indulgence au pittoresque *(musica
ranchera*, barques fleuries, effets de lagune à Xochimilco),
ni la bénédiction des animaux, dans *Maria Candelaria*, ni la
gaucherie de l'homme devant la souffrance, ni la beauté, le
talent de Dolorès del Rio ou de Pedro Armendariz ne dége-
laient ce public de bourgeois cosmopolites au milieu clair-
semé duquel, un soir d'été, au Caire, j'admirai le premier des
bons films mexicains. Précisément à cause de cette qualité,
peut-être aussi parce que la « question sociale » y occupait
une place importante, la sienne, le public levantin boudait
jusqu'aux bateaux fleuris pour amoureux. On médit trop de
ce public; il ne se trompe guère : invinciblement insensible
à la vérité.

Est-ce pourquoi, devant l'opinion, les Mexicains coup sur
coup produisent deux navets, *Sensualidad* et *La Red?* Par
amitié pour eux, je ne soufflerai mot de cette putasserie qu'ils
nomment « sensualité », du mélo si peu drame dans lequel une
putain compromet un magistrat, un pur, un « intègre », et
« fait de lui un assassin » *(La Semaine à Paris)*. Mais quelques
photos réussies, trop souvent répétées, hélas (nous avions très

bien vu, monsieur le photographe!) et quelque caricature, là
encore, de « sensualité », ont valu à *La Red* certains éloges
et du public. Eh bien, non! non et non! que des messieurs
trop âgés, que de trop jeunes garçons éprouvent devant Ros-
sana Podesta le regret du pouvoir, de l'expérience qui leur
manque, j'y consens — à la rigueur; je doute qu'un *seul*
homme entier partage cette émotion. Si je devine bientôt que
deux mecs vont se tabasser pour une môme, je ne puis les
excuser que par l'isolement où les condamne leur métier de
hors-la-loi. Une fois admise l'invraisemblance de la donnée
(comme si le Mexique à ce point fût « sauvage » qu'on s'y pût
cacher en plein air, sur une plage! comme si le pays n'avait
pas de garde-côtes!), le metteur en scène a beau jeu pour ne
rien montrer que deux ou trois images furtives. Ainsi que dans
Les Orgueilleux, les trois acteurs offusquent tout; pis : faussent
tout. A qui jamais ferait-on croire qu'une garce à demi nue
pourrait se promener dans les rues d'un village sans rien
susciter que des regards lubriques? Pas à moi qui me suis
trouvé, deux ou trois fois, honteux, en compagnie d'Européennes bien élevées, inéducables : cuisses au vent ou trop
décolletées. Si vous croyez que les mâles s'étranglaient de
désirs, et les femmes de jalousie! Nul ne se souciait de savoir
si elles étaient jolies, les poupées, ou passablement carrossées.
Sous le *rebozo*, les femmes se touchaient du coude et cachaient
mal un sourire. Les hommes riaient au nez des passantes, les
gamines se les montraient du doigt, les *gringas*, les grotesques!
Alors, quand avec sa cuicuisse et ses nénés Mme Podesta fait
des effets de plastique dans les rues d'un village, comment
espérez-vous que je tombe dans votre filet, dans votre *Red!*
A Holivoude, Emilio Fernandez! Allez-vous-en chez les
gringos; tournez-leur en studio des histoires idiotes, d'amour
et de romanesque *(of love and romance)*. A nous qui l'aimons
comme nous le connaissons, ne prétendez pas nous parler du
Mexique. Quand on sait tout ce qui se passe là-bas : le pétrole
nationalisé; la réforme agraire, les *ejidos*; les routes, les bar-
rages, les écoles, les villages entiers qui se construisent; le

défrichement des terres chaudes; et l'Indien désormais qui
peut repenser un avenir en tous points digne de son passé,
comment tolérer *La Red*, et votre *Sensualidad?*

— Mais vous n'avez rien dit encore d'Eisenstein! On reconnaît bien là le McCarthy français (Kanapa *dixit*, qui a toujours raison).

— Il est vrai. Non moins vrai que je le gardais pour la
bonne bouche.

— A cause de *Kermesse funèbre?*

— Oui et non. Quand pour la première fois j'admirai ces
belles images, je n'étais que médiocrement informé du conflit
qui, durant des années, et jusqu'à la mort d'Eisenstein, devait
opposer l'artiste soviétique à la bêtise d'Upton Sinclair, à la
tyrannie du dollar. Du Mexique, je ne savais rien, que sa
légende. Comment n'aurais-je pas approuvé l'œil même et le
même génie qui avaient donné le *Potemkine* ou *La Ligne générale?* Cadrage, lumière, symbole, tout s'y trouvait qui bientôt
allait faire d'*Alexandre Nevski* un enchaînement de tableaux
parfaits, tous nécessaires. Mais il me suffit de passer quelques
mois au Mexique, et d'un jour, un seul, me trouver mêlé à la
fête des morts, pour me rebeller contre le ton que prenaient
les séquences de *Kermesse funèbre*, contre ce *sentimiento
trágico de la vida, valeur* chrétienne, au moins autant qu'espagnole. Quant à savoir si l'erreur venait d'Eisenstein ou de
ceux qui, après l'avoir dépouillé de ses films, les avaient
découpés, montés, interprétés à leur pieuse guise, et commerciale... A ces masques, à ces danses, à ces sucreries cadavéreuses
dont autour de moi se déguisait, s'ébaudissait, se gavait un
peuple en liesse. Impossible en tout cas de superposer la
Kermesse funèbre. (Voyez plutôt, sur ce thème, les fresques
de Rivera.) Occidental, juif, artiste, anxieux, et dont la
puberté coïncidait avec la guerre de 1914, je voyais fort bien
Eisenstein portant au cœur, à l'esprit, cette plaie de notre
Occident : *sa* mort. Je déplorais toutefois que le seul homme
apparemment dont nous pouvions espérer le meilleur film
mexicain n'ait pas su, ou pu, nous l'offrir.

Mais voici sa biographie, par Marie Seton [1] : fervent, précis, intelligent. On y découvre avec soulagement qu'Eisenstein n'a jamais vu la *Kermesse funèbre* (lettre à Georges Sadoul, du 10 mai 1947) et qu'il tenait pour « plus que navrant » le montage de *Tonnerre sur le Mexique*. Bien mieux, qu'il avait d'emblée senti, et consigné dans sa première ébauche de scénario « la grande sagesse du Mexique devant la Mort ». « Unité de la vie et de la mort, écrivait-il. La mort de celui-ci est la naissance du suivant. Le cycle éternel. Le jour des morts au Mexique. Le jour entre tous de la plus grande rigolade, et de la gaieté! » Je découvris enfin, reproduit en face de la page 211, un instant né de ce qui devait être la dernière image de *¡Que viva México!* Un Indien, tout jeune encore, enlève avec lenteur son masque de squelette : tout en croquant un morceau de crâne en sucrerie, le voici qui sourit à la vie. Contagieux sourire, et symbolique : sous la mort démasquée, sous la mort qui devient nourricière, rayonnant de jeunesse, et d'espoir, voici nous regarder le Mexique présent, celui de l'avenir. Maintenant que je sais jusqu'où le désespoir faillit pousser Eisenstein, quand il apprit en août 1932 que Sol Lesser allait diffuser *Tonnerre sur le Mexique,* et qu'à trente-cinq ans il désirait en mourir, comme je l'aime, d'avoir si parfaitement compris le secret du péon, la sagesse de tout un peuple : l'homme enfin joyeux devant *sa* mort (ce qui ne veut pas dire devant la mort d'*autrui*).

Hélas, en vain j'essaie d'imaginer ce que, servies par son génie, sa gentillesse, sa drôlerie, sa gravité, auraient pu devenir les images qui me restent du *Tonnerre sur le Mexique!* Lui mort, c'est bien fini. C'est comme si d'un grand poème et de toutes ses ébauches, il ne nous restait plus qu'une liste exhaustive, par ordre alphabétique, des mots qui le composaient, ou qu'on en avait exclus! Alors, puisque jamais nul homme ne verra le chef-d'œuvre qu'à partir de ces kilomètres de pelli-

1. *Sergei M. Eisenstein, a Biography, by Marie Seton*, Londres, **The** Bodley Head, 1952. Il faudra le traduire.

cule assurément nous aurait offert Eisenstein, sommes-nous
condamnés à ne pas voir l'Indien?

Non, par chance. Encore qu'il ne faille pas exiger des photos
aussi également réussies que celles d'Eisenstein, un film existe,
inconnu ou peu connu, en qui je reconnais ma seconde patrie :
Forgotten Village, sur une histoire de Steinbeck. Une histoire
d'épidémie, comme celle des *Orgueilleux,* mais sans rien de
commun. Il s'agit du conflit réel, qui durant les premiers
efforts du ministère de la Santé publique, opposa dans un
village la sorcière, ou si vous préférez la guérisseuse, avec ses
charmes, ses peaux de serpent, et les infirmiers qui, secondés
par l'instituteur, veulent convertir le peuple à la vaccine.
Une fois résolu le conflit, tous les acteurs du drame, et la sorcière en personne, acceptèrent de jouer ce qu'ils venaient de
vivre. Pas une vedette, pas même une vedette indienne pour
porter sur le Mexique une ombre opaque. Des gens, tout
simplement : des visages humains; les mœurs, les préjugés, la
vie, la mort des humbles : *nosotros humildes,* disent-ils volontiers, avec tant de noblesse. Non, je n'oublierai jamais l'accou-
chement-crucifixion dans la pénombre, ni la danse nocturne
dans la maison du mort : documentaire, si l'on veut, mais éla-
boré en scénario, construit avec l'espoir (souvent réalisé) de
produire une œuvre belle, voilà *Forgotten Village,* le seul film,
que je sache, où l'on puisse assister à la vie indienne, et sous
l'anecdote admirer un des plus sûrs effets de la révolution :
la santé au village.

APPENDICE

Recherches sur Racine au Mexique

Une tradition peut-être légendaire veut que le curé Hidalgo, celui qui « dio el grito » de l'indépendance mexicaine, ait traduit plusieurs pièces de Racine et de Molière. Il ne subsiste rien de ses travaux, et s'il paraît probable qu'il a traduit le *Tartuffe*, « le nom de Racine peut avoir été ajouté légèrement par un historien enthousiaste », ainsi que nous l'écrit un parfait connaisseur en la matière, Rodolfo Usigli, dans une lettre du 7 juin 1939. En tout cas, à supposer qu'elles aient existé, les sympathies raciniennes du libérateur n'ont guère gagné les Mexicains.

Si l'on trouve à la Bibliothèque nationale de Mexico quatre exemplaires de : *Británico, tragedia traducida del francés por* DON SATURIO IGUREN, Madrid, en la of. de Don Gabriel Rámirez, 1752 (cotes : B. XI. 10-17; B. IV. 1-20; B. VII. 7-12; F. 30. 4-17), la première traduction *mexicaine* dont nous soyons assurés est celle que donna de *Bajazet* (vers 1823-1825) le prêtre Anastasio María de Ochoa y Acuña (27 avril 1783 - 4 août 1833) : lequel traduisit Ovide, Boileau, Beaumarchais, Camoëns, Alfieri, etc. Encore faut-il ajouter que la plupart de ses œuvres sont perdues; entre autres son *Bayaceto* (cf. *Antología del Centenario, estudio documentado de la literatura mexicana durante el primer siglo de la independencia,* por Luis G. Urbina, Pedro Henríquez Ureña y Don Nicolás Rangel, México, Manuel León Sánchez, 1910, Primera parte, 1800-1820, volumen primero, p. 66-68).

Beaucoup plus tard, en 1871, parut aux éditions de La Voz de México : *Esther, tragedia bíblica en tres actos y en verso. Traducida del francés por* JÉSUS GONZALEZ (cote : C. XIII. 6-19) [1].

Il faut ensuite attendre 1933 pour que Rodolfo Usigli traduise *Phèdre*

1. Cette traduction ainsi que celle de Ochoa y Acuña sont mentionnées dans la thèse de M. Richard Eugène Bailey, *French Culture in Mexico in the nineteenth century*, Dijon, Bernigaud et Privat, 1936.

en prose et la fasse transmettre par le poste de radio du ministère de l'Instruction publique [1]. Actuellement, il en prépare, en vers blancs, une nouvelle version qu'il produira vers la fin de l'année, « à l'occasion du centenaire » (lettre citée).

Mentionnons enfin que *Les Plaideurs* ont été joués en français, en mai 1939, dans la salle des fêtes du Lycée Franco-Mexicain, que dirige M. Michel Berveiller.

Il serait injuste de conclure : « Les Mexicains ignorent tout de Racine. » S'ils l'ont eux-mêmes peu traduit, c'est qu'ils pouvaient lire les versions faites en Espagne ; c'est aussi que ceux d'entre eux qu'intéressaient les tragédies les pouvaient lire en français : souveraine et presque tyrannique entre 1885 et 1910 (voyez la *Revista Azul* ou bien la *Revista Moderna de México*), l'influence de notre langue, de notre littérature, est encore assez marquée, en dépit des progrès de l'anglais.

Mais les lecteurs de Racine sont trop peu nombreux pour peupler un théâtre. Il n'existe pas, au demeurant, de théâtre mexicain. Ni le Teatro Ulises, ni le théâtre d'orientation n'ont pu créer un genre d'art qui postule et signifie à la fois une certaine homogénéité, une certaine cohésion dans la société qui s'y voue. Et quand les animateurs de ces entreprises héroïques auraient formé des acteurs et composé un répertoire, je ne crois pas qu'on pourrait avec succès interpréter du Racine : le Mexicain n'a pas le sens du tragique [au théâtre] [2] ; s'il a besoin, dans ses églises, de Christs sanguinolents, percés de trous énormes où les petits enfants trempent leurs mains, si des crucifixions mimées (celle d'Ixtapalapa) lui laissent l'esprit assez libre pour l'admiration des paillasses qui opèrent au pied de la croix, c'est la preuve qu'il n'est pas mûr encore pour l'audition de *Bérénice*. S'il acceptait un Hippolyte, ce serait celui de Sénèque, dont sur la scène on rassemble les morceaux.

L'on ne sera point surpris d'apprendre, enfin, que Racine est moins lu à Mexico qu'Eugène Sue, Gaston Leroux et Xavier de Montépin. (J'ai relevé 28 traductions de Montépin.)

1939.

1. On pouvait lire néanmoins, à la Bibliothèque nationale, une *Fedra, tragedia en cinco actos, traducida por* MIGUEL PASTORFIDO (Santiago de Chile, La Estrella de Chile, 1874) ; cote B. XIV, 5-4.

2. Ajout de Paul Hazard.

RETOUR DES ÉTATS-UNIS

1944

Trois articles refusés

I. *La politique des Etats-Unis en Méditerranée*

Lorsque, sur l'initiative du président Truman, le Congrès américain accepta récemment de « secourir » la Grèce et la Turquie, il ne fit que rendre claire à tous une politique méditerranéenne que les Etats-Unis préparaient depuis des années.

« De quoi s'agit-il? Mais voyons, de *business as usual*, vous répondent les habiles. Nous devons garantir, dans tout le bassin méditerranéen, le libre passage de nos avions de commerce. La meilleure preuve, n'est-ce point ces réserves de carburants que M. Ickes, quand il était encore ministre, voulut constituer près de nos bases en ces régions? L'autre meilleure preuve, c'est l'abondance des aérodromes que nous établissons en Arabie séoudite. Tenez! jouons franc jeu. Nous allons tout vous dire : nos réserves d'or noir s'épuisent; l'Arabie en regorge. Aviation et pétrole, voilà tous nos secrets, toutes nos ambitions. Nous sommes d'honnêtes marchands qui nous soucions de nos affaires, et qui nous mêlons de ce qui nous regarde. » D'autres, par bonheur, ont la langue plus longue : « Ce n'est pas le plus important, disent-ils. Juifs et Libanais, Balkaniques et Italiens composent une bonne part de notre population, créant chez nous des affinités spirituelles avec les peuples riverains de la Méditerranée. Cette parenté nous requiert d'être partout présents, de Gibraltar aux Dardanelles. » Il y a aussi le clan des idéalistes : « Nous devons, disent-ils, sauver la démocratie. Nous avons apprécié Pétain, créé Giraud, soutenu Vargas, sauvé la France. Et vous voudriez que nous abandonnions les Grecs à des tyrans? »

Dès le mois d'août 1945, un expert français, mais fort indulgent aux Yankis, écrivait dans *Politique étrangère* que l'intérêt porté par M. Truman à la Méditerranée ne saurait s'expliquer par des raisons de cœur ou d'affaires. « C'est plutôt, avouait-il, qu'aux alentours de la Méditerranée orientale se livre le grand combat d'influence anglo-russe. » Héritiers de la Grande-Bretagne en ces régions, les Etats-Unis doivent y relayer la politique anglaise. Un mois plus tard, dans *Fortune*, M. James M. Landis le confirmait tout crûment : « Nous avons besoin d'un libre accès à la Méditerranée », et, bien entendu, il ne nous importe pas moins que la Russie soit privée de ce libre accès. Voici enfin, révélatrice, l'opinion de M. Dean Acheson : « Un gouvernement grec à prédominance communiste serait considéré comme dangereux pour la sécurité des Etats-Unis. » *Serait considéré comme*. Nous lisons bien.

Toujours est-il que, de Gibraltar au Bosphore, les Américains essaient depuis cinq ans de verrouiller une mer qu'ils prétendent vouloir libre. D'où leurs courbettes à Franco, ce démocrate. Basés sur des aérodromes naguère grouillants de Nazis, aujourd'hui de Yankis, les forteresses volantes et les chasseurs américains commandent très bien Gibraltar. Sitôt débarqué en Afrique du Nord, Eisenhower avait su repérer Bizerte; Bizerte, dont on voulait faire le second verrou du système libéral. En même temps qu'il intriguait en Tunisie, le P.W.B. [1] essayait de fomenter en Sicile un parti et des troubles séparatistes. Après Panama, l'Islande et les Philippines, une Sicile *indépendante*, c'est-à-dire américaine, et qui conjuguerait ses feux avec ceux de Bizerte, tiendrait à sa

---

1. Psychological Warfare Branch.

merci toute la Méditerranée. Giraud fut évincé, les Italiens crièrent; Washington, pour un temps, renonça au trop beau projet et découvrit alors l'importance de la Cyrénaïque. Moins précieux que la Tunisie, ce désert peut néanmoins servir; appuyée sur la Grèce et sur la Cyrénaïque, une puissance militaire peut encore y couper en deux la Méditerranée. On a donc voté les crédits pour la Grèce; et d'autres pour la Turquie, renforçant ainsi le troisième verrou : Bosphore et Dardanelles.

Encore s'il ne s'agissait que de verrous et de serrures. Il s'agit surtout de bases qu'on équipe, en vue d'un prochain conflit : si les capitalistes américains arrivent aux fins que plusieurs d'entre eux se proposent, la guerre se jouera en Chine et en Iran, sans doute, mais sur deux fronts principaux : dans les espaces subpolaires et dans le bassin de la Méditerranée. Ce n'est pas moi, c'est M. Wallace en personne qui qualifie d' « impitoyable » l'impérialisme de Wall Street. Et non pas seul : M. Ahmed Rouchdy Saleh met sous presse un livre intitulé : *Un nouvel ennemi : le colonialisme américain dans l'Orient arabe.* Confisqué par la police, l'ouvrage n'a pas été diffusé en Egypte. Mais le *Balagh*, journal wafdiste, reprenait à son compte le mot de M. Saleh. En vérité, la politique du président Truman a le mérite au moins de ne tromper personne.

On ne s'étonne donc point si la Russie, qui depuis cinq ans au moins peut observer les progrès de l'offensive américaine, s'étonne que la liberté des mers consiste à les lui fermer. Ou si la *Krasnaïa Zviezda* déclare, non sans humour jaune, qu'on admet malaisément que la défense du Potomak exige que l'Arabie se couvre d'aérodromes et qu'une immense conduite de pétrole traverse cette péninsule (cela, au moment où les journaux yanquis annoncent à fracas que les Etats-Unis exploiteront bientôt des gisements pétrolifères sous-marins, plus riches de barils que le sous-sol du Texas).

La Russie n'ignore pas que ces aérodromes et cette conduite de brut dissimulent (assez mal) des dispositions stratégiques et la mise en place de dispositifs militaires : une conduite de brute. A supposer même que l'Union des Républiques socialistes soviétiques ne soit plus l'héritière de la sainte Russie des tsars, l'héritière aussi des servitudes géographiques dont celle-ci était grevée, la politique actuelle du président Truman, confirmant celle que menait jusqu'ici le State Department, l'invite dans le Proche-Orient à se défendre activement. La poussée yanquie a donc eu pour contrecoup une poussée du communisme.

Si, malgré la réprobation que toujours leur marqua Lénine, les congrès panslaves se sont multipliés, si le panslave Dostoïevski a connu enfin la faveur officielle, c'est peut-être pour protéger à l'ouest une Russie peu sûre de ses grands alliés, plus sûre de ses vassaux; c'est aussi pour enfoncer un coin en Méditerranée : la péninsule balkanique.

Tandis que la doctrine panslave lie plus étroitement à la Russie que même le socialisme une partie des Balkans, l'Eglise orthodoxe y rallie, et ailleurs, ceux que ne pourrait toucher l'argument racial, ou que risquerait d'éloigner la politique socialiste. En moins d'un an, deux tournées patriarchales ont rappelé aux chrétiens orthodoxes du bassin oriental l'intérêt que la sainte Russie des Soviets continue à porter aux églises de cette allégeance. A la fin de 1946, S. B. le métropolite de Leningrad, après un tour en Palestine et au Liban, visitait longuement l'Egypte avant de rentrer en Russie, via Téhéran.

Et puisque les Américains font état ou argument de leurs millions de juifs, la Russie, sans se compromettre dans une défense du sionisme qui lui aliénerait les peuples musulmans, fait néanmoins savoir, par la bouche autorisée du métropolite Gregorius, qu'elle verrait sans déplaisir les Juifs de Palestine se rapprocher du judaïsme russe.

Enfin, dans les pays comme l'Egypte, où le parti communiste est interdit par la loi, la Russie favorise la ferveur nationaliste. Le 7 décembre 1946, le ministre d'Egypte à Moscou déclarait que son pays pouvait compter sur la bienveillance de la Russie soviétique. « Je suis véritablement touché, ajoutait-il, de constater que le gouvernement et le peuple soviétiques éprouvent un vif sentiment de sympathie pour la nation égyptienne. » Sentiment si vigilant que les émissions arabes de Radio-Moscou secondent presque sans réserves les revendications de l'Egypte sur le Soudan, accusant Sedky Pacha de n'avoir voulu qu'en paroles cette unité de la vallée du Nil (d'autant plus chère à Moscou qu'elle doit gêner les puissances anglo-saxonnes).

Panslavisme, chrétienté, judaïsme et nationalisme, tels sont donc, dans le bassin oriental de la Méditerranée, les moyens d'action ou les masses de manœuvre dont dispose la Russie. Ajoutez-y les partis communistes autorisés (ceux de Syrie et du Liban).

Si efficaces qu'elles paraissent, ces forces spirituelles ou politiques ne compensent point ces avantages stratégiques déjà saisis par Washington : positions maritimes que renforcent des points d'appui en terre ferme. Sitôt la France expulsée de Syrie et du Liban (avec l'approbation de la Russie et la bénédiction des patriarches orthodoxes), les Anglo-Saxons y dressèrent un front qui, des rives de la mer Noire en passant par l'Irak et la Transjordanie, rejoint l'Arabie séoudite et peut permettre, le cas échéant, le bond aventureux dont rêvait en 1939 le général Weygand. Si les Anglo-Américains, au risque d'inquiéter Ibn Séoud et l'Egypte, encouragent Abdallah Ier le Grand à rassembler une Grande-Syrie, c'est qu'ils espèrent aisément refaire à leur profit, et contre le bolchevisme, l'unité du monde arabe.

Mais le monde arabe ne l'entend pas de cette oreille. Il a peine à comprendre comment la sécurité de Chicago exige que Washington contrôle Salonique; il voit assez mal pourquoi la défense de Magnitogorsk exige que Moscou ait le contrôle de Trieste, ou celui des eaux albanaises; ou plutôt, s'il comprend très bien pourquoi les Yanquis s'installent en Turquie, et les Russes en Albanie, pourquoi aussi le maréchal Staline

a pu revendiquer une base à Tripoli, ou en Cyrénaïque, tandis
que les Anglo-Saxons n'arrivent point à se partager les
dépouilles italiennes, il se demande au nom de quels principes
Washington et Moscou prétendent s'imposer en Méditerranée.
Il est vrai, c'est M. Wallace qui le dit, que les « Américains
agitent l'épouvantail rouge afin de mieux cacher leur dessein
de dominer et d'exploiter la terre entière ». Non moins vrai
que Wall Street n'aurait pas agi de façon différente si elle
avait voulu donner enfin aux ambitions tsaristes en Méditerranée les raisons les meilleures du monde : celle d'une légitime
défense.

La France et l'Egypte se réjouissaient de voir modifier le
statut actuel des Détroits. Mais autre chose, pour les Russes
et pour les Anglo-Saxons, le libre accès vers l'Atlantique ou
la mer Noire, autre chose la création en Méditerranée de bases
américaines et soviétiques : elles ne pourraient présager que
le pis. Certes, ni la France ni l'Egypte ne peuvent empêcher
le président Truman d'expédier ses dollars en Grèce et en
Turquie, ses dollars et ses techniciens (on les appelait des
touristes, jadis). Elles ne peuvent empêcher les métropolites
de voyager gaillardement à travers le Proche-Orient et d'orienter vers Moscou la ferveur des chrétiens orthodoxes. Mais la
France et l'Egypte, qui ne demandent aucune base ni sur le
lac Michigan, ni sur le lac Baïkal, peuvent souhaiter, doivent
vouloir, que la Méditerranée demeure ce qu'elle fut, ce qu'elle
est, ce qu'elle doit être : un carrefour des peuples, et le forum
des riverains. Ni l'une ni l'autre des deux grandes puissances
qui prétendent s'en assurer le contrôle exclusif ne semblent
qualifiées pour maintenir l'esprit méditerranéen. C'est à la
France et à l'Egypte qu'il appartient de mener la politique
d'un tiers parti, celui des pays qui sont vraiment la Méditerranée. Le gouvernement égyptien peut empêcher qu'on uti-
lise, en cas de conflit, les eaux du canal de Suez pour ravitailler
des troupes impérialistes (or, les mauvaises querelles que

Londres et Washington nous cherchent aujourd'hui à Djibouti et à Madagascar n'ont d'autre fin que d'ouvrir la voie à la circulation vers la mer Rouge et vers la Grèce des navires anglo-saxons). Par Bizerte et l'Afrique du Nord, la France peut fermer le bassin occidental de la Méditerranée et rendre difficile la position de ceux qui voudraient mettre à feu le bassin oriental. Habib Bourguiba disait, voilà peu de temps, qu'il importait aux peuples musulmans que la France, grâce à Bizerte, maintînt en Méditerranée un équilibre politique et militaire. Autant au moins que la France, l'Egypte et la Ligue arabe ont en effet intérêt à empêcher que la Méditerranée ne devienne un lac russe ou yanqui.

Ni la seule Ligue arabe, ni la France à elle seule ne sauraient agir de façon efficace. Il importe donc que, de l'Atlantique à la mer Rouge, unis pour la défense de leur Méditerranée, nos deux pays élaborent en commun la politique qui aurait quelque chance de secourir la paix.

Cette politique signifie *pour l'instant* que la France veille à Bizerte. Il suffirait en effet qu'elle abandonnât ce port de guerre pour qu'il devienne une base anglo-saxonne, un nouveau verrou entre Gibraltar et le Bosphore, et pour la Russie un nouveau prétexte à nouvelle contre-offensive.

La tâche immédiate, c'est d'abord d'empêcher la guerre en Méditerranée. Pour ce faire, il faut que la France et les peuples musulmans (l'Egypte comme ceux du Maghreb) unissent toutes leurs forces. Une fois mise au point cette politique commune, qui donc nous empêcherait de nous délivrer de ces fâcheux protectorats, de ces colonies, et de signer avec une Tunisie, une Algérie, un Maroc indépendants, des accords qui, laissant à ces nations toute faculté d'adhérer à la Ligue arabe, donneraient aux parties contractantes les garanties mutuelles qu'exige la défense commune de Bizerte, de Mers-el-Kébir, du Maghreb, de l'Egypte?

Alors que le traité que l'Egypte refuse pertinemment de signer avec l'Angleterre n'a d'autre fin que de l'entraîner dans l'aventure et la guerre, la politique franco-égyptienne (et, plus généralement franco-arabe) ici préconisée non seulement paraît la seule qui puisse faire un peu réfléchir Washington et Moscou, mais la seule encore qui, sauvegardant les intérêts communs de la France et de l'Islam, nous permettrait d'accroître notre force en accordant au Maghreb les libertés qu'à si bon droit il revendique et que le droit français ne saurait lui refuser.

Mai 1947.

(Refusé par Combat.*)*

II. *La France devant la politique américaine de la bombe*

« L'adjectif *atomique* était jadis un adjectif *neutre*, que l'on joignait à des termes abstraits : théorie atomique, recherches atomiques ; de rares spécialistes s'en servaient en lui donnant un sens extrêmement précis. Dès qu'*atomique* se trouva marié au mot *bombe*, sa fortune prit une face nouvelle. Du jour au lendemain, il fut dans toutes les bouches. L'adjectif *dynamique* commençait à perdre son lustre... L'idée d'une fillette, d'une jeune fille douée d'une vie intérieure et extérieure exceptionnellement agissante, manquait d'un mot : *atomique* est venu à propos pour nous le fournir... Si les recherches atomiques ont enrichi la langue courante, la langue courante n'est pas sans avoir fourni un matériel utile aux spécialistes de la physique nucléaire. Dans une seule page du journal, je relève : *freins* à neutrons, réaction nucléaire *dirigée, poison* radioactif, le *champignon* de la bombe atomique. C'est là un exemple typique de la vie des langues, miroir de la vie des choses. » Aurais-je longuement cité cet article de M. Charles Bruneau, professeur de

français en Sorbonne, si je n'y voyais l'indice d'un certain
détachement, d'un détachement certain, à l'égard des effets
produits par cette bombe ? Etat d'esprit plus commun en
France que peut-être on ne le suppose. L'avouerai-je : au
moment où l'humanité donne sa langue au chat et de cœur
joyeux renonce à ce peu de raison qui lui fut imparti, au
moment où l'on s'affole un peu partout en apprenant que le
président Truman a donné l'ordre de fabriquer la bombe à
hydrogène, il me paraît beau qu'un homme de science sache
encore apprécier l'adjectif *atomique* en termes de linguistique et de grammaire. J'aime aussi que M. Bruneau, dans
le même article, ose écrire son admiration pour « l'une des
plus merveilleuses parmi les réalisations de l'intelligence et
de la technique humaines », oui, justement, la fameuse bombe
atomique [1]. Car il me paraît important de ne point mélanger
ce qui doit rester dissocié : notre émerveillement devant
l'esprit humain capable de la bombe, notre tristesse devant
l'esprit des hommes incapables de gouverner la bombe qu'ils
ont construite.

Sans doute vaut-il ici d'expliquer pourquoi l'opinion française garde un peu de sang-froid devant une arme dont il
semble que les Etats-Unis, lors même, lors surtout qu'ils en
détenaient le « secret », n'ont éprouvé qu'inquiétude ou terreur ?

Pour bien des raisons, cela va sans dire, dont l'une au moins
n'est pas d'ordre moral, politique ou militaire. Formés que
nous sommes dans nos lycées à une certaine idée, proprement
hellénique du savoir, nous ne pensons pas que la science ait
pour fin d'allonger notre vie, ou d'aggraver notre confort.
Si les applications de la science ont en fait accru notre lon-
gévité, si elles nous promettent des cuisines mieux équipées
que celles de nos grands-mères, nous l'acceptons comme un

1. *Combat*, 1er février 1950.

complément bienvenu de la théorie des ensembles ou des
calculs de Yukawa. Mais ce qui pour nous constitue à jamais
la valeur de la science, c'est la discipline *intellectuelle* (ou
morale ; mais surtout : intellectuelle) dont elle est comme
la récompense ; c'est la joie de connaître, et même le plaisir
de lever le voile d'Isis. Je ne dis pas que nous restions indif-
férents aux conséquences du savoir. Ni que nous en mépri-
sions les bénéfices matériels. Mais lorsque, à l'occasion de son
cinquantième anniversaire, l'université de Chicago, où j'étais
alors professeur, publia une sorte de palmarès et la liste des
plus précieux travaux, plusieurs Français de ma connaissance
cachèrent mal leur stupeur. Quoi, ce mathématicien, fallait-il
l'admirer pour cette formule justement, pour cette formule
surtout qui permettait d'améliorer la forme d'une cuve à
bière ? Et le professeur H. G. Creel, qu'en France nous admirons pour nous avoir reconstruit toute l'époque Chang,
devions-nous le louer d'avoir mis au point des manuels de
chinois, et ses étudiants en mesure d'étudier en trois mois
une langue qu'un Chinois, lui, passe vingt ans à déchiffrer ?
Des livres que j'ai lus sur le cancer, le seul qui m'ait ému et
m'ait paru fidèle à l'esprit scientifique ne se propose que
d'analyser les hypothèses jusqu'ici formulées sur la nature
des cancers, et d'en déduire logiquement que nulle d'entre
elles — sinon celle du virus — ne rend compte aujourd'hui
de tous les phénomènes : de thérapeutique, d'humanitarisme,
pas un mot [1]. A tort ou à raison, à raison je présume, nous
affirmons que le savoir ne doit jamais être jugé en tant que
savoir sur les effets heureux ou non qui pour nous en
résultent. Volontiers nous dirions que s'il nous était donné
d'observer des fourmis qui se fissent la guerre — toutes choses
égales d'ailleurs — avec des armes de la même qualité que
celles que désormais nous pouvons mettre en jeu, nous forme-
rions pour elles une admiration sans mesure, et parfaitement
justifiée.

1. Oberlin, *Le Cancer*.

Il nous paraît normal de payer pour savoir. Quelles qu'en puissent devenir les conséquences, ne devons-nous pas aller à la vérité, ainsi que Platon nous le commande, avec notre âme tout entière ? Et à supposer qu'une goutte de vérité doive détruire l'univers ? Eh bien, vive la vérité quand même ! Nous ne plaignons pas, mais envions plutôt Prométhée, que son vautour dévore.

Aussi bien nous disons-nous que le temps de la bombe atomique est celui du rein artificiel, du poumon d'acier, des sutures en plein cœur, de la pénicilline ; et que ce médicament — pour omettre les nouveaux antibiotiques — a sauvé à lui seul beaucoup plus d'hommes que n'en détruisirent les deux bombes lâchées sur le Japon. De quel droit isoler cette bombe atomique et la considérer comme un mal absolu alors que, de toute évidence, elle est un mal relatif dans un monde qui se signale à nous par des biens relatifs d'une importance au moins égale? Nous ne sommes pas éloignés de croire que, pour résoudre les problèmes pratiques posés par la guerre atomique, il faut d'abord rapprendre à juger globalement les progrès du savoir, et le problème de la science.

Non pas que nous ne comprenions l'état d'esprit des citoyens américains. Outre qu'ils sont plus que nous habitués à considérer la science comme ayant pour principe et pour fin l'hygiène, la santé, le bonheur, ils ont tout naturellement, devant la bombe atomique, et je dirai : nécessairement, une réaction morale, et même : moralisante, qui ne saurait être la nôtre. Nous ne fabriquons pas de bombes, nous autres, et sommes décidés à ne pas en fabriquer. Nos savants se sont engagés à n'étudier l'énergie atomique que dans le dessein de favoriser les œuvres de la paix. Nous sommes donc certains de n'avoir pas lancé la bombe d'Hiroshima. On aurait peine à nous faire croire que celle de Nagasaki, du moins, est notre fait. Or, qui d'entre nous, après avoir lu le *Bombing Survey Report*, ne comprendrait, n'approuverait et n'aimerait les sentiments violents, mélange d'espoir et d'horreur, qu'inspire aux Américains le maniement de leur bombe ?

Lorsque le président Truman justifia le choix de Nagasaki en expliquant qu'il s'agissait là d'une base militaire, il agit en homme qui connaissait ou pressentait les scrupules de ses administrés. Mais il est aux Etats-Unis des hommes à la fois moraux et éclairés qui ont lu le *Bombing Survey Report* et qui savent que Nagasaki dut à la forte densité de sa population l'honneur de recevoir la seconde bombe atomique. Etant donné que, de toute évidence, le Japon était militairement vaincu en août 1945, amputé de sa flotte, privé de matières premières, et notoirement résigné à capituler vers l'automne, c'est sans aucune raison avouable — sinon le désir d'épargner quelques vies américaines — que fut prise la terrible et (j'en suis convaincu) douloureuse décision. En rasant Hiroshima, il ne fallait qu'offrir au Mikado un honnête prétexte à capituler sans délai, avant le plein effet de l'offensive soviétique en Mandchourie. Selon les accords de Staline et de Roosevelt, le grand effort russe devait commencer — et commença — le 8 août. Les Etats-Unis se voulaient seuls maîtres de la paix avec le Japon : il leur fallait employer les deux bombes. Un peuple connu chez nous pour son puritanisme, et qui craint à ce point le péché de luxure qu'il ne craint point de l'aggraver, pour en perdre la conscience, en le contaminant du péché qui consiste à boire trop d'alcool — comment ne se sentirait-il pas malheureux d'avoir jeté par pur caprice, sur des villes de papier, sur des hommes non prévenus, les armes les plus destructrices ? Ainsi tourmenté dans sa conscience malheureuse, comment ne craindrait-il pas qu'on lui rendît la pareille, et que, sans motif, on détruisît Nouillorque ou Washington ?

Une troisième raison incite le Français à discuter froidement de la guerre atomique et de la bombe à hydrogène : le retentissement du livre de Blackett. Les communistes ont tiré de ce livre le parti qui leur convenait : or un Français sur trois vote pour les communistes, lit à l'occasion les journaux du Parti, connaît en tout cas les « slogans » du Parti. C'est dire qu'un tiers environ des Français, du seul fait de leur formation, pensent aujourd'hui que la bombe atomique n'est pas l'arme absolue, et qu'elle ne change pas ce qui reste le fondement de tout art militaire : la mise hors combat de l'armée ennemie par l'effort conjugué des armes terrestres, aériennes et navales. Il importe au peuple américain de savoir que les idées de Blackett ont atteint beaucoup d'autres milieux que communistes : *Le Figaro littéraire*, le plus lu chez nous des hebdomadaires culturels et lu par la bourgeoisie, donna de longs extraits de l'ouvrage de P.M.S. Blackett. Moi-même dans *Les Temps modernes* [1] et plus tard dans *Caliban* [2], deux périodiques périodiquement insultés par les communistes, j'ai exposé et dans leur ensemble approuve les idées du savant professeur à l'université de Manchester. « Les tanks, écrivais-je alors, devaient tout changer eux aussi ; qu'ont-ils fait que nous ramener aux chars égyptiens, aux éléphants d'Hannibal, aux cuirassiers de Napoléon ? L'avion, qui devait bouleverser la guerre, n'a guère qu'ajouté aux deux armes une troisième force et qui doit opérer en liaison avec elles. Que je prenne Clausewitz, de Saxe ou la *Sun-tseu ping-fa*, c'est-à-dire *La Pratique de la guerre selon le général Sun*, le plus ancien traité militaire chinois (VIe siècle avant notre ère), je ne vois pas que ce qui compte à la guerre ait changé. »

Ainsi donc notre idée de la science, une situation morale différente — et je l'avoue plus confortable — l'influence enfin du livre de Blackett nous invitent à considérer la politique de la bombe avec plus de sérénité peut-être qu'il ne semble bienséant. De fait, autant nous répugnons à voir dans l'âge atomique la fin du monde assurée, autant nous refusons de prendre pour plus qu'elles ne valent les promesses de M. Paul Hoffman, selon qui la fission de l'uranium nous promet enfin l'âge d'or des mythologies. Non, décidément : ni la peur folle, ni l'espoir fou ne conviennent à ceux dont c'est la fonction

1. Revue mensuelle, dirigée par Jean-Paul Sartre.
2. Revue mensuelle, d'inspiration française, qui concurrençait alors le *Reader's Digest*.

de penser le monde, et plus exactement : ce monde-ci.

Ainsi prémunis contre la panique et l'utopie, nous jugeons assez bien le danger qui nous menace. Nous savons qu'une guerre non plus froide se mijote à vrai dire au grand jour. Nous savons le rôle qui nous est attribué. Coussin protecteur en même temps que tête de pont, nous savons que la France est destinée à se faire écraser dans le choc des deux empires.

Eh bien, je dois le dire, et vous le dire, les Français se demandent par quelle aberration se dressent l'un contre l'autre deux mondes si bien faits pour se comprendre et se partager l'empire de la planète. Ceux d'entre nous surtout sont stupéfaits qui, comme moi, ont vécu aux Etats-Unis et voyagé en Russie. D'ailleurs, Mrs. Eleanor Roosevelt en personne formula curieusement ce qui demeure notre pensée à nous autres Français lorsqu'elle déclara, il n'y a pas si longtemps, que la Russie et l'Amérique, « peuples jeunes » et en croissance, devaient marcher ensemble de l'avant. Naturellement nous comprenons très bien que deux frères ennemis désirent s'entr'égorger : Athènes et Sparte, l'Angleterre et la France, la Maison de France et la Maison d'Autriche, l'Allemagne et la France, autant de frères ennemis. Mais nous avons payé pour savoir où ça conduit. Il nous aurait suffi, j'en conviens, de lire Thucydide. Puisse notre destin vous servir de Thucydide !

Donc, nous comprenons très bien que les Etats-Unis soient désireux d'en finir une bonne fois avec la monarchie bicéphale qui gouverne aujourd'hui notre petit grain de terre. Mais, de grâce, qu'on n'essaie pas de nous faire croire que nous périrons pour autre chose que l'hégémonie de l'un ou l'autre des deux mondes. Si nous devons périr, nous tenons à périr en sachant que c'est pour rien. Comment ici ne me rappellerais-je pas ce qu'à ma stupeur alors me disait à Moscou, en 1934, l'écrivain André Malraux : « Ce que veulent les Russes ? ce qu'ils font ? Egaler d'abord, puis dépasser en tout l'Amérique bourgeoise. » Comme il avait raison ! Ici et là, même vénération de l'ingénieur et de l'homme d'action ; ici et là, on ne conçoit de science qu'appliquée ; ici et là, nulle vie syndicale au sens européen : de puissantes machines, gouvernées par des *bosses* : Lewis aux Etats-Unis, en Russie un autre fonctionnaire ; ici et là, un éventail des salaires cinq ou six fois plus ouvert qu'en France et en Europe occidentale ; ici et là, le cinéma aux mains de quelques-uns qui ne mettent à l'écran que les mensonges qui leur paraissent de l'intérêt des gouvernants. Ah ! certes, je l'approuvais, cet article du *Saturday Evening Post,* paru pendant la guerre, et qui vous expliquait combien vous étiez faits, *au fond,* pour vous aimer : « Et ne croyez pas, vous disait-on, que les ouvriers ont là-bas la vie drôle ; ils n'y sont pas traités moins durement que chez nous ; et puis n'aimons-nous pas l'*efficiency* ? » Et de donner force photos qui publiaient la liberté des cultes en Russie... Pourquoi voudriez-vous que j'aie tout oublié ? Oui, sans aucun doute, tant de *valeurs communes* vous rapprochent des Russes que vous pourriez passer sur celles qui vous séparent, si seulement vous le désiriez.

Je n'oublie pas la liberté, croyez-le bien ; cette liberté à laquelle une statue, dans le port de Nouillorque, vous et nous rappelle que nous y sommes attachés par presque autant de souffrances et de sang. Mais avez-vous jamais déclaré la guerre aux tsars parce qu'ils déportaient Staline en Sibérie, et avec lui des milliers de gens que vous diriez *moderate liberals ?* Vous proposez-vous de lâcher sur Madrid une bombe atomique pour inviter Franco à ouvrir ses prisons, à fermer ses usines à mensonges ? Si la liberté requiert de vous une action contre les Russes, elle vous engage non moins vivement à régler le sort de ces Grecs qui par dizaines de milliers pourrissent à Makronissos, coupables justement d'aimer cette liberté. Et les prisons de Salazar, administrées avec le plus grand soin par des experts formés à l'école de la Gestapo, non ? elles ne valent pas la mise en l'air d'un avion atomique ? Pourtant, il vous suffirait ici de menacer : point ne serait besoin de lâcher la moindre bombe. Les prisons s'ouvriraient en Grèce et en Espagne. La seule menace de la bombe jetterait bas les tyrannies qui salissent notre terre, et dont une seule vraiment vous paraît mériter d'être par vous détruite ; celle qui justement, vous le savez, requerra plus d'une menace, plus de cent bombes atomiques. N'avons-nous pas le droit, nous Français, qui comme vous aimons la liberté, de vous demander pourquoi ce vif amour que vous avez pour elle ne devient efficace que contre la puissance au monde qui peut équilibrer la terrible puissance dont vous êtes dépositaires?

Il y a plus et plus triste. La liberté dont vous jouissez encore, mais qui chaque jour chez vous s'amenuise, êtes-vous sûrs que votre politique n'est pas en train de la réduire à tantôt rien ? Durant les deux dernières années de mon séjour chez vous, j'avais observé le rôle de jour en jour plus évident de votre F.B.I. Or voici qu'on nous le crie, depuis chez vous, par la voix d'Einstein : « De formidables pouvoirs financiers sont concentrés entre les mains de militaires ; la jeunesse est militarisée ; le loyalisme des citoyens, en particulier celui des fonctionnaires, fait l'objet d'un étroit contrôle exercé par une police dont l'importance croît de jour en jour ; les personnes qui professent des idées indépendantes en politique subissent des manœuvres d'intimidation ; la radio, la presse et l'école travaillent à endoctriner l'opinion publique ; le domaine de l'information rétrécit sans cesse sous la pression des nécessités militaires. » Alors ? Si le seul amour de la liberté pouvait nous faire accepter les risques de la politique atomique, telle que la conçoit le State Department, comment espérez-vous que nous choisissions de mourir quand on offre à choisir entre la tyrannie et l'absence de liberté ?

Sans doute, pour quelques mois encore (qui oserait prédire : quelques années), les Etats-Unis et la France bénéficient d'un régime très sensiblement plus libéral que celui qui règne en Russie et dans les pays vassalisés par le Kremlin. Encore convient-il ici de formuler deux remarques. La première concerne la Russie, qui ne fut jamais plus libre qu'aujourd'hui, sinon durant la N.E.P. que sut au bon moment consen-

tir Vladimir Ilitch. Censure des journaux, passeports intérieurs, espionnite permanente, qui ne reconnaîtrait le régime
tsariste, et (qui sait ?) le destin d'un pays qui tombe des
Tartares en Ivan le Terrible, puis en Pierre le Grand, puis
en tyranneaux Romanov, en bolchevisme enfin. La seconde
observation concerne les Etats baltes, la Roumanie, la Pologne,
ou la Tchécoslovaquie, celle-ci surtout qui connut de vraies
libertés sous les gouvernements Masaryk et Benès. Les communistes mis à part, il n'est pas un Français qui envie pour
son pays le sort actuel des Tchèques. Mais quel Français peut
oublier qu'en asservissant les pays que j'ai dits la Russie ne
fait que reprendre, à sa manière, la politique inaugurée en
1919 par les pays capitalistes ? Le « cordon sanitaire » que
l'initiative de Georges Clemenceau tendit autour de la Russie,
il constituait aussi un faisceau d'Etats satellites, armés, financés par la France et l'Angleterre. Armés contre qui ? Sinon
contre la Russie. Victorieuse en 1945, à son tour la Russie
nous fait le coup du « cordon ». Car elle a peur de nous
comme nous avions peur d'elle. Avec la peur, c'est connu,
s'accroît la méchanceté. Tous ces procès qui s'accumulent, et
nous révoltent à bon droit par leur étrange procédure, la peur
surtout les motive, et l'espionnite qui s'ensuit. Les Russes
ont payé — aux deux sens du mot — pour savoir qu'on peut
acheter à peu près n'importe qui.

De sorte que, si je raisonne à peu près juste, votre politique
atomique, non seulement nous conduit à la semi-tyrannie, en
attendant un peu mieux, mais encore est pour une part res-
ponsable de la tyrannie chaque mois plus stricte qui gouverne
l'Europe orientale.

Et puis que vaut la liberté qui ne s'ingénie point à créer
plus de justice ? Révoltés par les excès de la religion stalinienne, nous ne le sommes guère moins par un régime économique, le nôtre, pour qui l'abondance est source de misère,
de chômage, d'abaissement. J'ai connu l'Amérique après la
depression. J'ai vu l'Europe, hélas, en subir les effets, les
Danois tuer leurs cochons, les Français arracher leurs vignes,

Hitler accéder au pouvoir ; et cela, quand des hommes n'ont
pas de quoi manger. Ni même de quoi noyer dans le gros vin
leur gros chagrin. Je vois aujourd'hui s'amorcer un cycle
analogue.

On me dira peut-être que tout cela c'est très joli, mais qu'il
est en Russie des millions d'humains condamnés au travail
forcé et que cela du moins nous impose le devoir de seconder
votre bombe en servant comme fantassins, en donnant aux
Etats-Unis quelques bases de départ. Me sera-t-il permis de
préciser en cette revue que pour tous les Français — ou peu
s'en faut — la condition morale des nègres américains nous
invite à juger aussi sévèrement que l'autre l'un des régimes
concurrents?

Ah ! comme c'était facile de choisir contre Hitler. Devant
sa bestialité, comme on aimait la vieille Europe ! Aujour-
d'hui, que peut choisir un Français ? Ce qu'a choisi le poète
Pierre Emmanuel. Il fut contre l'Allemand. Pour l'en récom-
penser, on le nomma directeur des émissions vers l'Amérique.
Il crut alors avoir le droit d'écrire, dans Le Monde, ce qu'à
peu près tous nous pensons : que nous désapprouvons la politique soviétique, mais sans approuver le chantage à la bombe.
Intervention de l'ambassade américaine : du jour au lendemain, Pierre Emmanuel est jeté à la rue.

Le malheur est qu'en effet, comme récemment l'écrivait
le New York Times, nous sommes gouvernés par une bande
minoritaire, celle des chrétiens-sociaux, le M.R.P., qui nous a
liés par un Pacte de l'Atlantique honni de tous les Français
moins quelques capitalistes.

A supposer que nous eussions été assez bornés pour nous
méprendre sur le rôle que nous assigne la politique américaine,
l'édition française du Reader's Digest nous eût d'un seul coup
détrompés. Comme si ce magazine, dont ce n'est pourtant pas
le dessein, voulait donner raison à ce M. Blackett, lequel nous
révéla qu'un haut fonctionnaire du ministère américain de

la Marine nous tenait pour les pions d'un immense jeu
d'échecs (« si faible que soit la puissance de chacun d'eux,
pourvu qu'ils tiennent et que le roi Etats-Unis s'abrite derrière eux, il est sauf »), *Sélection du Reader's Digest* nous
expliqua l'an dernier, quelques jours avant la ratification du
Pacte de l'Atlantique, que les Etats-Unis tenaient jour et nuit
en alerte la plus puissante force de bombardiers stratégiques.
On ajoutait que chaque escadrille connaissait déjà l'usine
soviétique sur laquelle devrait porter tout son effort. En conséquence de quoi, on nous invitait à vaillamment endosser l'uniforme du fantassin, à nous faire écraser par les tanks russes ;
quant aux survivants qui ne seraient point déportés en Sibérie,
ils devaient entrer dans la clandestinité pour lutter contre
l'occupant, en attendant (l'image était belle !) que les bombes
atomiques américaines aient arraché l'épaule de l'ours, cette
épaule qui soutient le bras, qui soutient l'avant-bras, qui
soutient la patte dans les griffes de laquelle paisiblement
nous étouffons. Le *Reader's Digest* tenait à porter à notre
connaissance que ses calculs lui permettaient de juger brève
la période durant laquelle la stratégie de la bombe exigeait
que nous suffoquions.

Tel n'est pas notre avis. Si par malheur l'Armée rouge doit
un jour s'installer à Brest ou sur les Pyrénées, elle ne s'en
ira qu'après avoir laissé en place un dispositif policier qui
nous fera regretter le bon vieux temps des cavaliers tatares.
Notre avis, motivé par notre connaissance du communisme
(un Français sur trois adoptant cette religion), c'est qu'une
chance nous reste, une seule, de sauver notre indépendance
et notre vie : une stricte neutralité.

Le peuple américain a le droit de savoir que le peuple
français ne se battra pas pour permettre au State Department
de perpétrer sa politique : un Français sur trois sera pour
la Russie. Et quels Français : cheminots, mineurs, métallur-
gistes, dockers, tous ceux sans lesquels aucun pays ne saurait
vivre, tous ceux qui — mal disposés — peuvent paralyser les
arrières d'une armée. Un Français sur trois sera neutre :

libéral, chrétien ou gaulliste. *Combat* s'est prononcé pour la neutralité. Pour la neutralité Jean-Paul Sartre et sa revue, *Les Temps modernes*. Jusqu'à ces derniers jours, la politique américaine : chantage à la bombe et Pacte de l'Atlantique, pouvait compter au maximum sur l'appui moral d'un Français à peu près sur trois, l'appui de ceux des Français qui descendent peu volontiers dans la rue quand il importe de payer de sa personne.

Ce faible appui chaque jour va s'effritant. Du jour où M. Maurice Ferro, correspondant du *Monde* à Washington, révéla aux innocents que le State Department refusait à la France et à l'Europe le droit qu'elles réclament à la neutralité, la politique de la bombe a démasqué ses intentions. Notre liberté, nous le savons désormais, n'importe nullement aux stratèges du Pentagone. Ils ne veulent que pouvoir placer leurs bombes. Les bonnes âmes nous assurent que le grand méchant loup va nous manger si nous ne le tirons pas par la queue. Mais nous, qui sommes sur place, et qui avons tout à craindre, comment se fait-il que nous n'ayons pas peur, neutres, de la Russie ? Et bigrement peur d'elle, si nous sommes marshallisés? Or, en même temps qu'on nous refuse le droit à la neutralité, on nous assure, comme si cela pouvait nous rassurer, qu'on n'emploiera pas la bombe contre nous. S'il en est ainsi, comment espérez-vous arrêter la poussée russe, une fois déclenchée la guerre ? Avec des *M.P.* et vingt pauvres divisions ? Il nous faut donc choisir entre la bombe et l'Armée rouge. Très peu pour nous.

Cette malencontreuse déclaration va rendre singulièrement malaisée la tâche de ceux des Français qui restent encore résignés au Pacte de l'Atlantique ; et singulièrement plus facile la propagande communiste ; belle occasion de crier au provocateur ! De fait, la revue mensuelle des intellectuels gaullistes, c'est-à-dire de ceux qui combattent la Russie, avec le plus de violence, dénonçait ce mois-ci la politique améri-ricaine : c'est Jean Paulhan qui parle, l'un des hommes les plus respectés en France, les plus constamment insultés par

Moscou. Il n'aime pas que Washington, pour de spécieuses raisons, nous impose de faire une certaine Europe : « Car enfin, ce qu'on nous donnait à attendre de l'Europe, depuis deux cents ans, c'était, sauf erreur, la paix. Ou du moins un grand pas vers la paix. Mais cette Europe-ci m'a plutôt l'air d'une machine de guerre. La Russie, qu'est-ce que vous en faites ? Croyez-vous qu'ils soit possible de l'exclure sans lui faire violence ? Sans lui donner tout au moins, comme à l'Allemagne de 1914, le sentiment que vous l'encerclez ? Sans l'inviter par là même à prendre les armes ? Ou bien pensez-vous la séduire à vos accords et traités ? Mais ces accords, sous peine d'être vains, vont impliquer pour l'Etat européen un droit de regard sur les armes et l'industrie — qui sait, sur la presse même et la littérature de chaque nation. »

Ainsi donc ce Français sur trois qui jusqu'ici, par intérêt mal entendu, peut-être aussi par ignorance, acceptait le Pacte de l'Atlantique et de prêter quelques bases aux avions atomiques, le voici soudain qui regimbe et dit : non.

Car il est chatouilleux, fût-il réactionnaire, sur les droits de l'esprit, et sur le droit à l'humanisme. Or il voit que la bombe, ça veut dire aussi le secret de la bombe. Secret de Polichinelle, et d'autant plus jalousement que plus vainement gardé. Nous en revenons à mon premier argument. Nous respectons trop le savoir pour accepter qu'une politique, quelle qu'elle soit, nous interdise de savoir. La *trahison* et le procès du Dr Fuchs, c'est le procès des sciences secrètes. Si les Américains avaient un peu vécu sous l'occupation allemande, ils sauraient qu'avec un peu de chance, que sert beaucoup de courage, même un peuple opprimé finit par découvrir les plus chers secrets de son pire ennemi.

En instituant comme dogme d'Etat que doivent rester secrètes les plus importantes des découvertes scientifiques, le gouvernement américain a porté un coup mortel à cet esprit d'universalité qui fonde la science et la démocratie. Car, nous le savons, il n'y a qu'un moyen de garder les secrets : celui que déjà connaissaient les pharaons : à Gournah, tout près

de la vallée des Rois, en Haute-Egypte, on visite encore les
ruines du village où vécurent dans le secret les artisans qui
creusaient, sculptaient, peignaient les tombes des reines et
des rois. Ils ne quittaient jamais ces lieux que gardait une
police scrupuleuse. Les courtisanes elles-mêmes, elles surtout,
étaient attachées à Gournah, comme autant de chiennes de
garde. Moyennant quoi, eh bien moyennant quoi les tombes
des fils de Râ furent pourtant violées... Mais, au fait, ce régime,
n'est-ce pas celui que, tout naturellement, les Russes ont
instauré pour garder leurs secrets? Celui que, troublés par
l'affaire Fuchs, les Américains vont bientôt instaurer chez
eux ?

A moins que... Ah! à moins que, venant à résipiscence, le
gouvernement américain n'adopte les idées qui sont celles
de l'Association française des travailleurs scientifiques :
« C'est déjà commettre un crime contre l'humanité que de
maintenir secrets, pour des fins militaires, des résultats théra-
peutiques. » A plus forte raison faut-il estimer que « le
contrôle de l'énergie atomique ne peut être séparé des autres
grands problèmes politiques » et qu'il importe de « provoquer
la reprise des négociations internationales par quelque moyen
et dans quelque cadre que ce soit » [1].

Notre situation à nous Français serait désespérante et
désespérée si nous restions seuls à penser de la sorte. Quelle
que soit notre légèreté, nous n'ignorons pas notre faiblesse
actuelle. Aussi, de quel réconfort nous fut, lorsque nous en
eûmes la teneur dans *Le Monde* [2], la proposition publiée ici
même par le Dr Leo Szilard : « Neutralisation de la France
et de l'Europe, reprise des négociations entre Staline et Truman, et surtout ce charmant *David m'a rendu mon coup* »,

1. Déclaration votée à l'unanimité le 17 juin 1948 en assemblée
générale.
2. *Le Monde*, 29 novembre 1949.

c'était enfin, par une voix américaine, l'essentiel je ne dirai pas de la pensée française : de la pensée me suffit, car la pensée n'a pas de patrie. Et voici que, peu de temps après avoir publié ce texte du Dr Szilard, *Le Monde* lui-même se risque à condamner, avec le Pacte de l'Atlantique, la stratégie atomique : « Le Pacte Atlantique est-il vraiment la meilleure méthode pour décourager l'agresseur éventuel ? Ne lui assure-t-il pas de redoutables avantages sur le terrain immédiat de la guerre froide ? N'engage-t-il pas la politique européenne dans d'insolubles contradictions touchant le réarmement de l'Allemagne ? »

Alors ? Alors, il faut que les Français connaissent les opinions exprimées dans ce Bulletin, plutôt que celles du *Reader's Digest*, elles importent à la paix. Peut-être aussi convient-il que le peuple américain connaisse les vrais sentiments des Français sur la bombe et sur le pacte militaire qui les lie au Pentagone. Tel fut donc mon propos en rédigeant ces notes.

1950.

(*Refusé par le* Bulletin of Atomic Scientists *qui me l'avait commandé, et l'avait fait traduire en américain.*)

III. *Pourquoi je refuse de parler franglais*

Supposez un jeune Français qui, de 1937 à décembre 1943, fit aux Etats-Unis trois séjours, dont un de quatre ans et demi (plus de trois ans à Chicago, dix mois à Nouillorque, deux en Arizona, un à La Nouvelle Orléans), supposez-le pauvre, moins pauvre, aisé enfin (2 000 dollars *par an* pour commencer, 3 500 dollars pour finir) : lecteur puis *assistant professor* à l'université de Chicago; il a même servi à l'*Office of*

War Information, collaboré à *Partisan Review, Books Abroad,
View, The Chicago Sun ;* familier de quelques-uns de vos
intellectuels alors libéraux, lié avec plusieurs noirs, il fut
généreusement accueilli dans un milieu de juifs riches et cultivés. Lui reconnaissez-vous le droit de parler de vous ? Là est
toute la question. Un jour, à Chicago, ce jeune Français abonda
dans le jugement assez dur que portait contre cette ville une
Américaine : celle-ci en fut scandalisée.

J'avais d'autant moins le droit de critiquer que je me trou-
vais en exil, et à l'abri pendant la guerre. Si je n'étais pas
content, qu'attendais-je pour m'en aller ? Parbleu, qu'on me
le permît. Or telle fut mon aventure : dégoûté, comme beaucoup d'autres, d'une Europe déchirée entre le stalinisme ou
l'horreur hitlérienne, il est vrai que ce jeune Français que je
fus avait voulu fuir ce cauchemar, était venu à vous comme
vers sa patrie. *Visiting instructor* en 1937, accaparé par la
bibliothèque, le Faculty Club et le terrain de tennis de l'université de Chicago, je ne connus pas grand-chose alors de
la vie américaine — sinon, par un hasard plaisant, quelques
trafiquants de machines à sous. Je souhaitai revenir en 1938,
et je revins. Répugnant à l'Europe, je partis vers le Mexique,
pour y vivre pauvrement, à ma guise. J'en fus rappelé en 1939
par l'université de Chicago, avec le statut d'*instructor.*

Mais Hitler attaque la Pologne. Réflexion douloureusement
faite, je vais m'inscrire au consulat de France, à Chicago, et
me déclare prêt à partir. Je savais vers quel massacre! S'agis-
sant d'une « drôle de guerre » et d'un officier que sa médiocre
santé avait classé dans le service auxiliaire, je fus maintenu sur
place par mon gouvernement. Après Sedan, je compris que
j'étais plus français que je ne croyais et me ralliai à la France
libre, qui prorogea mon affectation spéciale. Puis ce fut Pearl
Harbour, le *selective service system.* Les autorités de Chicago
m'inscrivirent sur leurs registres et m'interdirent de partir
pour le Mexique, où je voulais et pouvais vivre. En 1943, je
subis à Nouillorque la conscription. Malgré un état cardiaque
sérieux, qui inquiétait alors les médecins et qui frappa celui

qui m'examina, malgré un autre empêchement alors grave au service actif, dont je ne fus délivré que beaucoup plus tard par une opération, je fut classé bon pour le service armé dans l'armée des Etats-Unis : on avait négligé de consigner sur ma fiche individuelle les raisons qui devaient me faire réformer. C'était le temps où les Filles de la Révolution américaine demandaient que l'on créât des bataillons spéciaux composés de nègres et d'Européens, qui combattraient dans les régions insalubres du Pacifique.

Comme j'avais compris, dès 1940, que je ne pourrais jamais devenir un citoyen américain tel que doit l'être celui qui choisit une nationalité autre que celle de sa naissance, c'est-à-dire heureux ou du moins satisfait des valeurs qu'il adopte, je demandai avec insistance, si j'étais mobilisé, à l'être dans la France libre. Nous ne faisions pas la même guerre, vous et moi. Mon bureau de recrutement traita bientôt avec suspicion l'ennemi que j'étais de Pierre Laval : « *We have to soft-soap M. Pierre Laval* », m'y déclarait-on : « Il nous faut passer la main dans le dos de M. Pierre Laval »; ce Pierre Laval auquel je souhaitais ce qu'il obtint à la Libération. Quand vous fûtes contraints d'entrer dans la guerre que vous imposa l'attaque japonaise, vous aviez pour ennemis, non point le nazisme et le fascisme, mais deux empires qui vous menaçaient, l'un brutalement : le japonais; l'autre à brève échéance : l'allemand. Vous n'aviez rien contre Franco, ou Salazar, ces champions de la liberté. Quand je travaillais à l'*Office of War Information*, j'eus l'occasion de découvrir comment on choisissait les membres de l'échelon avancé qui partirait vers l'Europe au moment du débarquement : en excluant les seuls ennemis du fascisme. Non décidément, nous ne faisions point la même guerre.

Dès 1941, j'avais écrit cela en clair, avec un autre membre de la France libre, dans une brochure que je publiai à Mexico : *Notre paix*. Nous y ébauchions une Europe fédérée libérale, *socialiste,* également indépendante du monde stalinien et du bloc capitaliste, appuyée sur une Afrique libérée du colonialisme.

Je ne pouvais servir dans une armée dont les objectifs étaient de *ne pas* renverser Franco, Salazar, les autres tyrans. Je priai donc le médecin de la France libre à Nouillorque de me prendre au service armé; il refusa, mais on s'arrangea pour que je puisse partir pour l'Egypte, où Taha Hussein m'offrait la direction du département de français à l'université d'Alexandrie.

Si donc je suis resté aux Etats-Unis jusqu'en décembre 1943, c'est contre mon gré (une première fois, les autorités américaines avaient déjà discrètement fait annuler la nomination de plusieurs Français libres, invités au Brésil pour représenter la culture française : j'étais sur la liste des volontaires; une seconde fois, on m'avait interdit de partir pour le Mexique).

De 1939 à 1943, j'accumulai quantités de documents destinés à un livre où je me proposais, la paix venue, d'expliquer ma déception, et pourquoi je n'avais pas voulu devenir américain. Tout étant soumis à une censure de guerre, je confiai ce dossier à la valise diplomatique de la France libre. Il parvint au commissaire de la République auquel je l'avais destiné, puis disparut. Entre-temps, après avoir fouillé les malles de livres et d'archives que j'emportais en Egypte, la police américaine avait confisqué tous mes dossiers sur la question noire, y compris des ouvrages aussi anodins que *The Negro Digest* et *Patterns of Negro Segregation.* Je criai tant qu'on me les rendit.

Tous ces détails, je crois devoir les donner pour que mes lecteurs de ce journal puissent me situer aux Etats-Unis; on ne me connaît guère que par les articles, surprenants pour moi, que j'ai lus dans certains journaux; l'un notamment dont l'auteur, que j'avais invité chez moi, m'avait félicité sur mon esprit cosmopolite, mon absence complète de chauvinisme, et qui fit un papier, où le mot « chauvinisme » éclatait, insultant, à la fin de son texte! Or, à cinquante-cinq ans, j'ai publié plus de vingt volumes et des centaines d'articles, de sorte que je peux souhaiter qu'on me juge sur l'ensemble de mon œuvre, ou de ma vie. Il est vrai que, depuis trente ans, je suis toujours le trotskiste ou le fasciste de quelqu'un; il paraît aujourd'hui que je suis *gaulliste* et *communiste,* à cause précisément de mon dernier bouquin : *Parlez-vous franglais?*

Communiste ou gaulliste? Gaullisto-communiste, ou communisto-gaulliste, il s'agirait de s'entendre.

Je n'appartins jamais, jamais je n'appartiendrai à un parti : tout parti est partial, et je me veux objectif. Né catholique, la pensée de la Chine fit de moi un athée serein, joyeux de mourir un jour, joyeux d'avoir vécu la vie exactement que je me suis voulue (mais je sais que, sauf rares exceptions, l'homme est un animal religieux). Je connais le monde communiste : en 1934, je passai un mois en Union soviétique. Durant vingt-cinq ans, je me suis battu contre le stalinisme. Depuis Rouchiov, j'ai fait deux séjours et deux brefs voyages en Union soviétique. Je fus en Chine voilà sept ans, au moment des *cent fleurs*. Je connais les pays sous-développés : quatre ans et demi dans le monde arabe et, l'an dernier, le tour de l'Inde. Outre le Mexique, je connais un peu l'Argentine, le Pérou, la Turquie, la Grèce, la Hongrie, la Pologne, et j'en passe. Je rentre du Japon.

Admettrez-vous que je ne parle point en provincial rétif, en petit-bourgeois poujadiste, en hobereau nostalgique de la grandeur française, en suppôt du bolchevisme intellectuel? J'ai même publié un petit livre que j'écrivis en votre langue, durant mes années de Chicago et de Nouillorque : *Made in U.S.A.* J'aime l'américain, ou du moins votre vocabulaire, si riche, si varié, si expressif, matériau rêvé pour l'écrivain. Si seulement votre syntaxe était à la hauteur...

Reste que j'écrivis *Parlez-vous franglais?*, dont on parle un peu, beaucoup, et quelquefois à contre-sens. On oublie *toujours* par exemple que j'y donne en appendice une satire de Cadalso contre la francisation de l'espagnol, une autre de George Moore contre la francisation de l'américain et de l'allemand, pour conseiller aux Allemands, aux Américains de chasser tous ces gallicismes. On oublie de dire que les Allemands et les Japonais viennent de publier des études sur l'américanisation de leur langue. Il est vrai que le japanglais fait plus de ravages que même le franglais. Chez nous, c'est le Pacte de l'Atlantique, lui surtout, qui commande l'unification de la langue, prélude à l'union des cœurs dans le juste combat contre l'ennemi commun : le socialisme. Au Japon, que vous occupâtes durant plusieurs années, la contagion fut plus rapide et plus grave.

Don Miguel de Unamuno écrivit que la langue est le sang de l'esprit : *Mi lengua es la sangre de mi espíritu.* Il a raison. Professeur de langue et de littérature françaises, écrivain français, du moins je l'espère, je ne peux pas accepter que l'on me saigne à blanc. Or le franglais, qu'imposent à mon pays le Pacte de l'Atlantique, le tourisme et la publicité, c'est, du même coup, l'intrusion massive des valeurs américaines, de l'*American Way of Life.*

J'étais venu vers vous comme vers ma patrie, tout prêt pour ce que je croyais la liberté, la démocratie. Il me fallut déchanter. Aucune liberté sexuelle, par exemple, aux Etats-Unis, j'entends celle que s'accordent joyeusement, sans honte aucune, et sans intrusion de l'Etat, des adultes consentants. Or, à Sedona, Ariz., en pleine guerre contre Hitler, je lisais chaque lundi, dans *Arizona Republic,* la liste de ceux qu'on avait surpris et punis, coupables de passer la nuit ensemble dans un hôtel, sans s'être mariés. Durant quatre ans d'Amérique, j'entrevis l'existence traquée de vos homosexuels; je ne dis pas que tout soit parfait chez nous à cet égard, mais enfin j'espérais mieux de vous. Le Mississipi vient d'approuver un projet de loi qui prévoit des peines de prison contre les parents d'enfants naturels, « seul moyen, disent les attendus, d'arrêter cette marée noire qui menace de nous submerger ». Estimons-nous heureux, puisque l'avant-projet prévoyait la stérilisation, comme sous Hitler pour les juifs, des gitans. Or la première des libertés est celle pour un citoyen de mener à sa guise sa vie intime, pourvu qu'en soient exclus, comme moyens de séduction, le dol, la violence et l'argent. Bien avant le rapport Kinsey, j'en savais long là-dessus; deux jeunes sociologues de Chicago, célèbres depuis lors, Leites et Shils, m'avaient guidé vers les bons documents.

Si je quittais l'Europe, c'était aussi pour ne point tolérer tout ce qui ressemble au racisme. Je savais d'expérience qu'une négresse peut être aussi belle, aussi cultivée, aussi droite, aussi sensuelle, aussi digne d'amour qu'une blanche. Aussi menteuse également, aussi frigide, aussi laide. En France, j'avais pour amis plusieurs nègres. Or les endroits marqués de la formule *Restricted* ou *For gentiles only* allaient me valoir des surprises, chez vous, et même des avanies, parce que je m'y hasardais avec une femme juive. Or moi, qui admire au Mexique un peuple entre tous artiste, et qui m'y étais fait des amis indiens, ou métis, voilà que, dans les jardins de San Antonio, Texas, en pleine guerre contre Hitler, je lisais : « *No dogs and Mexicans allowed.* » Interdit aux chiens et aux Mexicains. Or, à Chicago, quand je voulais recevoir chez moi un de mes vieux camarades, citoyen français, catholique prosélyte, professeur d'anglais, mais mulâtre, mon meublé, de l'autre côté de *Midway*, menaçait de me mettre à la porte si j'insistais. Or, tandis que, pour l'*Office of War Information*, je rédigeais des textes contre Hitler, je voyais dans *P.M.*, lors des émeutes raciales qui ensanglantèrent votre pays en 1943, des mises en pages éclairantes : d'une part vos nègres traqués par vos blancs, de l'autre les juifs traqués chez Hitler par les « Aryens » : mêmes gestes, mêmes visages, mêmes situations. A désespérer. « C'est à cause des gens comme vous, m'expliquaient vos belles âmes, que ces émeutes se produisent. »

Je ne parlerai guère de la bombe atomique, lancée quand vous aviez déjà gagné, à seule fin de prendre de court la Russie et d'épargner la vie de quelques soldats américains. Je n'aime pas la guerre; je peux respecter le guerrier, mais que penser du soldat qui accepte de lâcher sur des vieillards, des femmes, des nouveau-nés, une rafale de mitraillette, une bombe atomique. Au reste, voyez ce que sont devenus vos « héros » de Nagasaki et de Hiroshima : des criminels. Pas d'autre issue en effet, dans un pays où l'on ignore le *seppuku* (que nous disons *hara-kiri*).

Vint la paix. A Yalta, vous avez choisi de vous partager le

monde avec les Russes, comme jadis, au traité de Tordesillas,
les Portugais et les Espagnols. Depuis lors, quels furent vos
plus fidèles amis : Tchang Kai-chek, Syngman Rhee, Franco,
Salazar, Diem, tous ceux qui, en Amérique espagnole, exploi-
tent l'Indien au fond des mines boliviennes ou dans les forêts
qui vous fournissent de *chicle*, de *chewing gum*. Au libéral
Goulart, vous substituez au Brésil un fasciste, Lacerda, et vous
envoyez vos fusiliers marins rétablir au Guatemala les pouvoirs
impériaux de la United Fruit. Seul Fidel Castro, dont les
outrances ne me cachent pas les intentions généreuses, vous est
un ennemi public. Rappelez-vous ce que vous écriviez de la
Finlande, en 1939, lorsque Staline prétendait qu'elle menaçait
l'Union soviétique. Enfin, depuis 1949, votre State Department
refuse d'ouvrir les yeux sur le peuple demain le plus puissant
de la planète, et depuis quatre mille ans le plus civilisé. Un
milliard de Chinois avant la fin du siècle, qu'est-ce pour
vous : moins que Tchang Kai-chek et la « petite brunette
American educated Mrs. Chiang »... Or, moi, en 1934, je
co-fondais à Paris les Amis de Mao Tsö-tong.

Si du moins vous disiez franchement : nous exerçons le droit
du plus fort. Je vous comprendrais, sans vous approuver. Aussi
longtemps que la France fut en Europe le pays le plus peuplé,
le mieux armé, elle imposa sa loi. Puis ce fut l'Allemagne.
Tantôt en invoquant la propagation de la foi, tantôt, plus loyalement, pour vendre leur marchandise, Espagne, Portugal,
Angleterre, Italie, Allemagne et France, sans oublier Belgique
et Pays-Bas, se sont taillés dans la chair des noirs, des jaunes,
des Arabes, d'immenses et fragiles empires. Or j'ai toujours
condamné l'impérialisme français. En 1946, j'écrivis dans le
journal de Camus deux éditoriaux pour demander que Bourguiba, proscrit en Egypte où je l'avais rencontré, gouvernât la
Tunisie. Après avoir protesté dès 1935 contre la guerre d'Indochine, j'ai demandé voilà des années — à la radio — la neutralisation de l'Asie du Sud-Est. En 1952, au retour d'un voyage
d'étude en Algérie, j'ai crié casse-cou : négociez d'urgence avec
Ferhat Abbas ou ce sera la *barbarie*. Mais j'en sais assez long

sur l'Afrique du Nord pour ne pas ignorer que, dès 1943, vous lorgniez vers Bizerte et Mers-el-Kébir : dans son bureau d'Alger, en 1944, un ancien trotskiste devenu membre de vos services de renseignements ne me l'a pas caché.

Alors, excusez-moi : je me sens le droit de condamner votre impérialisme, aussi durement que je fais celui de mon pays; impérialisme dont beaucoup d'Américains ne sont peut-être pas conscients. D'abord parce que vous, vos propres colonies, vous les avez à l'intérieur : vos nègres, avec *poll-tax*, *filibuster*, K.K.K., lynchages, tabous sexuels : vos Indiens, bétail dans quelques réserves, ou sous-prolétariat comme aux faubourgs de Phœnix, Ariz.

Hors de vos frontières, vos protectorats sont plus discrets que ne l'étaient les nôtres. Je lis *Foreign Affairs* et je sais par cette revue ce que pensent de votre loi les Philippins. Mers-el-Kébir était la preuve de notre impérialisme, mais Guantanamo vous prouve que vous n'êtes pas impérialistes, vous. Le canal de Suez nous accable, mais celui de Panama vous honore. Allons, soyez francs : vous n'avez pas les mains plus nettes que nous. Votre force est d'avoir compris qu'on peut gouverner par personnes interposées : tyranneaux sud-américains, Tchang, Diem. Vous avez découvert, ce dont je vous félicite, que le temps de l'impérialisme foncier est bien mort : comme Staline en Chine, en Roumanie, vous avez compris qu'il suffit de contrôler dans un pays 51 % des actions de quelques puissantes affaires bien choisies.

Or maintenant, c'est l'Europe que vous essayez de protéger. Il se peut que ce qui est bon pour la General Motors le soit pour les Etats-Unis; je n'en suis pas sûr; ce n'est sûrement pas bon pour Citroën, Simca ou Renault, dont dépend actuellement l'équilibre économique de la France. Quand vos grandes affaires achètent en France de l'espace publicitaire, elles ne se donnent même pas la peine de rédiger leurs textes en français. On paie, on a donc le droit de saboter la langue. A mes cours, j'ai plusieurs fois expliqué des placards en franglais financés par vos sociétés : mes étudiants ne les comprenaient pas, tant ils étaient farcis d'américanismes. Tenez, vous venez d'acheter une importante affaire française : aussitôt le « sous-sol » y devient *basement*, et des millions de dollars ont divulgué en France l' « opération basement ». « Sous-sol », encore un mot condamné, comme « quilles » ou « boulin », remplacés à coups de dollars par vos *promoters* en *bowling*. Vos militaires du S.H.A.P.E. (encore un sigle bien français!) font circuler dans Paris des bus d'école, sur *school bus*, alors que le français dispose de deux mots : « transport d'enfants », ou « ramassage scolaire ». Vos exportateurs nous envoient des marchandises sans leur donner leur nom français, ce qui accroîtrait le prix de revient des emballages : périsse le français pourvu que le rendement du capital américain soit un peu plus élevé. *Cela, je ne puis l'accepter.* Vendez-nous votre marchandise, je m'en réjouirai quand elle est bonne, mais parlez-nous notre langue. A la suite de mon livre, une de vos grandes maisons l'a compris, qui a fait rentrer tous ses produits de beauté, afin de les rebaptiser. A la bonne heure! Une langue est un système phonétique, morphologique et syntaxique cohérent. Votre publicité détruit la langue que j'enseigne et que j'écris. De quel droit, je vous prie? J'observe enfin que les mots qui désignent vos conceptions politiques ne sont jamais traduits en français : *leadership, partnership, containment, roll-back, dissuasion, deterrent, missile-gap.* Mais si l'on traduisait chacun de ces mots pour qu'ils devinssent un peu plus clairs à nos compatriotes, croyez-vous que ça leur remonterait le moral? et votre *leadership*? en clair : « protectorat »!

Voilà mes griefs, et pourquoi je me bats *depuis vingt ans* contre le franglais.

Cela dit, je ne suis pas manichéen. Durant dix ans, réserve faite pour Yalta, j'ai admiré la politique de F.D.R., son audacieux *New Deal* qui vous sauva de la catastrophe; j'aime la générosité avec laquelle Mrs. Eleanor Roosevelt lutta contre le racisme. J'ai apprécié le président Kennedy, et maudit son assassinat, sur lequel j'ai mes idées. Je respecte ceux de vos blancs qui s'associent aux efforts de la *National Ass'n for the*

Advancement of Colored People, et je crois que vous feriez bien d'écouter James Baldwin. J'admire que votre cinéma, lorsqu'il ne gaspille point des milliards en niaiseries bibliques ou historiques, ose traiter des sujets que jamais le nôtre ne risquerait : ne serait-ce que *Point of order,* sur votre maccarthysme.

Bien que je haïsse les villes, j'ai goûté la grandeur et les beautés de Nouillorque ; je lui préfère Sedona, Ariz., village que par malheur j'ai sans le vouloir « lancé » en y envoyant Max Ernst. J'y ai vu, brimés par le capitalisme des grandes villes, des hommes vrais ; j'y aimai un vieil anarchiste, le célèbre docteur Woodcock, et un fermier que j'entendis prononcer sur son chien une oraison funèbre plus belle pour moi que celles de Bossuet : juste, simple et forte. J'ai vécu là deux mois parmi les plus heureux d'une vie qui en compte beaucoup de beaux. En revanche, j'ai passé à La Nouvelle-Orléans les semaines pour moi les plus humiliantes de ma vie : on m'interdisait de m'asseoir dans les trams à côté des nègres, et l'on déplaçait aussitôt la pancarte. Si j'insistais, on menaçait : je violais la loi. Ainsi, m'asseyant à côté d'un mulâtre, je violais la loi de la démocratie.

Quand on connaît un peu les cultures indiennes, comment vous pardonnerait-on ce que vous en avez fait [1] ? Vos indianistes, hélas, ne sont qu'une poignée, et ils sont venus bien trop tard. J'aime les Indiens que vous n'avez pas massacrés : « *Just another dead Indian* », comme disaient *News of the Nation.*

J'aime la voix de Marian Anderson, l'architecture de Frank L. Wright, les œuvres de vos écrivains qui vous représentent tels que vous êtes, sans vous ménager, comme Zola chez nous, et Proust. On les dit volontiers, chez vous, *unamerican.* J'aime les articles de Walter Lipmann, dont votre politique ne s'inspire jamais. J'aime *The Nation, New Republic, Dissent, Evergreen Review, Foreign Affairs, Comparative Literature,* pour ne citer que quelques-uns de vos périodiques. Contre

1. Cf. *A Century of Dishonor.*

Mme Nieoupokoieva, j'ai défendu vos comparatistes, à Budapest.

Quand on subit la misère de l'Université de France, libre comme nulle autre, ouï, mais pauvre, et qu'on apprend que le général de Gaulle vient d'offrir 100 000 dollars pour la bibliothèque Kennedy de Harvard, comment ne se rappellerait-on pas avec nostalgie les rayonnages de l'université de Chicago? Comment ne calculerait-on pas que ces cent mille dollars représentent, pour l'Institut de littératures comparées où j'enseigne, plus de deux siècles de crédits? Comment ne rêverait-on pas aux années sabbatiques, qu'on nous refuse?

Enfin et surtout, j'approuve ceux de vos sociologues qui regrettent que les seuls rapports humains décelables, dans votre « société de gaspillage », soient ceux du producteur et du consommateur (« le bon citoyen est celui qui gaspille le plus ») ; que le pouvoir de la publicité corresponde chez vous à celui, sous Staline, du catéchisme jdanovien; que la civilisation de l'image devienne pour vous la seule digne de ce nom, alors qu'elle abrutit les masses et nous guidera tous vers la barbarie, pour peu que l'argent continue à la régir, ou la tyrannie politique. Au *kiun tseu* des Chinois, au *kaloskagathos* des Grecs, au *cortegiano* de la Renaissance, à l'*honnête homme* et au *gentleman*, vous avez substitué, comme idéal humain, le *business man*, le *manager*. Dans une société qui se respecte, le marchand n'a que le droit de gagner de l'argent. Il n'a pas celui de régenter la politique; à plus forte raison, de détruire le langage des peuples vers lesquels il exporte. J'applaudis ceux des vôtres qui reconnaissent que le matriarcat est la cause première d'un malheur chez vous patent, profond, celui qui ne vous laisse comme échappatoire que la puissance. Rappelez-vous le dialogue de Byron :

— *Etes-vous heureux?*

— *Nous sommes puissants!*

Moi aussi, j'ai connu cette volonté de puissance, où je reconnais aujourd'hui le sceau même du malheur. Vous êtes malheureux. A preuves, votre *Keep smiling,* votre *Life must be fun!* Tout sourire de commande n'est que *rictus*; *life* ne doit pas être *fun!* le *fun*, cette vulgarité, n'a rien à voir avec la grâce d'un sourire vrai, la sérénité devant la mort, le mépris de l'argent, qui sont, avec la justice sociale, la liberté sexuelle, le bonheur, la vérité, la beauté les seules valeurs humaines. Le bonheur, qui n'est jamais *fun*.

Et puis, avouez que ce n'est pas moi qui parlai le premier d'*air conditioned nightmare*, de cauchemar climatisé. Là-dessus au moins je suis d'accord avec un des vôtres parmi les plus grands, les plus généreux (même si je le trouve maintenant un peu bigot) : Henry Miller.

Bref, si je ne veux pas parler franglais, si je refuse l'*American Way of Life* que nous impose votre vocabulaire, mettons qu'il y entre du dépit amoureux. C'est en tout cas en connaissance de cause, et d'accord avec les meilleurs des vôtres, qui le répudient eux aussi parce qu'il vous rend malheureux. Je vous plains, mais je ne peux accepter que vous me gâchiez le bonheur que j'ai lentement conquis et qui ne peut survivre à l'*American Way of Life*.

1964.

(Refusé par le *New York Times Magazine*, qui me l'avait commandé; mais qui me le paya.)

RETOUR D'ÉGYPTE

1948

La vie quotidienne en Égypte
au temps des Ramsès

Alors que les haines nationales ou religieuses vicient la plupart des histoires, l'Egypte ancienne, si parfaitement achevée avec les derniers pharaons, ne peut plus susciter aucune de ces passions qui déforment encore notre image des Croisades, ou de révolutions dont nous subissons les effets. Dans la mesure où l'histoire est possible, une histoire *vraie* de l'Egypte est possible. Mais si je cherche à me représenter l'image que se forment de la vie pharaonique ceux qui, comme moi, ne l'étudièrent qu'au lycée, je vois des prêtres tout-puissants, des bœufs Apis, des scarabées, Toutankhamon et sa tombe prestigieuse, un scribe accroupi, un *cheik el balad*, une file d'insectes humains que fouette une chiourme au pied des pyramides. Ceci encore : de bizarres dessins qui servent d'écriture, Anubis le chacal, l'obélisque de Louqsor; d'étranges mots, qui plaisent aux enfants : *nome*, ou *pschent*. Et puis quels drôles de gens, ces Egyptiens! ils ne savaient pas dessiner en perspective. Voilà, me semble-t-il, ce qu'un Français de vingt-cinq ou trente ans peut retrouver en soi quand on lui parle de Khéops ou de Ramsès. Il sait que cette civilisation était figée, hiératique, etc. Sans doute est-ce le propre de tout enseignement : à force de simplifier, il déforme. A quoi s'ajoute que les manuels qu'on nous donnait, voilà un quart de siècle, ne pouvaient faire état que des résultats acquis par les savants aux environs de 1900; or, si l'Egypte est vieille, la

science que nous en avons est toute jeune. Tout change tous
les dix ans.

Dès mon arrivée, l'Egypte me révéla mes ignorances, mes
erreurs, mes préjugés : quelques fresques de Saqqarah me
démontrèrent d'emblée qu'il est un autre art en Egypte que
compassé : *Le Théâtre égyptien,* du chanoine Drioton, que les
drames religieux (dont j'apprenais qu'ils avaient précédé ceux
de la Grèce antique) constituaient en vérité toutes sortes de
genres épanouis sans contrainte : des pièces historiques à
grand spectacle, comme *La Naissance et l'apothéose d'Horus;*
de franches comédies, comme *La Déroute d'Apophis;* des
pièces à thèse politique, *Le Retour de Seth,* par exemple,
satire de l'occupation persane. Et, comme au Moyen Age français le peuple lapidait assez bien le Judas sur les parvis des
cathédrales où se donnaient les mystères, voilà que les temples
égyptiens s'animaient pour moi d'une foule bariolée qui manifestait contre les occupants. Les Egyptiens vivaient. C'est
encore le chanoine Drioton qui évoquait la fête de l'ivresse;
tandis que Pharaon dansait devant Hathor et lui consacrait
une burette de vin, une foule dont la piété s'accommodait
d'excès, et même les exigeait, s'abandonnait à l'ivresse du vin
sauveur. Puis je visitai les temples de Haute-Egypte, les tombeaux creusés sous le roc; je lus le *Livre des Morts.* J'appris
quelques noms de pharaons, quelques dates et quelques faits;
la *Grammaire de l'Egyptien classique* [1] m'avait introduit dans
l'univers des scribes; je passais volontiers une heure, de temps
à autre, à contempler le catalogue dressé par Chassinat des
signes hiéroglyphiques fondus pour l'imprimerie de l'Institut
français. Quelque chose pourtant me manquait. Quelque chose
d'important. Je me rappelais de quelle valeur avait été pour
moi, pour ma culture latine, la découverte que je fis, sur le
tard, des recettes de cuisine rédigées par Apicius : les petits
pois à l'adultère distingué m'avaient charmé. En vérité, fût-il
le plus savant en grammaire historique, en histoire et en géo-

1. Par G. Lefebvre. Institut Français, Le Caire.

graphie, qui connaîtrait la civilisation française s'il ignorait l'existence de la daube, de la bouillabaisse ou du bonnet de coton ? Mon séjour en Egypte m'avait débarrassé des clichés sur l'Egypte figée, hiératique, incapable de dessiner en perspective. Mais les hommes d'alors, comment vivaient-ils ? que mangeaient-ils ? quels mots disaient-ils quand une femme les troublait ? Je regrettais souvent de ne pouvoir consulter l'équivalent du livre de Carcopino sur *La Vie quotidienne à Rome* [1]. Et non pas seul de mon espèce. A la fin de 1946, Jean Paulhan m'écrivait pour me demander de lui indiquer un bon livre sur la vie privée dans l'Egypte pharaonique.

J'appris alors que M. Pierre Montet allait publier, d'un jour à l'autre, une *Vie quotidienne en Egypte au temps de Ramsès*. M. Montet n'est ni le moins habile, ni le moins heureux des égyptologues français. Temples et tombeaux semblent complices de ses enquêtes. Son livre est enfin sorti, et satisfait les espoirs de ceux qui, comme moi, en attendaient beaucoup.

L'habitation, le temps, la famille, les occupations domestiques, la vie à la campagne, les arts et les métiers, les voyages, le Pharaon, la guerre et l'armée, les scribes et les juges, l'activité dans les temples, les funérailles enfin, sont étudiés avec autant de précision que le permet le matériel aujourd'hui disponible. Les mœurs, les institutions, les techniques et les croyances ayant évolué au cours des millénaires durant lesquels se développe la civilisation pharaonique, l'auteur a dû choisir une époque privilégiée, celle des Ramsès, qu'illustrent trois grands rois : Sétoui Ier, Ramsès II, Ramsès III. D'immenses et beaux monuments, maints tombeaux de reines et de rois, force papyrus, romans, recueils de lettres, pamphlets, contrats, procès-verbaux, sans oublier le testament politique de Ramsès, lui offraient une documentation aussi drue que variée. Sans doute sommes-nous condamnés à ignorer certains aspects de cette vie du peuple : il semble bien, par exemple, que nous ne pourrons jamais connaître les sentiments religieux de l'ar-

1. Paris, Hachette.

tisan, du scribe, du prêtre égyptiens; les rituels, les catéchismes, quelques mythes sont connus; M. Jacques Vandier a pu en construire une très bonne histoire de *La Religion égyptienne* [1], où la double tradition, solaire et osirienne, est bien mise en valeur; pas plus que M. Montet il n'a pu nous renseigner sur la piété personnelle.

Contentons-nous de la masse de documents que, pour notre plaisir et notre édification, a su rassembler, interpréter et présenter M. Montet. Nul aujourd'hui ne met en doute la haute qualité des Egyptiens anciens et la variété de leurs dons : architectes, peintres, sculpteurs. Mais nous savons mal qu'ils vivaient une vie dans l'ensemble assez douce. Comme le dit M. Montet : « C'est parce qu'il faisait bon vivre au bord du Nil que les Egyptiens débordaient de reconnaissance envers les dieux, maîtres de toutes choses. Et c'est pour la même raison qu'ils ont cherché le moyen de jouir jusque dans le tombeau des biens de ce monde. » Pharaon parfois était dur; les scribes avaient tendance à pressurer le petit peuple; on écopait aisément du bâton; les prêtres abusaient des pouvoirs temporels que leur assurait leur médiation spirituelle (mais Pharaon en souffrait plus que le verrier ou le foulon) ; inégaux aux riches durant leur vie, les pauvres diables restaient tels jusqu'en la mort, jetés qu'ils étaient à la fosse commune avec leurs chairs et leurs viscères si périssables. Pour eux, point de pyramide, nulle demeure d'éternité. Mais quoi? les Egyptiens anciens prenaient soin de leurs corps; ils se lavaient deux ou trois fois par jour, s'épilaient, se frictionnaient, se parfumaient; laboureurs ou bergers, ils chantaient durant leurs travaux, ou parlaient à leurs bêtes; la bière, le vin leur donnaient du bon temps; ou bien les drames religieux, les processions des dieux, leurs reposoirs; à la fête d'Amon, un plein mois de ripaille! Non, « le peuple égyptien n'a pas été, comme le croyait Renan, un troupeau d'esclaves mené par un Pharaon impassible et par des prêtres avides et fanatiques. Sans doute le nombre des

---

1. Presses universitaires, collection Mana, 1946.

déshérités, sous les Ramsès, était considérable. Pourtant Pharaon et ses fonctionnaires apparaissent souvent comme des maîtres humains. Dans la vie du petit peuple, j'estime que les bons moments l'emportaient sur les mauvais ».

Pour le consoler des mauvais, Amonrâ y allait parfois d'un miracle.

1947.

Peintures thébaines

Plutôt que de l'ignorer, approchons s'il le faut la peinture
thébaine en y découvrant plusieurs siècles d'art « moderne » :
ces éclipses d'objets — les *passages* en jargon d'atelier —, cette
loi de frontalité qui impose le rabattement du profil sur la
face, du plan sur l'élévation, ce mépris de notre perspective
et des « valeurs tactiles » si galvaudées par Berenson. A la
rigueur, admirons-y plusieurs effets « cubistes », quelques
Dufy prématurés, quand la couleur envahit le tracé. Certes,
il me séduisait, l'album que préparait naguère André Vigneau
— nous lui devons déjà un riche *Musée du Caire* : page de
gauche, une table égyptienne d'offrandes ; page de droite, une
nature morte ou flamande ou française. Trente siècles passés,
des religions diverses, n'ont pas empêché l'un et l'autre déco-
rateur, chacun selon ses principes, de retrouver *la* solution.
Mais dissipons ces trop flatteuses illusions ; flatteuses pour
nous, s'entend. Je discerne assez bien ce qui de nos oies, de nos
oignons, éloigne les oignons ou les oies des tombeaux thébains.

D'emblée, cette évidence : ainsi qu'en Chine, mais par
d'autres voies, l'idéogramme conduit vers le dessin. Au canard
pilet, au faucon des hiéroglyphes, comparez le faucon sculpté,
le canard peint : par la silhouette, la plus pure et la plus
expressive, il s'agit bien, ici et là, de manifester le meilleur de
l'oiseau ; sa raison d'être, ou son archétype. Ici comme là,
l'intelligence aiguise la vue et guide la main. Quel plus net

visage, plus complet, qu'un profil sur lequel vous rabattez un œil de face? Que c'est satisfaisant, de face, le trapèze viril d'un torse! Sous l'aisselle, insérez un profil de sein, et voilà signifié, dans sa perfection, dans son ambiguïté le corps, *humain,* de *la* femme. Non certes on ne nous aura plus avec ces naïvetés des manuels et des écrivains à la mode sur le dessin « naïf » ou « puéril » de ses scribes que je devine aussi réfléchis, aussi savants que M. Ingres ou Piero della Francesca.

« Savants, habiles, vous voyez! » répliquent alors ceux qui ont choisi de bouder l'art égyptien. « Des pions, voilà tout, de très bons élèves qui copiaient, c'est connu, leurs cahiers de modèles. » Je ne le nierai point : la bibliothèque du temple d'Edfou offrait aux amateurs qualifiés un traité « des prescriptions relatives à la peinture murale et des proportions à donner aux figures »; oui, le sculpteur Irtisen, de la XI° dynastie, se flattait de connaître à fond « la pose du bras du chasseur d'hippopotame et la position du coureur ». Et après? Quand vous avez lu les *Carnets* de Vinci, condamnez-vous de ce chef à ne pas savoir peindre ceux qui sauraient s'en inspirer? De ce que Jouhandeau toute sa vie enseigna une morphologie, une syntaxe qu'il ne bouscule qu'au besoin, allez-vous en conclure qu'il ne peut que mal écrire, à la façon d'Abel Hermant, ou de M. Albalat?

Qui connaît la peinture pharaonique ne s'inquiétera plus des fameux cahiers de modèles. Quels modèles ont copiés, je vous prie, ceux à qui nous devons les mastabas de Saqqarat, ces grouillants et lucides combats? Quant aux murs des tombes thébaines, copiés sur des cahiers, laissez-moi rire... Lorsque d'un jonc mâché le scribe dessinateur inscrivait sans bavure le contour à colorer — plusieurs parois gardent le tracé nu, confondant — assurément il s'inspirait de canons bien appris; en ce sens, oui, que les normes *l'inspiraient.* Le scribe alors broyait une tige de palme, son pinceau; plusieurs tiges pour les surfaces importantes. Sur une couche bien lissée de plâtre ou de limon du Nil — point de chaux, partant point de fresques — il posait en aplats ses gouaches, ses temperas,

transparentes parfois comme autant d'aquarelles. Un peu de
suie pour les noirs; pour les blancs, de la craie; pour les
rouges, des ocres, et pour les jaunes, pour les bleus et les verts
enfin, les « frittes ». Un vernis parfois éclairait la couleur, la
glaçait, l'émaillait. L'heureux homme, pour qui notre débat
sur l'art abstrait ou réaliste n'aurait pas plus de sens que
celui, plus ancien, sur le sexe des anges. De chaque papyrus,
de chaque oiseau, de chaque vivant, homme ou taureau, singe
ou crocodile, sans hésiter il dégageait la forme la plus intelligente à la fois et la plus heureuse; la plus construite et la
plus libre. Fortifié par une science magistrale du dessin et de
la composition, il organisait les deux dimensions de l'espace
à embellir en registres d'autant plus grands que plus grands
les personnages. Dès lors, quelle aisance! En violant à bon
escient les lois les plus vénérées, comme on s'amuse! Tiens,
si nous installions ici, *de face*, deux belles et jeunes filles qui
de leurs mains frappées rythment le pas de deux danseuses
(le fragment appartient au Musée britannique).

Sûrs de nos disciplines, forts de notre raison, de nos raisons,
et si nous imprimions les passions dans les formes! Peinture
figée, diront-ils dans trois mille ans, ou quatre : peinture
morte : à tel point desséchés qu'ils ne percevront plus, chez
Puiemré [1], l'émotion de l'orfèvre, main au menton, que nous
avons voulu tout perdu dans son œuvre.

A mesure que les conquêtes de la XVIIIe dynastie enrichissent les deux Egyptes, haute et basse, tout un art de vivre,
mœurs, sentiments, s'affirme en effet dans la peinture thébaine.
Vives, piquantes, mais toujours contrôlées, les scènes de genre
abondent chez Nakht, ainsi que chez Menena : l'arpentage,
les travaux des champs, la chasse et la pêche, thèmes quasi de
rigueur : mais le vieux harpiste au ventre plissé, mais la
danse des négresses nues, mais le petit singe bleu qui grimpe
dans son arbre, de rigueur? Chez Sebekhotep, tout un verger
sourit au mort, qui, chez Rekhmara, jouit de la grande paix,

---

1. Les noms propres désigneront désormais, non pas les peintres, mais
les illustres morts qu'on illustra.

en sa « demeure d'éternité ». Cette heureuse intrusion des passions dans la forme, vérifions-la au thème des pleureuses, celui-là quasi rituel. Quel geste convenu, chez Minnakht! Dans les deux bandes symétriques de cheveux noirs, que d'épaisseur, de raideur (avouons-le : de gaucherie)! Comparez ce tableau à celui de Senmut, ou de Ramosé : l'ordre se concilie avec la véhémence, les mouvements d'ensemble avec les gestes convulsifs; bien subtil, le jeu de bras levés, croisés; mais les larmes, bien imitées; mais les cheveux finement torsadés, ceux mêmes dont se parent aujourd'hui les femmes, à l'oasis de Siwa.

A mesure qu'on avance vers la fin de la XVIIIᵉ dynastie, vers Touthmès IV et Aménophis IV, les chairs se font, selon les cas, plus vieilles, plus voluptueuses. Une émotion sature les formes. On dit souvent que les peintres, les sculpteurs de Tell Amarna ont rénové tous les canons de la plastique. Pourtant, l'homme auquel ils s'intéressent, avec ses traits, ses tares singulières, je le pressens dans les tombes thébaines; c'était l'avis d'Alexandre Stoppelaëre, le conservateur des peintures tombales : à la fin de la XVIIIᵉ dynastie, une « lente évolution » lui semblait s'esquisser « vers les formes et les expressions de l'art amarnien ».

Victorieux d'Akhnaton et de son dieu Aton, quand les prêtres d'Amon rétablirent leur tyrannie, on m'assure qu'ils sauvèrent l'art égyptien du baroquisme et de l'outrance. Pour moi, devant les têtes tranchées d'Akhnaton, devant les deux princesses tell-amarniennes de la glyptothèque Carlsberg, si je compare ces œuvres-là au trait savant mais froid de la XIXᵉ dynastie, à cette forme vide qui présage la décadence de la XXᵉ, j'admire que le plus beau moment de la peinture thébaine coïncide avec celui de la plus grande liberté, et que, non content de brimer, de briser les lettres égyptiennes, le tout-puissant clergé d'Amon ait su très bien ruiner l'une des quatre ou cinq plus hautes peintures du monde : celles où la poésie s'exalte par la vérité, l'émotion par la retenue.

1949.

Les paysans de Syrie et du Proche-Orient

Les principaux ouvrages que l'Occident consacrait à l'Orient durant le siècle dernier n'étaient guère que d'égotistes comptes rendus de voyages, des *Orientales* avec des minarets, des considérations sur les ruines de Baalbek ou de Palmyre. Tout au plus Gérard de Nerval essaya-t-il de gratter le pittoresque pour atteindre en Orient l'humain. Mais, par le succès de Pierre Loti, l'Orient s'identifia aux prétendues *Désenchantées* : exotisme et sensiblerie.

Ce sera du moins un des mérites de notre siècle : avoir compris que l'Orient méritait mieux qu'une littérature de voyageurs pressés, les Orientaux mieux que la curiosité condescendante du touriste. On connaît en Egypte l'ouvrage du Père Habib Ayrout sur *Le Fellah* [1], premier essai d'ensemble sur la question paysanne dans la vallée du Nil. On ne connaît pas encore, mais bientôt on connaîtra, je l'espère, le livre plus récent de Jacques Weulersse, *Paysans de Syrie et du Proche-Orient* [2]. Deux hommes différents de goûts et de formation, un jésuite et un universitaire laïque, se confirment mutuellement.

M. Jacques Weulersse avait attiré l'attention du public cultivé par deux thèses de doctorat : l'une sur le pays des

1. Une traduction anglaise vient de paraître au Caire, chez Schindler.
2. Gallimard, 1946.

Alaouites [1], l'autre sur le cours et le régime de l'Oronte [2]. De 1934 à la publication de ces thèses, M. Weulersse avait donné à diverses revues savantes un essai sur Antioche, un autre sur la question des minorités en Syrie, un autre sur le régime agraire et la vie agricole en Syrie, un autre, enfin, sur la primauté des cités dans l'économie syrienne. C'est dire que l'auteur n'a pas abordé à la légère le sujet de son dernier livre. En fait, il a consacré près de dix ans à le connaître; mieux : à le comprendre.

Paysans de Syrie et du Proche-Orient a paru dans une collection de synthèse intitulée « Le Paysan et la terre », collection dont les deux premiers directeurs disparurent pendant la guerre; le premier, professeur en Sorbonne et auteur notamment de *L'Etrange Défaite* [3], fusillé par les Nazis en juin 1944 pour son héroïsme dans la lutte clandestine, Marc Bloch; le second, André Déléage, mort au combat durant la libération de l'Alsace, en 1945. Comme si une fatalité pesait sur cette collection, symbole de la fatalité qui, par le monde, opprime la paysannerie, à peine M. Weulersse avait-il mis la main à la conclusion de son livre sur *Les Paysans de Syrie*, il mourait tout jeune, le 28 août 1946, au cours d'un voyage d'études en Afrique occidentale.

C'est à décrire, analyser, expliquer les divers types de l'humanité paysanne que Marc Bloch voulut consacrer « Le Paysan et la terre ». L'homme des champs y apparaît dans le paysage familier de ses labours, de ses jardins, de ses pâtures qui, façonné par le travail des générations, à son tour façonne leur destin. On le voit aussi à ses jours de prière ou de repos; sur la place du village où la communauté délibère; sur les chemins de l'exode ou de l'émigration. Marc Bloch voulut étendre au-delà de la France et du monde occidental son enquête sur la paysannerie. Aucun esprit de clocher par conséquent. Si Albert Dauzat publia un volume sur le village de France, M. Labouret,

1. Deux volumes, Tours, 1940.
2. Tours, 1940.
3. Paris, Edition du Franc-Tireur, 1946.

six mois avant *Les Paysans de Syrie,* nous donnait un savant
travail sur les paysans d'Afrique occidentale. On peut donc
apprécier déjà la collection dans son ensemble : il s'agit
d'ouvrages bien pensés, souvent bien écrits, abondamment illustrés de graphiques et de photos. C'est particulièrement vrai de
l'ouvrage de M. Weulersse qui se divise en deux grandes
parties : dans la première, il étudie les conditions; dans la
seconde, les aspects de la vie paysanne.

Les terres du Proche-Orient furent parmi les premières
qu'on exploita rationnellement et l'une des patries de l'agriculture occidentale. Alors toutefois qu'elles étaient jadis en
avance sur les autres pays méditerranéens, il n'en est plus de
même aujourd'hui. Comment cela se fait-il? C'est que le sol
aride et léger, dont la végétation fragile cédait facilement
devant l'effort du laboureur, offrait des conditions propices
à des civilisations jeunes encore. Les sols humides et profonds
de l'Europe occidentale, avec leurs cieux bas, leurs horizons
bouchés, leurs forêts et leurs marécages, durent autant
déconcerter les marchands phéniciens que le sol rocailleux de
la Syrie fait aujourd'hui le paysan français.

L'histoire s'associe à la géographie pour expliquer cette
fixité de la paysannerie syrienne. A l'exception de la bande
côtière, les terres cultivables de cette région se trouvent limi-
trophes du désert et, par conséquent, de la vie nomade. Encore
qu'on ait exagéré le conflit entre les civilisations nomades et
sédentaires, il reste que la proximité du nomade rend précaire
la tenure du « fellah » et que l'esprit de liberté du nomadisme
a toujours désagrégé la société rurale qui, pour subsister, a
besoin d'autres lois que celles qui régissent la tente. Ceci n'est
qu'un détail, mais combien significatif : la première poésie
grecque est celle d'Hésiode, *Les Travaux et les jours* du paysan;
Rome elle-même, la belliqueuse, fit chanter les *Géorgiques* par
son poète officiel; que si nous lisons les *qacidas* bédouines anté-
rieures à l'hégire, nous n'y trouvons guère que les beautés de la
chamelle préférée, la tristesse au désert du campement aban-
donné, l'exaltation du rezzou sur la tribu rivale; et n'est-ce pas

Ibn Khaldoun qui rapporte un *hadith* selon lequel le Prophète, à la vue d'un soc de charrue, déclara : « Cette chose-là n'entre jamais dans une maison sans que l'avilissement y entre aussi » ? La civilisation de l'Islam classique est donc une civilisation citadine et nomade qui vouait l'homme de la terre à la portion congrue.

Mais l'usage a souvent corrigé ce que ces conditions unies à ces principes auraient pu avoir de sévère. Tandis que les circonstances naturelles et historiques ont souvent desservi le « fellah » de Syrie, le régime de la propriété et celui de l'exploitation lui furent parfois bienveillants. Naturellement, le « fellah » reste trop souvent soumis aux grands latifondiaires qui vivent à la ville, pour la ville, et qui ne sont représentés sur leurs terres que par des *soubachis* (en arabe : *wakils*). Ceux-ci s'efforcent surtout de faire fortune tant aux dépens du maître qu'à ceux du pauvre « fellah », parasites de la terre analogues à ceux que nous avons en France (les experts-géomètres). Quant aux grands propriétaires, ils sont souvent arrivés à considérer l'usure aux dépens de leurs métayers comme une des sources les plus sûres de revenus; selon l'excellente formule de M. Weulersse, « à l'exploitation des terres, ils préfèrent l'exploitation du fellah ». Le « fellah » des grands domaines souffre ainsi de tous les maux du servage, sans bénéficier de la sécurité relative qu'offrait jadis ce statut. Heureusement, il est pour lui un autre genre de vie. Dans une importante région de Syrie, à l'est du Liban (Damas, Homs, Hama, Alep), prévaut un système ingénieux de propriété communautaire, le *mouchaa*. M. Weulersse l'étudie en détail. Dans sa signification originelle, le *mouchaa* désigne une propriété collective exercée par une communauté villageoise sur l'ensemble du territoire qu'elle cultive. On concilie le caractère collectif de la propriété et le caractère individualiste de l'exploitation en redistribuant périodiquement les terres. Ce dispositif exige le maintien d'une discipline communautaire car, s'il est vrai que chaque famille ne travaille que pour soi, l'individualisme est limité en ce sens que labours, semailles, moissons, assolements sont décidés globalement par les anciens. Le village *mouchaa* originel constitue un organisme extrêmement robuste et sain. L'exploitant y exerce le droit de propriété. Un partage périodique maintient la paix sociale. On trouve encore en Syrie de nombreux villages du type *mouchaa*. Ils régressent malheureusement devant la poussée de l'individualisme. On ne peut que le déplorer, car toutes les civilisations paysannes ont abouti spontanément à ce type de tenure qui concilie parfaitement les exigences du groupe et les goûts de l'individu. C'est une espèce de propriété *mouchaa* que le *tsing* des Chinois, le *fokonolona* des Malgaches, l'*ejido* du Mexique, le *mir* du tsarisme. Ce système, le meilleur qu'ait jamais pratiqué l'économie paysanne, a sans doute un inconvénient, surtout dans les pays de grande natalité : les parcelles sont indéfiniment morcelées, au point qu'on voie des champs partagés en lanières, dont beaucoup sont larges de deux ou trois sillons, mais longues d'un kilomètre et plus. Un remembrement périodique s'impose alors. Mais le principe reste sain.

Dans les terres plus riches du littoral, où l'on peut pratiquer les cultures d'irrigation, un contrat spécial, le contrat de *mougharsa*, règle habilement le régime de la propriété. Le principe en est simple : le propriétaire concède à un métayer du terrain nu, à charge pour celui-ci de le planter selon les vœux du bailleur. Quand la plantation commence à rapporter, on la partage entre les deux parties contractantes, chacune tenant désormais sa part en pleine propriété; le partage met fin à l'association. Ce type de contrat favorise le propriétaire dont la part plantée vaut beaucoup plus que la totalité nue; elle ne favorise pas moins le métayer qui, sans capitaux, devient propriétaire.

Non moins attachante la seconde partie de l'ouvrage, qui décrit la vie paysanne avec ses traits communs et ses variétés régionales. La famille, le mariage, le village, la religion, la nourriture, la maison, l'habitat, le vêtement, le rythme démographique, M. Weulersse n'oublie rien de ce qui constitue l'humble vie du « fellah». On ne saurait lui reprocher (ce dont certains ont pu faire juste grief au Père Habib Ayrout) d'avoir mal compris ou partialement exposé la religion paysanne. Parfaitement objectif, et peu soucieux d'affirmer la primauté de telle ou telle foi, M. Weulersse analyse le mélange d'islam et de survivance préislamique dans la piété de « fellah »; c'est au saint local que, pareil en ceci au paysan de France, le « fellah » de Syrie adresse avec le plus de ferveur ses prières personnelles. C'est près de sa *ziara* qu'il se sent le plus près de l'émotion religieuse. Pour les femmes surtout, le saint local est le seul consolateur. Naturellement, les conditions de vie varient selon les régions. Le montagnard du Liban n'est pas celui des Alaouites. Il ne ressemble guère à ceux qui cultivent les *ghoutas* de Damas, moins encore aux *manader* qui vivent au bord de la steppe.

Livre impartial, ai-je dit, et même dans le chapitre où l'auteur essaie d'apprécier l'action de la France durant la période aujourd'hui révolue du mandat (remembrement, cadastre, etc.). Livre impartial, mais non pas indifférent. « Si ce livre a quelque valeur, écrit l'auteur, c'est aux sentiments qu'il le doit, à la sympathie sans laquelle la géographie dite humaine n'est plus que nomenclature, catalogue, classification. » La sympathie humaine, toujours présente ici, jamais n'aveugle la raison de M. Weulersse. Sa sympathie pour le « fellah » et la condition du « fellah » ne l'empêchent pas d'en juger objectivement la situation. « Pour la transformer, il faudrait non seulement des capitaux considérables, mais encore une véritable révolution sociale, une révolution dans les mœurs et dans l'esprit », car si les pays du Proche-Orient ont fait récemment, et en fort peu de temps, de grands progrès politiques, le tableau de la vie rurale traditionnelle reste en 1946 ce qu'il était en 1939, en 1930 ou en 1830. « Evolution politique et nationale accélérées d'un côté, stagnation ou même réaction de l'autre, combien de temps pareil divorce pourra-t-il subsister? Tel est sans nul doute le problème fondamental du Proche-Orient. L'avenir est dans le destin du fellah. »

1947.

Notes sur Taha Hussein

« Le monde après cinq mille ans retrouve en 1949 une vénération abjecte et oubliée à l'égard de tous ceux qui savent manier les *hiéroglyphes* : ainsi voit-on dans *Les Temps modernes*, à côté des vedettes qui opèrent plutôt dans la métaphysique, un néophyte qui a retenu la leçon tenter d'assurer sa position dans la critique littéraire en arguant au moins de la connaissance du chinois. » Si je comprends bien M. Gracq[1], pour bien parler de Tchouang-tseu, il convient d'abord, et surtout, d'ignorer la langue chinoise. Me voici qualifié pour écrire de Taha Hussein : je n'ai point appris l'arabe littéraire.

M'excusera-t-on si, malgré l'autorité de M. Julien Gracq, et trop conscient de mon insuffisance, je me borne à quelques notes : encore ne m'y risqué-je que par reconnaissance pour un homme dont les œuvres, les propos familiers, m'ont éclairé un domaine inconnu. Pour une raison, encore : tout écriveur, s'il est russe ou yanqui, la moitié de la presse en tout cas le porte à notre connaissance, à la notoriété. Or, celui que jusqu'à ses ennemis ont toujours tenu pour le maître actuel de la langue et de la pensée arabes, en vain gouverne-t-il, de Bagdad

1. *La Littérature à l'estomac*, José Corti. M. Gracq oublie de préciser que ce *néophyte*, assurément disqualifié, de surcroît ne lui trouve aucun génie : « Quand on n'a rien à dire, écrivais-je à son propos, comment le dire simplement ? »

au Maroc, les esprits qui s'éveillent ; nos critiques à bas-de-page, en ont-ils compris l'importance ?

Depuis quelques mois, il est *Wazir el Ma'aref,* ministre du Savoir, comme on dit là-bas (et non point : de l'Instruction publique) ; la veille encore, en disgrâce officielle, mais officieusement déjà, comme toujours, ministre du Savoir. Ce fils de petites gens, qui savait par cœur le Coran à l'âge où nous faisons caca dans nos culottes, eut tout le temps depuis lors, on s'en doute, d'assimiler d'autres cultures que l'islamique : grecque, latine, française, etc. Si désireux qu'il soit de faire prévaloir en Egypte la langue arabe, il a montré dans son *Mustaqbal al-thaqafa fi Misr,* qu'il importe de ramener « à une base commune l'étude textuelle des deux cultures », l'arabe et la gréco-latine (idée qu'a précisée M. Louis Massignon dans *Lettres d'humanité* puis dans *Revue du Caire*) [1]. Pour reconquérir Alexandrie, n'hésitant point à y fonder, quand les canons nazis menaçaient El Alamein, l'Université qui porte aujourd'hui le nom du roi Farouk ; mais convaincu qu'il convient d'ouvrir à l'italien, et même à l'allemand, les écoles égyptiennes. Ce fut mon premier recteur. Autoritaire, disait-on, car ceux-là de nos jours passent pour autoritaires qui, tout simplement, tout naturellement, ont de l'autorité. L'occasion me fut donnée bientôt d'apprécier en lui une vertu plus rare encore : le courage.

Courageux, il le fut, de disgrâce en disgrâce.

L'écrivain arabe vit en effet dans un univers spirituel et langagier dont il nous est impossible, à nous seuls, d'imaginer tous les périls. Lisons plutôt Bichr Farès [2].

Difficultés de langue d'abord : « En arabe, il est malaisé de circonscrire le sens d'un terme affectif subtil à moins qu'il n'ait

---

1. Voyez *Lettres d'humanité,* Belles-Lettres, 1943, et *Revue du Caire,* janvier 1950, pp. 177-200.
2. *Des difficultés d'ordre linguistique, culturel et social que rencontre un Egyptien arabe moderne, spécialement en Egypte.* Paul Geuthner, 1936.

été l'objet d'une analyse détaillée; c'est le cas d'une grande partie du jargon soufique... il y a trop de synonymes (sans compter les homographes)... ce qui nous explique le verbalisme de certains écrivains ou bien l'impropriété de leurs locutions. »

Si d'autre part les lexiques arabes contiennent un trésor de mots concrets, qui concernent la vie de tous les jours, « une bonne part de ces mots n'est plus d'aucun service : tout ce qui se rattache au désert ou à un mode de vie périmé est plutôt encombrant ». Mais voici, en contrepartie, « cette avalanche de mots venus de l'Occident, à commencer par le nom des vêtements, pour s'arrêter aux termes du confort moderne, qui n'ont jamais eu d'équivalents arabes : nos nouvellistes et reporters en savent quelque chose ».

Ajoutez qu'à l'arabe classique font à peu près défaut les termes de technique, de médecine, de musique dont ne peut se passer la culture contemporaine; et que, du fait de sa structure, l'arabe, langue sémitique, ne peut emprunter qu'avec gêne ce qu'on appelle aujourd'hui les « termes de civilisation ». Il faut ici tout recréer.

Après la langue, le style : les œuvres classiques, sans doute offrent-elles, à l'occasion, l'exemple « d'un style ramassé, personnel et direct » : Abou-l-Ala al Ma'arri. Par infortune, la renaissance des lettres arabes, au XIXᵉ, se choisit des maîtres dangereux, ceux de « l'époque des *maqamat,* ou séances, des épîtres, en un mot des écrits ampoulés ». De sorte qu'au début du XXᵉ on entendait par style classique « cette superposition de synonymes, cette ruée endiablée de clichés, cette chasse au mot bizarre ou à l'assonance, cet encombrement d'insertions de vers, de dictons, de proverbes, de versets coraniques et de *ahadit* ».

Tout cela n'est rien : comptez encore avec cette damnée langue parlée, que tout écrivain doit oublier dès qu'il écrit. Alors que la Chine, avant même d'être reconquise par Mao Tsö-tong, avait accompli une révolution, celle qui permit à Hou Che (et après lui à la plupart des écrivains) d'abandonner le *wen yen*, la langue littéraire, pour adopter le *pai houa,* ou langue parlée, le monde arabe en est à rédiger ses œuvres d'art dans un lan-

gage aussi différent de l'égyptien parlé, ou de l'arabe maghré-
bin que du français, du roumain peuvent l'être Virgile, ou
saint Thomas. Bien qu'un petit nombre d'audacieux aient
essayé d'introduire dans leurs écrits l'égyptien de la rue
(Hussein Faouzi, par exemple), on ne les imite guère, et pour
cause : tandis que les caractères permettent à tous les habitants
de la Chine, et si divers soient leurs dialectes, de se comprendre
s'ils se lisent, les divers arabes parlés ne pourraient désormais
s'écrire sans à jamais briser l'unité intellectuelle et politique
qui semble aujourd'hui l'ambition du monde arabe.

Supposons que l'écrivain ait renversé ou contourné tous les
obstacles que dressent devant lui les mots qu'il a, ceux qui
lui manquent, leur agencement et les puristes; le voici qui doit
se mesurer aux Ulémas. En 1925, M. Ali Abd el Razek écrivit
un savant ouvrage sur les origines du Califat [2]. Il y démontrait,
une fois pour toutes, que l'idée de califat, aux débuts de
l'hégire, est inconnue. L'année suivante, 1926, bien armé de
raison cartésienne, Taha Hussein réfléchissait aux poèmes
préislamiques : on le persécuta. Sans doute, le voici ministre
du Savoir [1].

Reste qu'elles étaient nombreuses, vers 1925, lorsqu'il commença d'écrire, les difficultés d'ordre linguistique, culturel et
social que rencontrait l'écrivain égyptien. Auprès d'elles,
qu'était-ce que la cécité? Ils ne voient tous qu'une chose : Taha
Hussein est un aveugle. Saunderson le fut, ainsi que Pierre
Villey, ainsi qu'al Ma'arri. Outre l'obscurité, Taha Hussein a dû
vaincre l'obscurantisme. Il l'a vaincu. C'était plus difficile.

M. Saaeddine Benchenneb, qui fut notre premier ministre
musulman en Arabie séoudite, définit en ces termes [3] ce rôle de
Taha Hussein. « Comme Renan l'avait fait pour l'Histoire
Sainte, Taha Hussein rejeta tout ce qui, dans les premiers

1. Traduit en français, en 1933-1934, dans *Revue des Etudes islamiques.*
2. Avant le retour des Wafdistes au pouvoir, M. Abd el Razek avait
eu lui aussi sa revanche : on le fit ministre des Wakfs (ministère des Biens
religieux de main-morte).
3. Dans les *Cahiers de l'Est*, Beyrouth, n° 2.

monuments de la littérature arabe, cette sacro-sainte poésie antéislamique, lui paraissait manifestement teinté d'islamisme. Sa thèse souleva un tollé général, mais après de nombreuses polémiques, il est aujourd'hui communément admis que de multiples interpolations se sont glissées dans les vieux textes. La culture arabe s'est trouvée rajeunie, raffermie et purifiée par ce principe, cartésien ou renanien — peu importe —, en tout cas essentiellement français, que la raison humaine ne doit rien admettre sans avoir auparavant la preuve irréfutable de son authenticité. C'est donc bien un redressement de la pensée arabe que la culture française a opéré, et non, si l'on ose dire, une naturalisation. Aussi bien, dans un livre... publié sous le titre symbolique d'*opinions libres*, Taha Hussein affirme que la liberté de pensée, plus tard combattue par la scolastique, a existé en Islam à l'époque où les principes de la religion islamique gardaient encore leur pureté primitive : *Il est certain, écrit-il, que dans une organisation telle que l'Islam, nous trouvons à l'aube de son histoire, cette phrase immortelle qui donne l'image du souci jaloux qu'on avait de la liberté de pensée, l'image des sacrifices qu'on lui faisait, l'image de son influence sur la vie. L'organisation islamique apparaît entière dans cette phrase que le Prophète (Dieu le comble de sa bénédiction et lui accorde le salut!) dit à son oncle : " Par Dieu! si l'on avait placé le soleil à ma droite et la lune à ma gauche, afin que j'abandonne mon œuvre, je n'aurais pas obéi."* Cette preuve de l'insubordination de l'esprit à la contrainte, que Taha Hussein emprunte aux traditions et au Prophète, démontre avec évidence que sa pensée, éduquée et corrigée par les disciplines intellectuelles françaises, n'a pas changé de nature, et qu'elle est restée foncièrement arabe. Taha Hussein a simplement retrouvé, grâce à la critique et à la philosophie françaises, le sens vrai et primitif de la philosophie et de la critique arabes. »

On s'étonnera donc médiocrement que, de tous les poètes arabes, l'un des plus chers à Taha bey soit justement le vieil al Ma'arri, dont récemment on célébrait le millénaire : aveugle, et non moins libre, et non moins courageux, lui qui savait sa condition :

créés pour une fin qui n'est pas visible, nous vivons brièvement,
* puis la mort nous atteint*
semblables à des coursiers affamés rongeant si rageusement
* leur frein que leurs dents saignent.*

Cher vieil al Ma'arri, que me donna Taha Hussein (oui c'est en l'écoutant comme chanter ses vers que j'eus le désir de connaître Abou-l-Ala). Malheureusement, je reste sur mon désir : du *Risalat ul Ghufran*, je n'ai consulté qu'une version anglaise, et peu recommandable; du *Luzumiyat*, j'ai lu celle — si fragmentaire — qu'en donna M. Salmon. Il y a bien l'essai de M. Laoust sur « La vie et la philosophie d'Abou-l-Ala al Ma'arri »[1] où l'on trouve en français bon nombre de bons fragments; trop brefs, hélas!

Puisqu'il est question, pour compléter les classiques Budé, de fonder une collection de textes iraniens, une autre de textes arabes, qu'on nous donne bien vite un beau *Message du Pardon*.

Avec Abou-l-Ala, c'est Al Moutanabbi qui le plus volontiers retient Taha Hussein. Il lui consacra deux volumes en arabe, un essai au moins en français[2]. Après le sage, l'aventurier; après l'homme fidèle à soi, un poète renégat. Oui, mais Al Moutanabbi c'est aujourd'hui pour les Arabes le chant de l'indépendance : « Au temps d'Al Moutanabbi, l'étranger était persan, turc ou nègre; aujourd'hui l'étranger vient de l'Occident... les peuples arabes reconnaissent leur mécontentement et leurs espoirs dans cette poésie à la farouche fierté. » Il y a mieux encore : « Cette œuvre possède une qualité qui constitue un appoint essentiel non pas à la seule littérature arabe, mais à la littérature mondiale. Al Moutanabbi a introduit chez nous

1. *Bulletin d'études orientales*, t. X.
2. *Al Moutanabbi, la grande aventure d'un poète*, *Valeurs*, n° 7-8, pp. 92-104.

le pessimisme philosophique... N'est-ce pas lui qui, pour la première fois dans notre littérature, osa opposer l'homme à Dieu, quand il s'écriait dans sa jeunesse folle :

> *quel sommet serait trop haut pour moi?*
> *quel danger pourrais-je craindre?*
> *Tout ce que Dieu a créé*
> *et tout ce que Dieu pourra créer*
> *ne peut pas plus arrêter mon élan*
> *qu'un cheveu sur ma tempe. »*

Qu'il œuvre en érudit, qu'il aime les poètes, ou tresse avec impatience les *ronces* de ses épigrammes [1], Taha Hussein reste fidèle à son dessein : constituer en Orient un humanisme qui, sans rien renier des valeurs de l'Islam (sans oublier, notamment, que c'est un écrivain kabyle de langue arabe, Ibn Khaldoun, à qui l'on doit une des premières analyses sociologiques des nomades et de leurs différences avec les sédentaires [2]), fasse profiter l'Orient de tout ce que l'Europe, fécondée par l'Islam, avait pu proposer au monde.

Si les récits de Taha bey nous donnent de l'Egypte une image un peu plus complexe que celle de *Maalesh* et même, oui, que celle de *Goha le simple* ou des *Hommes oubliés de Dieu*, c'est qu'à son expérience d'oriental l'écrivain sut combiner une technique adaptée de l'européenne [3].

De tous ses romans, c'est *Adib* (*l'Homme de Lettres*) que préfère Taha Hussein. Nous en avons souvent parlé; il ne m'a jamais convaincu. Je suppose qu'un jour prochain on publiera

1. *Le Jardin des ronces* parut au Caire, éditions al Ma'aref, en 1945.
2. Taha Hussein soutint en France une thèse de doctorat sur *La Philosophie sociale d'Ibn Khaldoun*, Pedone, 1918.
3. Cf. Raymond Francis, *Taha Hussein romancier*, Le Caire, Editions al Ma'aref, 1945; et son introduction à *L'Appel du Karaouan*, Paris, Denoël, 1949.

chez nous une version de ce récit (dont j'ai donné naguère quelques chapitres dans *Valeurs*). Je serai content si je me suis trompé.

Pour autant que j'en puisse juger selon quelques conversations avec Taha Hussein et avec Raymond Francis, *L'Arbre de misère* [1] compose le premier tome d'un cycle romanesque : un futur tableau de la société égyptienne. L'entreprise, là-bas, n'est point commune. Qu'on en juge : dès le IIe siècle de l'hégire, l'arabe est devenu le parler officiel des peuples islamisés; unité langagière qui ne saurait dissimuler la scission en deux blocs; « deux classes », déjà, « bien distinctes, vont vivre l'une à côté de l'autre dans un constant climat de lutte, sourde souvent, parfois ouverte, et extrêmement sanglante. Il y a d'une part la cour : les courtisans, les grands dignitaires de la Plume et de l'Epée, les riches commerçants; de l'autre, la masse énorme des travailleurs agricoles et des artisans; entre elles deux s'agite une petite classe moyenne, insatisfaite et ambitieuse ». La culture, dès lors, elle aussi se divise en deux : d'une part des ouvrages divertissants, pour tromper l'ennui des oisifs; des histoires, de l'autre, qui apportent au petit peuple *un peu d'amour, un peu d'espoir* (comme dit notre chanson) ou encore : *une heure d'oubli...* comme dit la collection destinée aux midinettes. Du IIe au Ve siècle de l'hégire, la littérature officielle cultive donc le maniérisme : par leur style fleuri, leurs intrigues alambiquées, les *maqamat*, qui charment la cour et la ville, n'inquiètent jamais le pouvoir. Lorsqu'il semble, au Ve siècle, que les romans « à thèse » ont chance de prospérer, c'est la mort, pour longtemps, des lettres arabes classiques. Dès lors et jusqu'au XIXe, la classe riche vivra sur son passé et sans plus rien produire de neuf. L'autre classe, en revanche, celle que nourrit d'histoires le conteur des carrefours, elle s'empare de quelques anecdotes persanes, et voici bientôt vivre, proliférer les *Mille et une Nuits*. « Il y a dans les *Mille et une Nuits* le conte qui fait miroiter devant les yeux des pauvres gens le

1. Le Caire, Al Ma'aref, 1944.

palais de Haroun al-Rachid et de ses ministres. Il y a le conte
où se trouve dépeinte la dureté des riches : celui qui montre
la solidarité des misérables. A lire les *Mille et une Nuits* on se
représente bien ce public assoiffé de justice, mais impuissant
à l'obtenir, que la misère accable, dont il ne peut se dégager. »

Sans doute serait-il un peu simplet de ne lire dans ces contes
parfois bleus que les « revendications » de la classe opprimée;
il ne serait pas moins futile de nier que les rancœurs, les souffrances des petits bougres y aient trouvé leur truchement.

Avec l'expédition d'Egypte, l'imprimerie et l'influence européenne, voici peu à peu, d'El-Mouelhi à Tewfik el-Hakim,
Mahmoud Teymour, se former une école de romanciers qui,
dociles à Maupassant, à Zola, s'efforcent de tailler, eux aussi,
des tranches de vie saignante [1]. N'y ayant point, jusqu'à ces
dernières années, de prolétariat industriel dans la vallée du Nil,
c'est la vie paysanne, celle du delta ou de la Haute-Egypte, qui
donne aux écrivains le plus riche matériau.

Si je résume, après Raymond Francis, le roman de Taha Hussein sur *L'Arbre de misère* (encore inaccessible en français)
voici donc l'anecdote : des liens d'amitié unissent Ali-ibn-
Sallam et Abd el-Rahman. Un cheikh, chef de la confrérie à
laquelle sont affiliés les deux amis, suggère (c'est-à-dire : impose) au brave Ali de marier son fils Khaled à Néfissa, la fille
d'Abd el-Rahman; si laide, la Néfissa, que la mère de Khaled,
toute pieuse qu'elle est, estime que son fils ne mérite pas cet
opprobre. Songe-t-elle à se rebeller? On va la répudier. Se sou-
mettre dès lors aux caprices du cheikh, mais non sans avoir à
sa façon prophétisé : « Le jour où s'accomplira ce mariage,
l'arbre de misère sera planté dans ta maison. » La vieille
Om Khaled n'eut que trop vite raison. Donnant l'exemple du
malheur, elle allait mourir de chagrin. Devenu veuf, Ali ibn-
Sallam se promit de le rester. Tels ne sont point les vœux du
cheikh. Pour obéir à son chef religieux, le pauvre veuf épouse

---

1. Un important fragment du livre de Tewfik el Hakim, le *Journal d'un
substitut de campagne*, parut aux *Temps Modernes*, dans une traduction
de Gaston Wiet.

donc trois femmes et se ruine. Les malheurs promis s'enchaînent, se perpétuent après même la mort du cheikh, car il avait un fils, qui continue à gouverner. Le roman se clôt sur un rendez-vous de veuves et d'orphelins.

On connaît mal en France, mais enfin on pressent l'influence des *confréries* sur la vie des musulmans; la tyrannie de ces innombrables cheikhs, qui asservissent les villageois. Lorsqu'il en conte les méfaits, Taha Hussein poursuit, par d'autres voies, son œuvre d'exégète et d'humaniste intransigeants.

Point de cheikhs dominateurs dans cet *Appel du Karaouan* qui vient de paraître en traduction française; une simple et cruelle histoire comme en vivent (et comme chaque année en meurent) des jeunes filles par centaines : la pauvre gosse qu'on a séduite et qu'au nom de l'honneur un oncle obtus vient recueillir, pour la mieux poignarder sur la route du retour. Humbles gens, peints avec amitié; ingénieux découpage où je vois tout un beau film, un film enfin sur l'Egypte, l'équivalent de ce que fut pour l'Anahuac le *Forgotten Village* que tourna Steinbeck. Le chant du Karaouan donne à cette nouvelle, qui pourrait virer au noir, une douceur amère.

J'aime bien *L'Appel du Karaouan*; mais aussi *Le Livre des jours* [1]. Première autobiographie du monde arabe, selon M. Gaston Wiet, qui traduisit le second tome. Taha Hussein, lui, ne prétend point innover : il tient en effet le *Rihlat Ibn Khaldoun*, qui date du XIVᵉ, pour la première des autobiographies rédigées en sa langue.

On retrouve au *Livre des jours* les villages de la vallée du Nil. L'école coranique, une crise de choléra, la grande ville ensuite et la mosquée d'El-Azhar, telle est la toile de fond sur quoi se détache un caractère de jeune aveugle : timide à pleurer d'angoisse quand on lui fait réciter le Coran, mais obstiné au savoir, constamment occupé à se modeler soi-même, le voici peu à peu qui atteint ce point de sagesse où « pessi-

1. Gallimard, 1947.

misme », « optimisme » n'ont absolument aucun sens. Comment
n'admirer point qu'il soit ministre du Savoir celui que tout
condamnait : la misère, la cécité, l'école du village, un Azhar
encore englué dans la scolastique. Lisant jadis en anglais *An
Egyptian Childhood*, la traduction du tome I de cet ouvrage
(et le meilleur des deux), je m'étonnais que tant de beautés
encore fussent sensibles en cette langue. Il me plairait d'en
pouvoir dire autant de l'œuvre de Jean Lecerf; je mentirais.
Qui néanmoins ne percevrait, un peu partout, ce sens exquis
de la litote, cette tendresse jusque dans l'ironie?

Audacieux tant qu'on voudra lorsqu'il s'agit de penser (ce
n'est pas lui qui trébucherait dans le « terrible fossé » qui des
milieux pauvres sépare les classes riches), Taha Hussein choisit
ses mots avec le constant souci de la pudeur la plus jalouse. Rien
de brutal. Rien non plus d'affété, par chance. Nous sommes
fort éloignés de cette ruée de synonymes, de ces centons, de ces
redites harmonieuses qui composent jusqu'à lui le plus clair de
la rhétorique. Renan si l'on veut de l'Islam, Taha Hussein est
aussi le Malherbe, le Vaugelas, et le premier classique de la
renaissance arabe. Mais pour en disserter sans ridicule (j'en
demande pardon à M. Julien Gracq), il me faudrait durant
dix ans suivre les cours d'El-Azhar. Ceci pourtant : lorsque
Taha Hussein dirigeait *El Katib el Masri* [1], j'y donnais presque
chaque mois un article, que traduisait, selon les circonstances,
tel ou tel lettré familier de la revue. Ecrivain lui-même et
doyen de la faculté des Sciences à l'Université Farouk Ier,
Hussein Faouzi m'arrête un jour pour me dire : « J'ai lu votre
dernier papier; la langue en est si belle, cette fois! qui diable
a pu vous traduire? C'est aussi beau que du Taha Hussein! »
Le dimanche suivant, je voyais le rédacteur en chef et lui

---

1. *El Katib el Masri* (*L'Ecrivain égyptien*) faisait aux écrivains français une place généreuse; on y lut, de 1946 à 1948, des textes de Marcel
Arland, Caillois, Calet, Camus, Raymond Guérin, Jean-Paul Sartre, etc.

demandais le nom du discret traducteur, du nouvel et grand
écrivain : « Tous mes traducteurs étaient surchargés de be-
sogne. J'ai donc décidé de vous traduire moi-même. » On peut
le regretter pour les lettres arabes : la prose de Taha bey ne
saurait tromper personne; depuis vingt-cinq ans, elle est et
reste la plus belle.

Deux poids et deux mesures

Un misérable, Hamed Ahmed el-Ghazli, a payé sa dette à
notre société. Vous avez lu ce fait divers et votre conscience
d'honnête homme, de femme honnête en éprouve, ne le niez
pas, un peu de satisfaction, oh! si peu pharisienne.

Cela commence toujours par quelque noir dessein (celui-là
prétendait voler quelques bijoux chez sa chère tante) et cela
finit quelquefois par un drapeau noir sur Hadra (le drapeau
de l'anarchie, curieusement adopté pour les œuvres de haute
justice). J'ai donc lu et vous avez lu dix fois les derniers
moments du condamné à mort. J'attends toujours le mot révé-
lateur, un beau mot, digne d'un grand crime, ou du moins d'un
grand criminel. Cela tient-il au scrupule des journalistes, ou si
les criminels sont plus banals qu'on ne les rêve : chaque fois,
je suis déçu. Ahmed el-Ghazli m'a déçu comme les autres. Ainsi
qu'à l'accoutumée, l'inspecteur des prisons, les représentants
du parquet, ceux de la presse se sont présentés dans la cellule;
le criminel entendit avec le calme de rigueur, semble-t-il, la
lecture des attendus qui le condamnent à mourir; on lui a posé
les questions rituelles; non, Ahmed el-Ghazli n'avait rien à
souhaiter, sinon que les bénidictions de Dieu comblent ses juges
et les personnes présentes; non, vraiment, il n'avait rien à
dire, sinon son espoir en la mansuétude du Tout-Puissant.
Conformément aux meilleures traditions, on le guida muet
vers la trappe et le nœud coulant. Un déclic. Les journalistes

ne se lassent point de répéter ce récit qui me paraît pourtant des plus insignifiants. Ils peuvent néanmoins varier leur compte rendu : parfois le pouls cesse de battre au bout de trois minutes, parfois plus vite, souvent moins.

Le cœur d'Ahmed continua son office quatre minutes encore à compter du déclic. Ah! mais voici mieux : « Ajoutons, pour la chronique, lisais-je, dans *Le Progrès*, que le poids de l'assassin, qui était de soixante-trois kilos à son entrée en prison, accusait soixante-quinze kilos au moment du règlement de comptes. » Douze kilos de gagnés, si l'on peut dire. Vous sentez bien, n'est-ce pas, que ce criminel ne pousse pas la mauvaise volonté, ou bien la naïveté, jusqu'à prendre du poids pour embêter le bourreau, ou la corde qui le tuera. Serait-ce donc que la vie de prison offre à ceux qui en jouissent tous les avantages d'une vie de château, avec table garnie de chez le bon traiteur? On le croirait, à lire avec attention les dernières minutes des condamnés à mort : j'ai observé en effet, avec d'abord quelque surprise, que tous, quels qu'ils fussent, prenaient en prison de dix à quinze kilos. Ensuite, avec moins de surprise : ces meurtriers ne passaient pas de quatre-vingts à quatre-vingt-dix, ou de soixante-dix à quatre-vingt-cinq kilos. Non. Jamais. Ils passaient de soixante à soixante-quinze kilos. Alors? Ah! alors, cela devient tout à fait digne d'intérêt...

31 mai 1947.

RETOUR DE MOSCOU

1958

Une saison à l'université de Moscou

En 1957, lors d'un bref passage à Moscou (entre Pékin et Paris), j'essayai en vain de pénétrer dans les nouveaux bâtiments de l'université sur l'ancien Mont des Oiseaux, aujourd'hui Mont Lénine. Travaillée qu'elle fut par les excavations, cette colline n'est plus guère conforme à sa dénomination, sinon dans la partie où subsistent quelques maisons du genre de celle où, en 1934, je mangeai quelques charcuteries assaisonnées d'une moutarde si forte que, non contente de me monter au nez, pour vérifier le proverbe, elle pensa me faire sauter la voûte crânienne. De retour en France, comme je lisais *La Ligne de force*, le beau livre de Pierre Herbart, mais que sa désinvolture priva de lecteurs, je découvris une page amusante sur l'importance du *propousk*, c'est-à-dire du *laisser-passer*.

Maintenant que j'ai vécu dans les bâtiments de cette université neuve, et que je considère le *vrémennyi propousk*, le *laisser-passer temporaire* qui me fut attribué pour la durée de ce séjour, je comprends, sinon la hargne avec laquelle on me reçut en 1957, du moins la rigueur du règlement qui me laissa dehors, *na ulitse*. Outre les bureaux de l'administration, les salles de cours et de travail, on trouve en effet là des chambres et des restaurants universitaires. Une fois franchie la porte, étant donné que nul ne vérifie jamais mon *propousk*, ni à l'entrée des chambres, ni quand je prenais mes repas aux divers restaurants, il me paraît naturel que le bénéficiaire des avantages qu'on obtient à l'intérieur fasse une fois au moins la preuve de sa qualité : étudiant ou professeur.

Pour avoir vécu longtemps à Chicago et connu là l'hôtel *Stevens*, qui se prétendait alors le plus grand du monde, je ne me suis pas senti dépaysé dans le bâtiment moscovite dont les dimensions et la richesse, conçues selon la doctrine stalinienne, m'émerveillaient sans doute beaucoup moins qu'il ne faudrait. Mais qu'il m'était malaisé de me repérer dans ce dédale! Deux ou trois jours durant, j'y tournais en rond, longuement, avant de pouvoir rejoindre ou ma chambre ou le restaurant. Les étudiants me consolent en m'apprenant qu'après plusieurs mois de séjour il leur advient encore de s'égarer. Diverses personnes regrettent la profusion des matériaux précieux et préféreraient qu'on eût employé tant de roubles à des dépenses moins prestigieuses; mes égarements dans le dédale m'ont du moins permis de baguenauder devant quelques affiches : conférence Léonard de Vinci, bravo! entrée libre; rebravo. Tiens! « dans le cadre de la Maison de la Culture », fonctionne désormais une école de danse où les étudiants peuvent s'initier à la valse, au fox lent, à la mazurka, au tango, et *autres danses*. Je rêve sur ces autres danses, et sur le temps où nous emportions trois faux cols de rechange pour les nuits de bal, à cause de la danse de Saint-Guy qu'exigeaient de nous le charleston, le *black bottom* ou le *hibbies-gibbies*. J'ai ouï dire que les jeunes Soviétiques pratiquent volontiers la samba et le cha-cha-cha et je les comprends : c'est l'attrait du fruit défendu. Qu'on les abandonne aux excentricités de notre jeunesse et je gage que, comme nous, dans leur âge mûr et voluptueux, ils reviendront au tango, à la valse, et regretteront le menuet.

Grâce à quelques boursiers français, américains, qui me servent de fil d'Ariane, me voici pourtant parvenu dans ma chambre, une chambre d'étudiant qui m'accueille pour quelques jours. J'apprécie ma chance : antichambre commune sur laquelle s'ouvrent la porte des toilettes et celle de la salle de douche, deux chambres individuelles, voilà « l'unité de

logement ». Mobilier confortable adapté aux besoins du locataire. Chaque nuit, un divan se transforme en lit. A chaque
étage, plusieurs salles où préparer du thé et cuisiner sommai-
rement; enfin, une *sanlist*, c'est-à-dire le tableau des notes
périodiquement attribuées à chaque étudiant, après inspection,
pour la tenue de sa chambre. Presque tous obtiennent quatre
ou cinq, c'est-à-dire les deux meilleures notes; celle qu'il faut
mériter pour conserver la bourse. Reste à savoir si tous les
méritent, ou si la générosité des inspecteurs attribue automa-
tiquement la note faute de laquelle un boursier ne pourrait
demeurer en ces lieux.

Quoique ces chambres ne soient nullement indignes de celles
dont disposent nos étudiants à la Cité universitaire, j'apprends
que plusieurs pensionnaires s'y sont trouvés dépaysés et gênés
par la solitude au point de se suicider. On m'assure même qu'il
est question de construire de nouvelles cités universitaires qui
comporteront des chambres pour deux ou trois. Par suite de
la crise du logement, qui n'est pas moins voyante à Moscou
qu'à Paris, la plupart des citoyens soviétiques sont accoutumés,
et pour ainsi dire « conditionnés », à la vie communautaire;
on ne passe point sans mal du dortoir à la solitude. Nul n'est
pourtant prisonnier de sa chambre : chacun y reçoit ses camarades de l'un et l'autre sexe. Point trop de puritanisme, ici,
dans les rapports entre garçons et filles, tout cela ne va pas
sans histoires, on s'en doute, mais tant mieux, car quelle vie
sans histoire mériterait d'être vécue? En tout cas, plutôt ce
genre d'histoires que ce qui se passe dans nos internats de
garçons ou de filles.

J'ai fréquenté l'un et l'autre des restaurants, celui proprement
dit des étudiants et celui qu'on appelle des professeurs, bien
qu'il soit ouvert à tous ceux des gens à *propousk* qui peuvent
se l'offrir. Des nappes, des serveuses, un menu plus varié, des
boissons alcoolisées distinguent la salle des professeurs. Poisson
fumé à l'huile, bœuf Stroganoff et bière, vous obtenez ça pour
11 roubles (soit 450 francs 1958, si j'évalue le rouble non point
au taux du change, mais à son pouvoir d'achat; près de

1 000 francs au taux du rouble pour touristes). Le caviar rouge
se paie ici 7 roubles 50 la portion. Pour un boursier français
qui perçoit jusqu'à 1 700 roubles par mois, les 600 roubles par
mois que lui coûteraient ici ses deux repas quotidiens lui
laisseraient encore beaucoup d'argent. Pour le boursier russe,
qui, selon les cas, perçoit entre 400 et 600 roubles, mieux vaut
fréquenter le restaurant des étudiants : on s'y sert soi-même.
J'y fus, et plusieurs fois. Non pas que la cuisine y soit raffinée;
saine, oui, selon les normes russes; on mange pour 5 roubles
environ, 200 francs (un peu moins cher que nos restaurants
du Quartier latin, mais plus que nos restaurants d'étudiants).
Innovation heureuse, le pain est gratuit, en toutes quantités.
De sorte qu'avec un verre de thé et cet excellent pain noir, très
nutritif, parfois un peu gluant, mais toujours savoureux, on
peut pour presque rien subsister en fin de mois, quand les
roubles se font rares.

Peu d'étudiants bénéficient des avantages offerts dans ces
bâtiments neufs. Si j'ai bien compris, ils sont réservés aux
boursiers déjà passablement avancés dans leurs études; on y
trouve même des aspirants (nous dirions des candidats au
doctorat), encore que ceux-ci disposent maintenant d'un bâtiment spécial. Certains professeurs vivent provisoirement à
l'université; mais on construit pour eux, dans le quartier, des
immeubles décents. Il arrive encore, et trop souvent, que les
universitaires doivent s'empiler à plusieurs dans un appartement exigu; mais, depuis quelque temps, le nouveau gouvernements s'efforce de loger, outre les académiciens et les professeurs d'université, tous les autres citoyens. Plutôt que l'insuffisance des salaires, c'est la crise du logement qui paraît
embarrasser mes collègues soviétiques. Tel, qui n'osa pas me
recevoir chez lui parce qu'il n'a pas encore obtenu de logement
montrable, dispose d'une Pobieda (50 chevaux effectifs,
10 litres au 100 kilomètres, sièges transformables en couchettes)
et parcourt chaque été 6 000 à 7 000 kilomètres dans l'Union
soviétique : il couche dans sa voiture, car il ne faut pas espérer
un hôtel hors des villes.

Une voiture automobile vaut de 10 000 à 15 000 roubles. Beaucoup de jeunes professeurs, parmi ceux que j'ai connus, gagnent quelque 2 000 roubles par mois pour vingt heures hebdomadaires de cours. Une automobile leur coûte six ou sept mois de travail. Ces enseignants occupant un rang qu'il faut comparer à ceux de nos assistants dans les facultés, le rapport salaire-auto est à peu près le même. Les titulaires de chaires sont payés jusqu'à 5 000 roubles. Les membres de l'Académie des sciences peuvent cumuler leur traitement de professeur et les 6 000 roubles de leur allocation d'académicien ; ils vivent très bien, ceux-là. J'en connais de réputation un au moins qui dispose d'une longue voiture avec chauffeur. Pour ceux des universitaires qui publient des livres, les droits d'auteur constituent un appoint qui n'est pas négligeable. Les publications de l'Académie des sciences atteignent facilement 5 000 et parfois 10 000 exemplaires. Quel travail scientifique peut en France espérer une diffusion analogue ? Pour qu'un éditeur pût raisonnablement se hasarder à publier la *Genèse* du *Mythe de Rimbaud*, j'ai dû, malgré une importante subvention de la Recherche scientifique, renoncer à mes droits d'auteur. Cet éditeur dut patienter quatorze ans pour vendre les 1 500 exemplaires du premier tirage ! La liberté a son prix et je suis prêt à le payer, mais avouons entre nous que le tarif en est élevé.

Ne méprisons point les conditions de vie, car la qualité du travail que peut fournir un enseignant dépend pour une grande part du confort et de la culture que lui permet son revenu. A cet égard, les universitaires soviétiques disposent au moins d'un avantage sur nous : si les places de théâtre ou le concert leur coûtent aussi cher, relativement, qu'à nous, le livre et le disque leur sont d'un bon marché qui atteste le souci qu'a le gouvernement de diffuser cette part du moins de la culture qu'il favorise. Les énormes tirages permettent un modeste prix de revient, oui ; mais si, afin de faire un plus important bénéfice, le gouvernement soviétique choisissait de vendre 20 roubles, au lieu de 10, un disque microsillon, je vois mal ce qui pourrait l'en empêcher. Longtemps médiocres, les pressages deviennent bons, et je n'eus que peu de déceptions en écoutant les nombreux disques apportés de Moscou, qui m'ont coûté 400 francs pièce alors qu'en France ils en valent 3 000 ou 3 500.

Quant aux locaux où l'on dispense l'enseignement, voici : la nouvelle université de Moscou signifie en effet la puissance actuelle de l'Union soviétique et ses ambitions scientifiques : mais la vieille faculté de Philologie, place Mokhovaïa, celle où j'enseignai, m'apparaît beaucoup plus vétuste qu'à la Sorbonne la Faculté des lettres. Dans certaines salles de cours, véritables boyaux, le professeur est collé au mur, et les étudiants s'entassent. Il est vrai que cette année, en Sorbonne, un bon tiers de mes étudiants devaient rester debout, assis par terre ou sur l'estrade de ma chaire. Mes collègues de la faculté de Philologie ont du moins l'espoir d'être prochainement transférés dans quelque bâtiment neuf, alors que, depuis des années, les négociants de la Halle aux Vins font échec à la construction des locaux destinés à la future faculté des Sciences, ce qui empêche la faculté des Lettres d'occuper la place prévue pour elle dans ce qui est aujourd'hui la faculté des Sciences.

Dans la salle de conférences dont je disposais, spacieuse celle-là, je fis douze cours traitant des *Romanciers français du XVIIIe*, de *La formation du matérialisme chez Diderot*, et de *L'influence de la Chine sur la naissance des idées réformistes et révolutionnaires en Europe au XVIIIe siècle*. Ces sujets, je les avais suggérés parce que je savais que, sans biaiser avec ce que je pense, je pourrais en discourir sans choquer mes auditeurs. Ce XVIIIe siècle si calomnié est à peu près le seul dans l'ordre de la littérature sur lequel agréablement puissent dialoguer les deux mondes. Comme j'étais le premier professeur de français qui, depuis la Révolution, enseignât à l'université de Moscou, j'éprouvai, au début de ma première conférence, une inquiétude qui confinait au trac : que je rate mon entrée, et voilà compromis les échanges de professeurs entre Paris et Moscou. Dès avant la fin de la première heure, je sentis que mon auditoire non seulement comprenait le sens des mots que je proférais, mais encore qu'il acceptait le dialogue. Cette impression se confirma d'heure en heure; sans avoir jamais dit autre chose que ce que je pensais, j'eus le plaisir d'apprendre que mes deux derniers cours seraient radiodiffusés. La nouvelle me parut d'autant meilleure qu'il s'agissait de conférences de littérature comparée et que, sous Jdanov, cette discipline avait passé de mauvais quarts d'heure. Fadéev ne l'avait-il pas condamnée dans la *Pravda?* Le comparatiste, aujourd'hui, ne risque plus d'être disgracié pour cosmopolitisme. C'est ainsi que Mikhaïl Alpatov, le grand historien de l'art et comparatiste par excellence, est entré à l'Académie.

Maintenant que je sais comment se recrutent les étudiants à l'université de Moscou, je suis moins surpris de la qualité qui me parut celle de mon auditoire. Etant donné le peu de places dont on dispose dans la capitale, l'examen d'entrée à l'université est fort sévère. Sur vingt-cinq candidats qui prétendent y étudier le français, on en reçoit un en moyenne. Même sévérité, paraît-il, aux autres Instituts de la faculté de Philologie. Si l'exiguïté des locaux et le nombre des enseignants (dix pour la chaire de langue, cinq pour celle de littérature française, parmi lesquels deux professeurs titulaires, le reste se composant de *docents et d'assistants*) expliquent en partie la rigueur du concours d'entrée, une autre raison la commande : l'étudiant soviétique est un privilégié, dispensé des obligations militaires normales. On exige donc de lui, en principe, des dons naturels et du zèle. Point de présalaire, là-bas : pour les meilleurs, des bourses, toujours révocables.

Plusieurs de mes collègues m'ayant fait l'honneur d'assister à mes conférences, il me devint aisé, et comme naturel, de répartir en trois classes d'âges les intellectuels soviétiques : d'une part les plus vieux, ceux qui, ou bien s'étaient formés sous l'ancien régime, ou bien avaient commencé leurs études sous Lénine; d'autre part, les victimes des vingt années durant lesquelles Staline étouffa toute vie intellectuelle et artistique; enfin, frémissante il me semble de liberté et de curiosité, la jeunesse qui entra aux universités depuis la mort de la Personnalité. Parle-t-il avec les membres du premier ou du troisième groupe, l'intellectuel d'Occident ne se sent guère dépaysé. Les plus âgés me parlaient avec pertinence de Charles Sorel, de Racine, de l'art roman; les plus jeunes, avec avidité, de Sartre et de Camus, de Butor et de Françoise Sagan. Avec les victimes de Staline, la conversation était parfois plus malaisée, les tabous plus nombreux. On pouvait néanmoins parler de tout ce qui n'était pas strictement politique et l'on découvrait alors que, sur l'amour et l'amitié, sur le rôle du sport ou de la télévision, sur le bruit et sur les zazous, un citoyen soviétique, à culture égale, sent exactement comme un citoyen français. Il est d'autant plus bouleversant de constater que, sur la religion et la politique, il aura des idées trop simples. Il vous dira sincèrement ce qu'il vient peut-être de lire dans *Culture et vie* : que Michel de Montaigne fut « un des premiers philosophes matérialistes ». Quand vous visiterez en sa compagnie les églises du Kremlin, vous découvrirez qu'il estime qu'un homme intelligent et probe ne peut pas être religieux. A ce point étranger au sentiment religieux qu'il ne se reconnaît pas religieux, lui qui croit que la *Pravda* c'est vraiment la Vérité. Pour être matérialiste ou athée, il ne suffit pas de n'employer jamais le mot *patère* ou d'ignorer l'expression *v silakh* (*en gloire*, dans notre iconographie). Paradoxalement, me voici donc en train d'évoquer Pasteur, Duhem, Leprince-Ringuet, pour essayer de démontrer à ceux de mes collègues qui ont subi le stalinisme qu'on peut être à la fois, aujourd'hui du moins, un chrétien et un savant. Tel de mes collègues alors se rappelle que Pavlov lui-même fut croyant.

Rendons au système cette justice que ceux-là qui furent le plus évidemment affectés par le dogmatisme stalinien du moins peuvent devenir d'excellents professeurs de langues. Quand on se dit qu'ils ont vécu sans jamais venir en France, et presque sans aucun contact avec des Français, comment ne pas admirer le courage, l'obstination, la fidélité que signifie la maîtrise qu'en dépit de tout ils ont su obtenir. Le professeur de phonétique française, qui me fit enregistrer un certain nombre de poèmes, n'eut pas de peine à me démontrer que tant s'en faut que je prononce ma langue irréprochablement. Que la France m'octroie une année sabbatique : j'irai la passer en Union soviétique, afin sans doute d'y apprendre un peu de russe, mais, surtout, d'y perfectionner mon accent. En découvrant Mme Akhmanova de l'Académie des sciences, titulaire de la chaire d'anglais, comment n'admirer point, outre l'élégance de son esprit et de ses manières, la perfection de son accent et la qualité de ses travaux ?

Dans certains domaines, le chauvinisme stalinien a pourtant causé de graves préjudices : c'est ainsi que Mme Pozdnéeva, titulaire de la chaire de chinois à Moscou, ne savait plus rien des sinologues français, ni des nombreux travaux publiés chez nous depuis une quinzaine d'années. Nous n'en sommes plus là, car le nouveau régime n'est plus affecté de nationalisme infantile : nous avons échangé nos travaux de sinologie.

A juger le programme de russe à la faculté de Philologie, je dirais même que ce que certains jdanoviens appelleraient du « formalisme » est heureusement à l'honneur. Voici en effet quelques-uns des cours proposés aux étudiants de Moscou en 1958-1959 : *L'accent comme élément du système de la langue littéraire à l'époque contemporaine; Histoire de la syntaxe de la langue littéraire au XIX*ᵉ *siècle; Langue et style de Dostoïevski; Langue et style de Tchékhov; Stylistique du langage artistique; Histoire de la formation et de l'évolution des mots en russe; Syntaxe historique du russe; La ponctuation dans les œuvres de Tourguénev; Le système syntaxique dans les poèmes de Pouchkine; Langue et style du réalisme critique de 1860 à 1870; Les mots étrangers dans la langue littéraire (étymologie et histoire).* Parbleu! je sais que, si j'avais dû enseigner à Moscou l'histoire, ou la philosophie, j'aurais été dans une situation beaucoup moins confortable. Je n'oublie pas que si j'ai pu m'offrir le luxe de critiquer l'interprétation marxiste de Diderot, ce me fut d'autant plus facile que je ne voulais que montrer aux Soviétiques qu'à mon avis Diderot fut matérialiste bien avant la date fixée par Lukács ou Lefebvre : dès les *Pensées philosophiques,* et je sais bien qu'on ne m'aurait pas invité à enseigner *ma* philosophie dans la section de philosophie. Pour moi, qui ne déplore pas moins le dogmatisme catholique ou fasciste que le stalinien, je suis peut-être fondé à regretter qu'à l'université de Moscou on n'enseigne pas encore la philosophie comme j'estime qu'elle doit l'être : socratiquement. Mais ceux qui ne protestent pas contre l'enseignement dispensé chez Franco, de quel droit osent-ils critiquer celui qu'on divulgue à Moscou, sinon du privilège que s'arroge chaque dogmatisme de condamner tous les autres?

Pour moi qui connus la Russie de 1934 et entrevis celle de 1957, comment ne publierais-je pas que je me réjouis de l'évolution, discrète sans doute, mais perceptible déjà, et heureuse, que j'observe en ce pays? Vingt années durant, je n'ai cessé de lutter contre les staliniens, et pourtant on m'a invité. Sans autre effet qu'un frémissement, j'ai pu citer Gide à mon cours, j'ai pu y exposer mes idées sur le roman sans causer le moindre scandale, et pourtant les questions qu'ensuite on me posa me prouvèrent qu'on m'avait compris. Voici l'une : « Des deux formes de morale que vous découvrez dans les romans, celle qui consiste à tout aménager soit dans le cours du livre, soit au moins dans l'épilogue en vue d'expliciter la morale, celle d'autre part qui peint le monde comme il va et laisse au lecteur le soin de conclure, laquelle préférez-vous? » A quoi je répondis : « La seconde, sans aucun doute. Encore faut-il tenir compte des circonstances politiques. Dans la France du XXe siècle, où la liberté de l'écrivain est parfaite, le romancier peut ne faire aucune concession; mais au XVIIIe siècle et durant une bonne part du XIXe, la prudence exigeait souvent que le roman finît par la conversion de Manon et le châtiment des acteurs des *Liaisons.* » Voici une autre question : « Quel serait, à votre avis, le caractère particulier du réalisme dans les romans du XVIIIe par rapport à ceux du XIXe? » A quoi je répondis : « La question, étant bonne, est malaisée. Si je me borne à l'examen des plus grandes œuvres, il me semble que les romans du XVIIIe sont (comme vous dites) réalistes dans la peinture de l'amour, et que l'argent ou la politique, quand même ils jouent

un rôle *(Le Paysan parvenu)*, ce n'est pas encore le rôle domi-
nant, tandis que Stendhal, Balzac ou Zola... » Un auditeur
conclut pertinemment : « En somme, ce que vous appelez
réalisme ne correspond pas du tout à ce que nous appelons de
la sorte. » A la bonne heure!

L'évolution est perceptible aussi dans les revues scientifiques.
Il y a beau temps que les Américains traduisent en leur langue
les principaux périodiques russes de physique et de mathématiques. Le *Viestnik drevni Istorii*, revue d'histoire ancienne
publiée par l'Académie des sciences, abonde en recensions qui
manifestent que les historiens soviétiques sont au courant des
travaux occidentaux. A l'occasion de *L'Origine des Philistins*,
j'ai vu avec joie qu'ils connaissaient et approuvaient le travail
de mon cher Jean Bérard sur *Philistins et Préhellènes*. Dans
le premier numéro de *Rouskaïa Litératoura*, autre publication
de l'Académie, un académicien dont je fais cas me signalait un
article de Berkovski sur *Rousalka, tragédie lyrico-populaire de
Pouchkine*. Au même numéro, le premier, j'ai parcouru
l'étude de Grigoriev sur *La Littérature russe classique en Europe occidentale et aux Etats-Unis entre 1945 et 1957*. Si je ne
m'abuse, voilà encore une fois de la littérature comparée! Le
dernier paragraphe insiste complaisamment sur l'intérêt des
études qui marquent « la diffusion et l'influence de la littérature russe hors des frontières » de l'Union; il se félicite de voir
tant de travaux célébrer cette « grandiose influence ».
Dommage, car cela invitera les esprits délibérément chagrins à
déplorer le caractère nationaliste de la littérature comparée
ainsi entendue. Mais si je me rappelle les comptes rendus
rédigés aux Etats-Unis lorsque parut en France le petit livre
de M. Guyard sur *La Littérature comparée*, le grief de chauvinisme, qu'on articula, n'était pas moins fondé. Quelle civilisation ne se félicite de voir ses écrivains pratiqués à
l'étranger? Ce qu'il faut souhaiter, c'est que le comparatisme
ne joue pas à sens unique, et que les savants soviétiques étu-
dient non moins généreusement l'influence (qui ne fut pas
toujours mauvaise) des littératures occidentales sur leur propre

littérature. Quand je lis dans *Commentaio* de janvier-mars 1958 l'irréprochable étude de Michel Alpatov sur la valeur classique de Roublev, où quelques-uns des traits les plus beaux de ce peintre sont rapprochés, photos à l'appui, des formes de l'art grec classique, comment contester que c'est là du vrai, du bon comparatisme, sans aucun préjugé chauvin, quelque chose qui nous donne de la science soviétique une idée d'autant plus favorable?

En tout cas le temps est passé où l'on pouvait enseigner dans nos universités sans connaître la langue russe.

Une saison de théâtre à Moscou

Un récital excepté en l'honneur de Chaplin, il n'y avait pas grand-chose à voir au cinéma durant mon séjour à Moscou. Mais le nouveau régime a permis *Quand passent les cigognes*, et je lui en sais gré. Bon public que je suis, je ne sais trop si cette bande m'a touché par ses qualités propres ou par la réflexion que je faisais sur un gouvernement qui, renonçant aux machines pompières et militaristes dont nous assomma l'ère stalinienne, traitait de la guerre avec enfin quelque pudeur. Une de mes collègues moscovites, qui avait été repliée sur la Sibérie, m'a confirmé la probité de cette pellicule. Les autres personnes cultivées avec qui là-bas j'en parlai ont pourtant marqué de la surprise quand je leur rapportai avec quel enthousiasme on l'avait accueillie en France : sensibles autant que nous à la loyauté avec laquelle y sont évoquées les scènes de marché noir ou de trafic d'influence, certains détails mélodramatiques leur interdisaient de crier au chef-d'œuvre.

Les mêmes interlocuteurs, auxquels j'exprimai ma joie d'avoir assisté aux *Trois Sœurs* et à *La Cerisaie* dans la mise en scène qu'en propose le Théâtre d'Art, me signalèrent tel ou tel détail qui leur paraissait imparfait. A force de voir et de revoir du Tchékhov, se blaseraient-ils ? Quoique j'aie admiré *Oncle Vania* et *Les Trois Sœurs* dans la version de Sacha Pitoëff, la mise en scène et la distribution de Moscou m'ont paru au moins égales. Rien d'étonnant : évaluez d'une part les moyens dont dispose Pitoëff, de l'autre les ressources de l'Union soviétique tout entière. *Les Trois Sœurs* de Moscou ressemblent pourtant comme trois sœurs aux *Trois Sœurs* parisiennes. En revanche, Moscou me confirma dans le jugement que j'avais formé sur *La Cerisaie* selon Jean-Louis Barrault : trop évidemment soucieux de plaire à son public d'alors, l'un des pires de Paris, celui du théâtre Marigny, par quelle faiblesse avait-il accepté de fausser consciemment le sens de ce chef-d'œuvre? Aberration d'autant plus mystérieuse que, dans le programme de son spectacle, Barrault publiait les lettres de Tchékhov qui précisaient les contre-sens à éviter, ceux-là précisément que le même Barrault s'ingéniait à commettre. La grossièreté si appuyée du Lopatkine parisien, cette épaisseur de *moujik* parvenu devait satisfaire une salle froufroutante et emperlouzée. Rien de tel par chance dans Tchékhov, ni dans *La Cerisaie* qu'on m'offrit à Moscou : Lopatkine ne joue ni le rustre, ni le méchant qu'on en fabriquait sur nos Champs-Elysées. Il ne demande pas mieux que de sauver Lioubov Andréevna. En termes marxistes, je dirais qu'à la conception féodale et patriarcale du monde, il oppose en l'incarnant le capitalisme intelligent, mercantile, voire spéculateur, celui du gros marchand, du *koupets* qui, sous le régime tsariste, pèse déjà fortement sur l'économie et sur la politique. Il n'oublie pas les bontés que Lioubov Andréevna eut jadis pour le pauvre gosse qui saignait du nez, et le voilà disposé à inventer pour elle cinquante mille roubles, s'il le faut : « Pensez-y tout de bon. » Ne vaut-il pas mieux, ce Lopatkine, que Léonid Andréevitch Gaïev, le suceur de bonbons, celui qui jure sur son honneur que la propriété ne sera pas vendue, mais qui ne fait rien pour empêcher la débâcle?

Le moment le plus touchant pour moi de la soirée, ce ne fut pourtant pas quand je découvris le sens de *beletaj* (bel étage) et cette présence une fois de plus du vocabulaire français dans le lexique russe des beaux-arts; il survint à l'acte III, lorsque, sur la question de Lioubov Andréevna, Lopatkine le marchand répond : « *Ia koupil, ia koupil* » (c'est moi qui l'ai

achetée, c'est moi qui l'ai achetée). Ma voisine de droite, une
inconnue, mit alors ses deux mains sur son visage et murmura :
« C'est affreux! » Ce mot, elle le replacera deux fois durant
l'acte IV, à la scène du déménagement. Qu'après quarante
années de régime communiste un citoyen soviétique participe
tout naturellement à la peine que doit éprouver une grande
dame évincée de sa résidence, quelle plus émouvante preuve
de ce qu'il faut peut-être appeler, tout bêtement, la nature
humaine, et qui, à supposer qu'elle varie en trois cents milliers
d'années, en tout cas n'a guère changé de la sainte Russie à
celle de Rouchiov. Or, ces mêmes spectateurs attendris, ils
auraient naguère pillé quelque maison noble, égorgé deux ou
trois barines, je n'en serais ni surpris, ni même scandalisé.
Car ce qui manque à l'homme, de tout temps, bien plus que
la raison, c'est l'imagination affective, faute de quoi l'individu
le plus raisonnable se mue en machine inflexible. Effondrée
lorsque Lioubov Andréevna murmure « *Ia lioubliou eto dom* »
(j'aime cette maison), ma voisine une fois de plus se trahit
sans vergogne et j'entends des sanglots gargouiller dans sa
gorge. Imagine-t-elle que, s'il lui est donné d'ainsi s'abandonner à sa tendresse humaine, c'est que la révolution bolchevique expropria, et plus rudement encore, des dizaines de milliers d'êtres humains qui n'avaient que le tort d'être nés riches,
et dont je m'assure que plusieurs devaient être aussi touchants,
aussi désarmés devant l'intrigue, aussi affectueux avec leurs
domestiques que la belle et tendre Lioubov Andréevna? Je ne
me sens pas du tout solidaire du régime capitaliste. De saint
Thomas, qu'on m'enseigna jadis comme la science suprême,
j'ai du moins retenu qu'il condamne lui aussi l'argent-roi.
Mais quand j'imagine la peine de cette femme, comment
donner mon assentiment à ceux qui, pour instaurer plus de
justice, restaurent l'idée entre toutes hideuse d'une façon de
péché originel ? Des hommes de qualité, des inoffensifs ou
des purs, nous en connaissons dans toutes les races, mais aussi
dans toutes les classes.

Ce qui déçoit un peu les Soviétiques, quand ils entendent

Tchékov, ne serait-ce pas qu'il leur faille aujourd'hui encore
parler de la vie comme faisait ce dramaturge et comme si
la mutation en gros très favorablement brusquée des rapports
économiques n'avait pas résolu aussi simplement qu'ils l'espéraient la question qui se pose d'abord à l'homme : celle du
bonheur? « On peut être pauvre et heureux », assurément,
comme la Macha de *La Mouette*. Mais écoutons Astrov à la fin
d'*Oncle Vania* : « Ceux qui vivront cent, deux cents ans après
nous, et qui nous mépriseront parce que nous aurons vécu
si bêtement, si laidement, ceux-là trouveront peut-être le
moyen d'être heureux. Mais nous... » ; ou encore : « Le temps
viendra où tous sauront pourquoi tout ça; pourquoi ces souffrances; il n'y aura plus aucun mystère... et en attendant il
faut vivre et travailler. » Ainsi parle Irina à la fin des *Trois
Sœurs*. J'aimerais savoir si les salles combles qui, depuis des
années, applaudissent les pièces de Tchékhov n'éprouvent pas
autant de réconfort que de déception en découvrant ailleurs
la grisaille de leur vie quotidienne, l'infaillible ennui conjugal,
l'adultère aussi désespérant que celui d'*Anna Karénine* et ce
terrible appétit d'un bonheur qui sera toujours pour demain.
En tout cas. c'est un peu ou beaucoup la leçon que leur donne
à sa façon bien différente — violente, lyrique et farcesque
à la fois — le théâtre qui règne avec celui de Tchékhov sur
les plateaux moscovites : celui de Maïakovski.

Au programme du théâtre de la Satire, l'ancien Théâtre
juif qu'hélas on n'a pas rendu encore à ses anciens animateurs,
trois pièces de Maïakovski. Quelle chance! Au fait, comment
jugerait-il cette statue qu'on lui infligea, si réaliste-socialiste
que je vois mal en quoi elle se distingue de nos navets réalistes-
bourgeois, ou de ces monuments funéraires que j'allais considérer au cimetière d'Alexandrie lorsque j'avais besoin de me
remonter le moral : avec de vraies lunettes, réellement
cerclées de vrai métal, bien posées sur un nez de pierre tout
ce qu'il y avait de ressemblant. Ecrivain, Maïakovski arbore
donc sur sa place son instrument de travail : un stylo qui
pointe, bien visible, à la poche du gilet. Voilà pour moi la

part fâcheuse de l'héritage culturel : les séquelles du jdano-visme. Je suis d'autant plus satisfait d'apprendre qu'on pré-pare actuellement un volume de documents et de lettres inédites, y compris tel rapport que le poète adressait à Léon Trotski (on se contentera d'omettre, pour l'instant, le nom du diabolique destinataire).

Qu'il me touche et me séduit d'emblée, le style de la mise en scène! Pauvre Meyerhold, voilà pour lui, trop tardive hélas, une façon de revanche. Qu'ils en conviennent ou non, les directeurs de cette salle s'inspirent en effet de celui qui pouvait restaurer le théâtre soviétique, en devenir comme le Copeau, mais que le conformisme du public, confirmant cette lâcheté naturelle à tous les fonctionnaires qui régentent la culture, disgracia, puis expédia. Socialisme ou capitalisme, peu importe : toute œuvre littéraire toujours sera suspecte, et damnée, qui ne séduit pas les incultes.

Quelle joyeuseté, ces *Mystères-bouffes!* Une façon de chris-tianisme inverti, d'autres diront perverti, organise là une eschatologie communiste : naïve, manichéenne, mais constam-ment sauvée par la fantaisie, la poésie du décor, ainsi que par le jeu à la fois véhément et tenu des acteurs. Du déluge à l'Arche, de l'Arche à l'Enfer, de l'Enfer au Paradis, et du Paradis à la Terre, rien ne manque à ce mystère, ni personne : pas même l'homme-dieu. *Ecce homo,* c'est l'homme ici tout simplement, celui qui, triomphant des oppositions de classes, y dresse « les sales » — entendez les propres, les travailleurs — contre les « propres » — c'est-à-dire les oisifs, les parasites, les salauds, les sales — et qui, à la fin du deuxième tableau, annonce à l'humanité en quête de soi quel sera son bel avenir.

Ne cherchons pas là l'ombre d'un caractère, ou d'une intrigue réaliste. Aucun des personnages n'incarne qui que ce soit. Il symbolise, et il charge. Voilà très exactement le théâtre dont je rêvais durant la dernière guerre, celui qu'en 43 j'essayais d'écrire et d'imaginer : un mystère des temps

modernes, l'*Anti-Christophe Colomb* par exemple [1]. L'Anglais
et le Français des *Mystères-bouffes* sont ébauchés avec tant
de désinvolture que la psychologie du Major Thompson fait
par comparaison figure d'analyse proustienne. Fantoches
impérialistes, il ne cessent de se donner alternativement bour-
rades et coups de poings de frères ennemis, baisers de Judas
complices. Au Français, le privilège supplémentaire de signifier aussi la goinfrerie et l'ivrognerie : serviette largement
étalée en devantiau, bouteille à la main, débraillé, pochard,
mais oui, je le reconnais, c'est bien lui, c'est lui exactement
que, l'été 40, M. Westbrook Pegler présentait aux dizaines de
millions de Yanquis dont il éclaire la conscience.

Comme dans le *Christophe Colomb* de Claudel, et dans
tout univers manichéen, les grimaces des marionnettes n'ont
pour fin que de justifier une idéologie : chez Claudel, les
hideuses et plus ridicules encore divinités précolombiennes
ne s'exhibent en bal obscène que pour donner raison aux
dominicains, à leur Inquisition, à leurs bûchers d'amour
dément. Chez Vladimir Maïakovski, les impérialistes, le pope
et la putain ne servent que de repoussoirs aux « sales ». Mais
quoi ? Parmi les « sales », que viennent faire, je vous le
demande, ce couple de noirs australiens ? D'autant plus
déplacés que l'Australie fut colonie anglaise. Ou si cette façon
de refuser la race noire manifestait un sentiment obscur et
profond, ce racisme enraciné dans la sensibilité paysanne,
dans ces Russes qu'on faisait courir au pogrome et qu'on a
persuadés sans trop de peine que des médecins juifs voulaient
assassiner le Père des peuples ? En dépit de ce moment
quelque peu inquiétant, j'ai passé aux *Mystères-bouffes* une
excellente, une folle soirée. Sans surprise, mais avec intérêt,
j'y retrouvai un thème latent, cher à Tchékhov : cette envie
de travailler qui tourmente les oisifs. La putain elle-même,

---

1. Dullin se préparait à monter ce « mystère » quand on le chassa de
son théâtre. Je l'ai publié depuis lors; c'est *L'Ennemie publique*,
Gallimard, 1957.

dans *L'Arche*, feint de se convertir. La voilà qui saisit le filet
du pêcheur. Elle se ressaisit de justesse et s'en fabrique une
voilette. Comme elle n'a fait que feindre, elle sera punie par
les diables de l'enfer. Si grand-faim qu'ils éprouvent, ils
laissent courageusement passer les prolétaires, lesquels, au
demeurant, ne craignent point les flammes infernales : com-
paré aux soutes, aux galeries de mines, aux aciéries, feu d'enfer
devient braséro. Mais voici s'avancer, déhanchée, maquillée,
comme on imagine les filles de la rue des Martyrs, la Prosti-
tuée en soi. « Entrez donc! » Messieurs les diables affichent
pour elle une courtoisie de bien fâcheux augure. Alors que,
corrigeant la loi mosaïque, Jésus mettait les hommes au défi
de lancer à l'épouse adultère le premier caillou du châtiment
rituel (celui qu'on applique aujourd'hui dans la vertueuse,
wahabite, et tout ce qu'il y a de démocratique Arabie), les
diables de Maïakovski, puritains en diable, rôtissent fort bien
la pauvre pute, et se la mangent.

A tous les tableaux, j'ai préféré celui du paradis chrétien,
genre *Green Pastures*. Cependant qu'un angelot lui joue de
la mandoline, qu'un second souffle des bulles de savon, trois
autres dansottent avec la lourdeur légère de ce qui n'a pas
de corps. Trop pure parade, et qui répond dialectiquement
aux contorsions lascives des diables noirs, durant le troisième
tableau. Tout ce monde, soigneusement éthéré, mène une vie
céleste. Or voici dans ce décor désincarné se poser le pas du
forgeron, celui des autres « sales ». Lorsque enfin les anges
condescendent à leur porter quelque nourriture, ces matières
immatérielles, aussi blanches, aussi vaporeuses que rêves de
nuages, ou que, battus en neige, les blancs des œufs que pond
la colombe du Saint-Esprit : « Alors, c'est ça, votre vie? »,
objectent les travailleurs. Sans demander leur reste, ils reprennent le chemin de la terre promise, celle du drapeau rouge
et de *L'Internationale*. Pourvu qu'on leur fournisse le blé
noir et la gniaule, avec des côtelettes à la russe, très cuites,
les travailleurs n'aspirent qu'à travailler.

Tant de fantaisie balaie toutes les réserves de la raison

critique. Et puis rappelons nos souvenirs : les âmes mortes,
le *Potemkine*, les convois pour la Sibérie, Raspoutine au pouvoir. Qui ne comprend le fol espoir en 1918 de ceux qu'on
avait mitraillés en 1905 ?

Onze années passent : la guerre civile, la faim, la nouvelle
politique de Lénine, l'intervention étrangère. Depuis la mort
de Vladimir Ilitch, Staline ourdit la toile où prendre toutes
les mouches à la tête légère et jusqu'à ses mouchards. *Piati-
letka* (Plan quinquennal) devenait un amstramgram, mais
aussi le mot de passe de toute une bureaucratie. Et voici *La
Punaise*, en 1929.

De même que dans les *Mystères-bouffes*, les bourgeois se
volatilisent ou se liquéfient, bref : sont liquidés, toute la
société petite-bourgeoise de la « N.E.P. », celle que symbolise
le coiffeur du salon Renaissance, doit périr. Non plus cette
fois liquidée : calcinée dans cet enfer nouveau, un salon de
coiffure qui flambe. Une fois de plus, Maïakovski refuse à
la petite-bourgeoisie non pas seulement le droit de gouverner
et d'avilir le monde, ce que j'applaudirais, mais jusqu'au droit
de vivre, ce qui me paraît un peu roide. Car il se pourrait
bien que ce fût le niveau supérieur auquel jamais puisse
parvenir la moyenne de l'espèce. Or, par un miracle sans
lequel il n'y aurait ni pièce ni punaise, celui qui a trahi sa
classe pour épouser la fille du coiffeur, le gommeux gominé
Pryssipkine, survit seul au feu infernal, réfugié dans une gla-
cière : pris en bloc de glace comme un simple mammouth.
Soixante ans plus tard, nouveau miracle : les savants soviétiques ressuscitent le rescapé de la mortelle Renaissance
petite-bourgeoise. Sur une toile de fond qui représente la
nouvelle université de Moscou, l'ancien Mont des Oiseaux,
devant des hommes et des femmes qu'il faut apparemment
considérer comme les citoyens soviétiques tels qu'en 1929
les imaginait Maïakovski, Pryssipkine refuse l'ordre nouveau.
Je crois écouter une version russe de *Brave New World*. Vêtus
de fibres synthétiques dont la coupe est fonctionnelle, asep-
tisés, désincarnés, abstinents et continents, les Soviétiques sont

terrorisés de découvrir un homme qui boit, qui pense à faire
l'amour, et sur lequel, horreur! chemine la punaise; un homme
qui n'est au fond que vestige d'un passé bon tout au plus à
écraser : une punaise. Tandis que j'écoute le slogan qu'on
chantonne :

> *Camarades et citoyens!*
> *La vodka c'est l'enfer!*
> *Les ivrognes incendient la République!*

je me revois à cette tablée d'universitaires américains que
je scandalisai parce qu'en présence de quelques dames je
commandais de la bière, l'avalais de bonne humeur, puis
commandais un second verre. Comment alors n'aurais-je point
repensé au texte qu'un poète chevelu à la voix de tribun
récitait l'autre soir place Maïakovski durant une des manifestations du club spontané qui se défait la nuit autour du
socle et du stylo :

> *Mieux vaut mourir de vodka que d'ennui!*

Rapprochant les deux textes, je me réjouissais en mon estomac et en mon esprit, je me sermonnais pour me persuader
que, contre le fantôme d'hominien aseptique et dépassionné,
Maïakovski ne pouvait prendre que le parti de la punaise
et de l'homme vrai, celui qui aime le corps des filles et le
bouquet d'un grand vin. Au jardin zoologique, lorsque,
fraternellement exposés, l'homme et la punaise inspirent
aux bureaucrates, des discours édifiants contre les espèces
archaïques, de tout mon cœur j'applaudissais en Maïakovski
le poète qui, désenchanté par dix années de pouvoir très peu
soviétique, mais toujours fidèle à sa haine de l'ordre bourgeois,
pariait pour le personnage qui, contre les deux aliénations,
également inhumaines, de l'argent et du scientisme bureau-
cratique, offre l'image et même l'incarnation de l'homme;
pas très beau sans doute, mais vrai, ça oui.

Plusieurs Occidentaux qui ont vu cette pièce et qui, sachant bien le russe, ne perdent rien du détail, interprètent comme je le fis cette *Punaise* aujourd'hui controversée. Ils y voient eux aussi le pendant du *Brave New World* selon Aldous Huxley, ou du *Cauchemar climatisé* que vécut Henry Miller. Mais j'apprends qu'on bataille ici pour ou contre *La Punaise* avec non moins de fanatisme que chez nous jadis pour ou contre *Le Cid*, cette autre pièce politique. Interpréter *La Punaise* ainsi que spontanément je l'ai fait, serait-ce donc se ranger avec les ennemis du peuple ? Et moi qui allais admirer le régime actuel de laisser dire que le communisme ne se confond pas avec une caricature de scientisme capitaliste! Moi qui allais me réjouir d'apprendre qu'en Union soviétique un verre de vin, l'odeur d'une femme, n'importent pas moins à l'homme, à sa joie, que le coca-cola ou le pain sans saveur mais déjà coupé en tranches. Moi qui, au moment où Pryssipkine prenait les spectateurs à partie, et à témoin, pour leur crier qu'ils étaient tous des hommes vrais, et que leur place à tous était donc avec lui, dans la cage d'un jardin d'acclimatation, me sentais tout prêt à entrer moi aussi au jardin des bêtes qu'on appelle sauvages! Je n'aime pas les punaises. Entre un univers humain à punaises, d'une part, de l'autre un univers sans punaises mais stalinien ou yanqui, je choisis pourtant le premier.

Eh bien, il paraît que je n'ai rien compris et que, dans cette pièce, Maïakovski approuve les hommes de 1978, ceux qu'affole et qu'effraie la seule odeur d'un verre de bière, ceux qu'épouvante et que dégoûte la seule image d'un baiser. Soit. Raisonnons. Nous sommes en octobre 1958. Depuis quarante et un ans, le Parti gouverne l'Union. Or, un peu partout, j'y vois les hommes et les femmes avaler la vodka, y compris à jeun, ou au petit déjeuner, avec la même grimace que celle du troufion américain qui se tape en cul sec deux ou trois verres de tord-boyaux. Sur les pistes des restaurants où l'on danse, comment ne serais-je pas ému de voir danser des couples qui ressemblent comme des frères à ceux que Maïakovski condamnait à se trémousser, au salon Renaissance, avant les flammes de l'enfer ? Rouchiov ne vient-il pas de partir en campagne contre l'abus de la gniaule ? Des couples, n'en voit-on pas qui se cherchent ? D'autres, qui se sont trouvés ? Des filles même, j'en ai vu qui nous faisaient au restaurant des œillades sans équivoque; j'ai observé un voisin, citoyen soviétique, que deux catins avaient levé, qui monta dans sa chambre pour en redescendre une demi-heure plus tard, lui manifestement content de soi, tout juste s'il n'était pas en train de se rebraguetter, elles deux apparemment contentes de lui. Et après ? Cet homme soviétique ressemble davantage, et tant mieux, à Pryssipkine, qu'à ces fonction- naires de 1978 censément soviétiques, mais évidemment échappés aux rêves publicitaires d'un fabricant américain de capotes anglaises. Ah! non, ce n'est pas moi qui condamnerai Moscou parce qu'on y reconnaît quelques filles faciles, voire des proxénètes, ou des femmes enceintes. A plus forte raison ne destinerai-je pas à l'enfer ces couples moscovites qui, sur des pistes aussi savamment exiguës que les nôtres, préparent, à la faveur des gestes ébauchés de la danse, les gestes plus précis de la débauche ou de l'amour.

Si par malheur Maïakovski a voulu prendre le parti de l'univers aseptique, sans punaises et sans passions, l'homme soviétique d'aujourd'hui oppose à son poète un démenti massif. Les Moscovites que j'ai vus ont beaucoup de l'homme à la punaise; à beaucoup d'égards, je me reconnais en eux. Si donc le parti a raison, dont on me dit qu'il tient Pryssipkine pour l'ennemi public, il ne lui reste plus qu'à transformer l'Union soviétique en un seul et immense jardin d'acclima- tation, car tous les Moscovites m'ont paru faits comme vous et moi : contrairement à la prophétie de Maïakovski, ils boivent et le reste...

Ceci me trouble néanmoins : Frioux, un slavisant qui connaît bien Maïakovski, m'assure que tous les documents qu'il a pu étudier au sujet de *La Punaise* justifient la glose officielle. Que la tension lyrique, que le besoin d'absolu, aussi

forts en Maïakovski que sa hantise de la contagion, l'aient
incliné à condamner tout ce qui, dans la société, peut lui
rappeler la médiocrité humaine, j'y consens. Néanmoins, je
suspends mon jugement et j'attends la thèse de Frioux. S'il a
raison, cette pièce me deviendra moins riche; aussi naïve,
aussi paranoïaque que les *Mystères-bouffes,* mais sans les
mêmes et bonnes raisons.

Ecrite en 1928, *La Punaise* fut jouée l'année suivante, qui
fut aussi celle de *Bania, Le Bain.* « Qu'est-ce que *Le Bain* ? »
écrit alors Maïakovski dans *Ogonëk,* le 30 novembre. « Et
qui met-il dans le bain ? Il met dans le bain les bureaucrates. » Tiens! tiens! Maïakovski serait-il trotskisant ? L'un
des principaux griefs de Trotski contre l'empire stalinien,
n'était-ce pas l'importance qu'y prenait le bureaucrate ?
Admettons que Maïakovski n'ait pas alors éprouvé ce dégoût
de tout esprit normal pour un régime absurde; *Bania*
démontre du moins, d'un bout à l'autre, que, dix ans après
l'octobre léniniste, la bureaucratie devenait un danger public.
Moins de dix ans après qu'il a pris le pouvoir, Mao Tsö-tong
n'a-t-il pas dû à son tour condamner ses bureaucrates ? Comme
si le régime du parti unique et le « centralisme démocratique »
aggravaient cette plaie de l'Etat moderne, la machinerie ano-
nyme, toujours implacable et toujours inefficace, sauf quand
des rapports personnels, c'est-à-dire à certains égards féodaux,
en corrigent les dérèglements.

Quoi qu'il en soit de ces querelles sophistiques, je me suis
réjoui de découvrir que l'on joue à la fois et fort bien ces
trois pièces au théâtre de la Satire, et que d'autres compagnies
en présentent des interprétations que certains estiment préfé-
rables. Malgré la formule meurtrière dont Staline définissait
le génie de Maïakovski, comment son régime ne se fût-il pas
méfié de la révolte et de la poésie partout ici patentes, et
plus explosives encore dans cette présentation simultanée ?
Entre l'espoir fou des *Mystères-bouffes* et la réalité bureau-
cratique ridiculisée dans *Le Bain,* le citoyen soviétique de
bonne foi et d'intelligence moyenne peut demander à *La*

Punaise : « Quelle sera, dans un univers socialiste, la place de l'homme vrai : au bagne, dans une réserve, ou sur la terre des hommes et des femmes ? » Proscrit sous Staline, Maïakovski enfin s'exprime.

De Maïakovski ainsi interprété, le passage est facile vers le théâtre des Marionnettes. *Dielo oz razbodie* (*Une affaire de divorce*), pièce de E. Speransky, ne me laisse peut-être pas un souvenir très vif, mais je n'oublierai jamais *Moï, tolko moï* (*Mienne, rien que mienne*) par Boris Touzloukov, « affaire criminelle d'importation en deux épisodes ». Drôle, jolie, souvent belle, cette fantaisie raille avec entrain la littérature faisandée qui nous vint des Etats-Unis, et inspire la Série noire : danseuses folles de leur corps, obsédés sexuels, tueurs impuissants, détectives géniaux. Après un temps mort au début du second épisode, la fin rebondit avec toute la verve du premier tableau : à l'issue d'une rocambolesque histoire de fantômes et de tombeaux qui s'ouvrent sur le chemin d'un trésor de légende, on entend une pétarade : tout le monde est tué sans exception. Toutes les victimes du seul dénouement possible processionnent alors vers le ciel, revêtues de robes angéliques [1].

Alors qu'au théâtre de Marionnettes on s'attaque aux valeurs américaines, le théâtre de l'Estrade, qu'anime pour quelque temps Raïkine, présente une satire de la vie dans l'Union : *Bonne nuit!* Parmi les numéros plus ou moins habilement enchaînés par la fiction d'un rêve, certains dénoncent la veulerie des zazous moscovites (car ils en ont eux aussi, cela va de soi, et s'en inquiètent) ou, plus bénignement, la duplicité de la politesse conventionnelle. Vont-ils rendre visite à M. et Mme Durand russes, M. et Mme Dupont russes ne valent ni plus ni moins que leurs doubles français. Quant à la médisante qui, dans les appartements à cuisine collective, s'ingénie à brouiller chacun avec tout le monde, que faire

---

1. Au musée des marionnettes, que je visitai pendant l'entracte, diverses katchinas hopis, qu'il me paraît abusif de classer parmi les personnages de théâtre.

de mieux en suivant son va-et-vient, que de me réciter ce La Fontaine dont les doctrinaires staliniens condamnaient récemment la morale petite-bourgeoise :

> *La faim détruisit tout; il ne reste personne*
> *De la gent marcassine et de la gent aiglonne*
> *Qui n'allât de vie à trépas :*
> *Grand renfort pour messieurs les chats.*
> *Que ne sait point ourdir une langue traîtresse*
> *Par sa pernicieuse adresse!*

Le fond des passions humaines n'a pas beaucoup changé depuis un demi-siècle; je l'aurais parié. Sans doute le régime stalinien aurait-il pu tolérer ce genre d'allusions, qui s'en prend à l'homme et non point à la société soviétique. En revanche, aurait-il accepté toutes les saynètes brocardant les erreurs du régime, et qui m'indiquaient jusqu'où peut aujourd'hui se porter la récrimination ?

Voici deux pères de famille qui promènent au jardin public deux landaus identiquement voyants : écarlates. Tout en poussant de-ci de-là l'une et l'autre voiture, on bavarde, on lâche le landau, on gesticule, on fait quelques pas, tant et si bien qu'on se trouve placé l'un et l'autre de telle façon que bien malin qui saurait à qui appartient ce landau-ci, à qui celui-là. Tant de peinture rouge s'empilait en stock à l'usine qu'il avait fallu barbouiller d'un écarlate uniforme toutes les voitures d'enfants sorties cette année-là. Les deux papas se précipitent alors sur les poupons : les langes du moins ou les maillots identifieront les bébés et, par suite, les poussettes. Je t'en fiche! Le même jaune, non moins voyant que l'écarlate du landau, emmaillote les deux mouflets. Les fabricants de layettes, que voulez-vous, ne disposaient cette année-là que de teinture jaune. L'inquiétude paternelle vire vers l'anxiété. Par bonheur, sur ce poupon-ci, un ruban, là. Hélas, le même ruban, du même tissu et, disons, du même bleu, enjolive le vêtement de l'autre môme. Affolés, nos papas se jettent sur

les hochets. Calamité : c'est hochet blanc et blanc hochet.
Moins éperdu que l'autre, l'un des pères de famille tout à
coup demande à son rival : « C'est un garçon, le vôtre, ou
une fille ? » Miracle, l'un des deux avait engendré un garçon,
l'autre une fille. Il s'en est fallu de peu : il ne s'en est fallu
que de l'humain, en somme, qui corrige le plan et la bureaucratie.

Ça ne va pas très loin, direz-vous ? Ce n'est pas mon avis.

Et maintenant, un numéro sur la mode soviétique. En
ombres chinoises défilent d'abord des mannequins qui présentent les nouveaux modèles et prennent place peu à peu
sur ce qu'on appelle maintenant un *podium*, pour faire plus
chic, et pour ne point écrire : sur des degrés, sur une estrade.
S'il est vrai que la mode parisienne, certaine mode parisienne
en tout cas, en plus du mauvais goût des clientes américaines auxquelles on la destine, exprime un peu trop évidemment l'hétérodoxie sexuelle de couturiers qui détestent à ce
point la femme qu'à ruses de robes-sacs, de chapeaux-potiches
et de corps postiches ils les rendent aussi asexuées, aussi
indésirables que possible, les mannequins soviétiques présentés par Raïkine manifestent assez drôlement qu'indifférence
à la mode équivaut ici à certificat de civisme.

Prenant alors plusieurs masques, avec une virtuosité de
Fregoli, le meneur de jeu prononce les discours des personnalités qu'on suppose chargées de justifier la collection.
« Moi, dira en substance le directeur de l'entreprise, je vous
présente des robes du soir. Les robes du soir, je dois vous
avouer que je ne m'y connais guère, car ma spécialité, ce
serait plutôt le bleu de chauffe. Seulement, il y a la norme,
camarades. Il faut respecter la norme. J'ai donc l'honneur de
vous présenter un assortiment de robes du soir mis au point
par l'usine n° x spécialisée dans les bleus de chauffe. » Sur ce,
bondit à la tribune un petit vieux, le même Raïkine, qui
débute en déblatérant contre les incendies : « C'est dangereux, camarades, les incendies. Or, dans un dangereux incendie,
rien de plus dangereux qu'une robe longue, une vraie robe

du soir. On s'empêtre dans la traîne, on tombe, on est piétinée, on périt brûlée vive. A cause des dangers d'incendie,
camarades, je suis contre les robes du soir, sauf si, comme
les nôtres, ce n'en sont point. » Là-dessus, troisième laïus de
Fregoli Raïkine : « Qu'est-ce au juste, camarades, qu'une
robe du soir ? De l'étoffe, direz-vous peut-être, de l'étoffe de
bonne qualité ? Préjugé réactionnaire. Nimporte quelle étoffe,
et pourquoi pas la moins bonne, convient à la robe du soir.
Serait-ce donc la couleur ? Vous n'y songez pas! Toute couleur convient à la robe du soir. Vous insinuerez, je vous vois
venir, que la coupe, la ligne... Erreur formaliste, camarades,
tout ce qu'il y a de formaliste. Réfléchissez plutôt. Otez à
votre pantalon tous ses boutons : avez-vous encore un pantalon ? Décousez de votre manteau tous ses boutons : êtes-
vous encore protégé du froid ? D'où je conclus, camarades,
que dans un costume et à plus forte raison dans une robe
du soir, ce qui compte, ce n'est ni la qualité de l'étoffe, ni
la délicatesse du coloris, ni la perfection de la coupe. Le
bouton, camarades, voilà le secret de la haute couture. » Cette
mise en scène exprimait assez vigoureusement ce qui me parut
évident à Moscou : les femmes y ont longtemps souhaité, elles
y espèrent désormais des vêtements de coupe et de qualité
meilleures. Elles voudraient pouvoir se maquiller aussi ingénieusement que les plus habiles des nôtres. A de rares exceptions près, je ne dirais pas qu'elles y parviennent déjà : dans
les hôtels, j'ai pu examiner le maquillage des demoiselles de
l'ascenseur. Un peu barbouillé, le plus souvent; masque de
mauvais théâtre, plutôt que maquillage de ville. Touchant
effort, néanmoins, vers le libertinage.

Il me faudrait aussi rapporter mainte et mainte allusion
à la bureaucratie, intouchable sous Staline puisque la critique
de cette institution sacro-sainte d'un seul et mortel coup dénonçait le trotskiste. Je retiendrai l'une des plus drôles : amoureuse de son supérieur hiérarchique, une employée ose lui
remettre une déclaration. Après l'avoir lue, le maniaque de
la paperasserie exige de sa subordonnée qu'elle rédige sa

déclaration dans les formes (la *fo-orme* du juge Bridoison chez Beaumarchais), et qu'elle n'omette aucune des formules, aucun des clichés qui constituent le langage de toute bureaucratie et que l'administrateur soviétique cultive avec délectation. La jeune femme s'exécute. Le bureaucrate reprend le document, l'épluche, en approuve la *fo-orme* et, par conséquent : « Cette fois, camarade, votre demande de revendication est présentée dans les *fo-ormes* convenables. La justice exige de moi que je fasse droit à votre demande. En conséquence, je vous épouse. »

Ai-je eu tort ? J'ai pleuré de rire à cette histoire; moins pourtant qu'à la fable de l'ours et du lapin : « Il était une fois, dans une forêt, un ours qui travaillait comme un lapin, et qui, par conséquent, touchait un salaire de lapin. C'est qu'au temps où cet ours cherchait de l'embauche, le plan ne prévoyait dans la forêt aucun poste pour un ours. Rien que des travaux de lapin. Or, un jour, cet ours, qui de son mieux accomplissait son travail de lapin, rencontra dans la forêt un petit lapin qui faisait un travail d'ours et qui, par conséquent, percevait un salaire d'ours. C'est qu'au temps où ce lapin cherchait de l'embauche, le plan ne prévoyait dans la forêt aucun poste de lapin. Surprise de l'ours, et stupeur du lapin. Sur ce, arrive dans la forêt une commission de contrôle, composée de lions beaux et forts. » Commence alors un dialogue très amusant, qui réjouissait la salle. Devant une situation apparemment inextricable puisqu'elle nous paraît des plus simples à résoudre, la commission léonine de contrôle s'en tire par l'éternel recours à la paperasserie : « Vos papiers? votre *propousk?* » (c'est-à-dire : votre laissez-passer; mais, pour un citoyen soviétique, le *propousk* importe à peu près autant que chez nous un prépuce : on ne doit pas s'en séparer). Bref, tout l'attirail de la bureaucratie. L'ours continuera donc son travail de lapin, et le lapin son travail d'ours. Au moment où Raïkine sort de scène, il se retourne : « J'oubliais de vous dire : ces lions étaient des ânes! »

Certes, les pays capitalistes abondent en lapins qui font des

travaux d'ours : tous ces fils de famille qui, par droit de
naissance, administrent, touchent des tantièmes, sont prési-
dents-directeurs généraux de quelque chose alors que, nés
dans le peuple, ils n'auraient pu s'élever au-dessus du rang
de manœuvre. Ils ne manquent pas non plus, chez nous, les
pauvres ours qui font des travaux de lapins : tous ces ouvriers
agricoles qui, nés bourgeois, seraient ingénieurs, avocats; tous
ces manœuvres qui, favorisés d'un père industriel, seraient
médecins ou professeurs. Mais il me plaît de découvrir que,
sous Rouchiov, un spectacle de variétés s'aventure si constamment et si avant dans la satire des faiblesses pour nous évidentes du régime.

Un public à qui d'un bout à l'autre de l'année on offre
désormais du Tchékhov, du Maïakovski, le jugerez-vous
brimé ? Ceux qui ont approché là-bas le peuple russe m'ont
tous répété qu'il avait résisté à ce quart de siècle de tyrannie
stalinienne, et secrètement préservé toutes les qualités qui
nous ont fait l'aimer à travers les œuvres des écrivains du
XIXᵉ. Capable d'apprécier les mises en scène du théâtre de
la Satire, les décors et les costumes du théâtre de Marionnettes, ce peuple-là désormais, soyez-en sûrs, il mérite mieux
que l'esthétique jdanovienne.

Contrairement à ceux qui, fervents de Salazar et de Franco,
condamnent également la Russie de Béria, celle de Joseph
Staline, et la Russie de Nikita Sergueiévitch Rouchiov, je
tiens que le Moscou de 1958 ne ressemble plus guère à celui
que je connus en 1934.

Lettre de Moscou
sur le Congrès de Tachkent

Samedi 27 octobre 1958.

Cher Monsieur,

Il est grand temps que je tienne ma promesse, et vous écrive avant de quitter l'Union, ce qui pourrait bien m'arriver dès demain. Sans attendre le *Retour de Moscou*, que je publierai sans doute et dont j'espère qu'il me brouillera pour de bon avec les derniers journaux qui m'hébergent, je vous dirai tout de suite que je n'ai trouvé là-bas ni l'enfer ni le paradis. Tout au plus un purgatoire, encore plus rigoureux, sensiblement, que le nôtre. Voici ce qu'on ne me pardonne guère, et tant pis pour moi : je ne suis plus manichéen.

Ne manquez pas les *Nouvelles de Moscou*; ni celles du 15 ni celles du 26. La larme à l'œil, vous y admirerez deux photos du Congrès de Tachkent. Celles du 15 octobre semblent vouloir illustrer *Si tous les gars du monde voulaient se donner la main :* debout sur l'estrade, les membres du Præsidium composent une bien jolie et touchante broderie de mains enlacées au bout des bras levés. Le 26, vous voyez M. Rouchiov accueillir au Kremlin des turbans et des jaunes, des noirs et des saris. L'écrivain sénégalais Majhemout Diop, lui, nous promet que *l'esprit de Tachkent* « fera le tour du monde sans passeport ». A la bonne heure! Nous voici donc enfin promis à l'égalité, à la fraternité, et même à la liberté. Non,

non, ne riez pas; c'est écrit noir sur blanc dans l'*Appel* sur quoi s'acheva le congrès. D'où qu'elles me viennent, la fraternité, et même l'égalité, et surtout la liberté, vous pensez bien que je leur ouvrirai les portes de mon grenier!

Par une coïncidence qui me toucha au vif, c'est à mon camarade Mulk Raj Anand qu'échut l'honneur de déclamer cette résolution finale. Mulk Raj Anand, l'auteur notamment de *Coolie*, avec *Godan* de Prem Chand, et *Passage to India*, de Forster, ce que je peux vous suggérer de mieux pour entrer dans l'Inde actuelle (n'oubliez pourtant pas les *Hymnes spéculatifs du Véda*, les *Psaumes de Toukaram*, les *Jataka*, le *Kumarasambhava*, le *Shilappadikaram*, et les *Poèmes* de Kabir). Voilà plus de vingt ans que je rencontrai à Londres Mulk Raj Anand au Plenum de l'Association internationale des écrivains pour la défense de la culture. Hélas, je n'ai pu le joindre. Moscou, c'est comme Paris : on y rencontre tout le monde à peu près, sauf ses amis.

Donc, cet appel aux écrivains du monde, que lut le cher Mulk Raj Anand, il fut adopté là-bas à la seule majorité qui vaille : à l'unanimité. Je me méfie un peu de ces motions qui passent ainsi entre les difficultés comme au travers d'un intestin qu'elle oublie de vider la dose d'huile de paraffine. A lire ce texte, qui pourtant n'applaudirait? Il condamne le racisme, l'injustice et l'exploitation coloniale; il acclame la paix, la liberté, et les relations culturelles « avec tous les pays du monde, les pays occidentaux y compris ». Alors, comment n'être pas pour?

Quelle ville aujourd'hui que Moscou! Une seconde Mecque. Partout, on parle arabe. Après quinze ans, quelle heureuse surprise, figurez-vous que j'y ai retrouvé mon ancien collègue Mohammed Khalafallah Ahmed : du temps que j'y enseignais, il était maître de conférences à l'université Farouk Ier. Il me plaisait beaucoup. Le voilà doyen de la faculté des Lettres, et président de la délégation à Tachkent de la République arabe unie. On a cité de lui, dans les journaux, des paroles bien émouvantes : la réception des délégués au Kremlin serait un « nouveau témoignage du profond respect que l'Union soviétique éprouve pour l'art et la littérature ». Je souhaitais lui parler de l'Algérie, moi, et de l'affaire de Suez, et je me proposais de lui demander comment il conciliait l'*esprit de Tachkent* avec la fureur antisémite de la République arabe unie. Mais avec ces grands personnages, va donc parler sérieusement!

Pour vous, qui vous intéressez au politique, je vous signale un homme qui monte, comme on dit : Charaf Rachidov. On l'avait remarqué à la conférence du Caire. A celle de Tachkent voici qu'on lui confie le discours de clôture; or il n'est que président du præsidium du Soviet suprême d'Ouzbekistan. Chacun loue son génie d'organisateur, son intelligence et son charme. Il ira loin, si les petits cochons ne le mangent pas, comme on dit dans mon village [1]. Je vais pourtant vous conter à son propos une anecdote que je n'ai vue consignée dans aucun compte rendu : à l'un de ces trop nombreux moments où, selon une tradition d'ancienne mais toujours fâcheuse mémoire, le Congrès unanime et délirant s'usait les paumes en barrage d'applaudissements staliniens (au sens que cet adjectif avait dans les dictionnaires du vivant de la Personnalité), un délégué du Pakistan, qui siégeait au Præsidium, murmura pour Rachidov (mais quelqu'un d'autre l'entendit) : « Ah non! Suffit. Stoppez ça. Nous n'en sommes plus là! »

Pour menu que vous le jugiez, ce propos surpris au vol me conseilla d'en savoir un peu plus que ce que me disait du Congrès le camarade A. Sokolov, envoyé spécial des *Nouvelles de Moscou*. Or, le vestibule de l'hôtel Ukraïna me paraissait de nature à combler ma curiosité. Il vaut ces jours-ci le voyage à lui seul. Tous les costumes de l'Asie frôlent tous ceux de l'Afrique. Quelle Babel et quel caravansérail! Mais gare aux imprudences! Au cours d'une conversation avec le fils et la bru de l'ancien ambassadeur à Paris d'un pays

---

1. Il vient d'être nommé secrétaire du Parti pour l'Ouzbekistan, et remplace M. Kamalov, destitué, puis exclu du Comité central (mars 1959).

asiatique, je compris bientôt, juste assez tôt, que beaucoup
des gens qu'on croisait à l'Ukraïna ne partageaient guère
l'esprit qu'on disait de Tachkent en attendant qu'il devienne
celui du Caire (vous le savez sans doute, le Congrès de 1960
se tiendra dans la capitale égyptienne; décision prise à l'unanimité pour bien marquer la durable et inaltérable amitié
qui unit Nasser à Rouchiov). Quant au poète moldovalaque
avec qui, échaudé, j'échangeai quelques propos diplomatiques, si passionnant que m'ait paru le statut d'autonomie
dirigée dont bénéficient aujourd'hui, enfin délivrés de l'oppression roumaine, les écrivains de sa minorité nationale,
peut-être m'a-t-il pardonné d'écourter notre conversation pour
rejoindre un membre du F.L.N. et m'entretenir avec lui du
dernier discours prononcé par de Gaulle.

On dit beaucoup de mal, chez nous, de leur collectivisme.
Quelquefois on a tort. Vive, par exemple, la table d'hôte,
fertile en humour picaresque. Même dans les restaurants de
qualité, comme celui de l'Ukraïna, on mange par tablées de
cinq ou six. Deux personnes sont-elles assises, vous demandez :
Mojne? Il est rare qu'on vous éconduise. Or le mardi 14,
vers quinze heures, comme je rentrais de Zagorsk écœuré par
la bondieuserie, et bien décidé à me consoler par un bon
déjeuner, je jugeai propice l'occasion de m'installer à côté
de quelques délégués au Congrès de Tachkent. Rien de plus
facile : un insigne me les désignait. J'optai pour une table
où devisaient discrètement deux victimes évidentes du colonialisme blanc : un nègre et quelqu'un qui me parut malais.
Mojne? D'un signe de tête, et d'un geste de la main, on
m'accepta. Comme j'ai l'oreille droite un peu dure, je me
demandais en quelle langue ils pouvaient comploter, ces deux
hommes secrets dont les lèvres remuaient à peine. Tout ce
qu'il y a de pimpant, vêtu d'un complet de bonne coupe que
j'évalue à deux mille roubles, un nouveau délégué survint
qui, à ma surprise, s'adressa en français à mes deux commensaux involontaires, lesquels lui répondirent en un français
parfait. Tant par discrétion que pour échapper à ce que je

suppose devoir être un ami de Kanapa, j'offre aux colonisés
de leur laisser la table libre. Pas du tout; je suis le bienvenu,
puisque je suis français. C'est ainsi que je fis la connaissance
d'Aubert Rabenoro, qui, tout en s'occupant d'instaurer chez
lui une république socialiste, enseigne à Strasbourg la sociologie religieuse, et d'Albert Tevoedjre, Dahoméen, ancien
rédacteur en chef de *L'Etudiant d'Afrique noire*, actuellement
professeur à l'Ecole normale de Toulouse, animateur, celui-ci,
des Etats-Unis socialistes d'Afrique noire. L'un et l'autre, d'une
intelligence et d'une distinction qui me frappèrent d'emblée.
Quelle chance! Tout heureux, je commande à boire, mais les
révolutionnaires sont souvent un peu puritains; si je leur
reproche quelque chose, c'est de ne point assez faire honneur
au vin et à la bière. N'empêche qu'à 18 h 30 nous étions encore
à table. Je ne parle point de la chère, qui fut bonne sans doute
ainsi qu'à l'ordinaire. Je parle des propos. L'étonnant
déjeuner, en vérité; Voltaire en eût tiré six pages admirables
dans le genre du *Souper* de *Zadig*.

La vedette en fut sans conteste M. Hauser, l'écrivain allemand qui nous rejoignit après une brève éclipse. Chassé d'Allemagne sous Hitler, il s'était battu avec les troupes alliées
contre les armées nazies. Quelle aisance, quelle précision dans
une langue qui pourtant n'est pas la sienne! A croire qu'il
faudrait confier l'enseignement du français à nos soldats de
seconde classe. La qualité de cette langue et la véhémence de
la faconde rendaient plus navrantes encore la sécheresse et
la niaiserie fanatique des discours. Plus stalinien que chez nous
les plus réactionnaires, il fallait l'entendre vitupérer le colonialisme et du même souffle exalter l'écrasement des ouvriers
hongrois par les tanks russes; réciter l'*esprit de Tachkent* et
jubiler devant l'image d'Imre Nagy secouant les jambes une
dernière fois, suspendu à son nœud coulant; condamner la
bureaucratie pour mieux exalter l'œuvre irréprochable du
grandissime Joseph Staline. Ce juif allemand avait applaudi
l'exécution du juif tchèque Slansky, la disparition de Pauker,
la juive roumaine, et signé douze pétitions au moins pour

exiger le châtiment exemplaire des médecins russes, presque
tous juifs, qui avaient tenté d'assassiner l'innocent Joseph
Vissarionovitch. Le Dahoméen, le Malgache et le Français se
regardaient, épouvantés. M. Hauser continuait à nous débiter
son catéchisme de persévérance : « D'ici deux ou trois ans,
nous aurons à Berlin-Est un niveau de vie bien supérieur à
celui de l'Allemagne de l'Ouest, ce pays fasciste où règne la
plus atroce tyrannie. Tandis qu'en Allemagne de l'Est! Voyez-
moi. Je ne manque de rien. On joue partout mes pièces. On
me traduit dans toutes les langues des pays socialistes. » Le
diable sait si je honnis la bigoterie du chancelier Adenauer
et la nostalgie teutonique de ses vertueux conseillers. Il me
fallut pourtant défendre ce régime : « Pour en revenir à votre
Allemagne de l'Est, deux événements récents, mais significatifs
et précis, comme disait l'autre, m'interdisent de croire à votre
idylle gessnérienne. Le premier, c'est l'affaire Harich : que,
du jour au lendemain, le plus pur doctrinaire, le plus savant
marxiste de l'Allemagne de l'Est, devienne un moins que rien,
un contre-révolutionnaire bon tout au plus pour l'*in pace*,
voilà qui me trouble. » Voilà qui ne troublait guère cet excellent M. Hauser : « Harich? Ce ne fut jamais qu'un imbécile,
une baudruche gonflée, un pseudo-marxiste fabriqué de toutes
pièces. — Tiens, tiens! Il vous arrive donc, en Allemagne de
l'Est, de prendre un imbécile pour en fabriquer le plus grand
des marxistes, une façon de nouveau Lukács. — Un imbécile,
vous dis-je, rien de plus. Mais pour vous montrer à quel point
chez nous on est libre, j'irai de ma confidence : quand Harich
fut démasqué, je déclarai au camarade Ulbricht en personne,
et ce, devant cent cinquante témoins qui pourraient certifier la
véracité de mon dire : "*Camarade Ulbricht, c'est vous qui
avez poussé ainsi cette nullité d'Harich. Vous avez eu tort,
camarade Ulbricht, car c'était un âne, votre Harich.*" Les
témoins s'inquiétèrent pour moi de mon imprudence. Eh bien,
mon franc-parler ne m'a causé aucun ennui; il ne m'est rien
arrivé que de bon. On continue à jouer partout mes pièces. Je
gagne très bien ma vie et je suis délégué au Congrès de

Tachkent. Est-ce de la liberté cela, oui ou non? — Et puis,
hasardai-je, il y a l'affaire Kantorowicz. Elle me turlupine
d'autant plus, celle-ci, que j'ai très bien connu Alfred Kantorowicz et que, durant son exil parisien, il m'offrit plusieurs de
ses livres, que j'ai lus. C'était en 1935-1936, avant qu'il ne partît
pour l'Espagne, aux Brigades internationales. J'appris du même
coup, l'autre mois, qu'après avoir enseigné la littérature
contemporaine aux étudiants de l'Allemagne communiste,
Alfred Kantorowicz, au bout de trente années d'une vie militante, venait de quitter le Parti à la fois et l'Allemagne de
l'Est, choisissant une fois de plus l'exil, celui de Bonn. »
M. Hauser me coupa la parole : « Parlez-moi de Kantorowicz!
Un crétin doublé d'un salaud; un traître qui se laisse utiliser
par la radio capitaliste et si nul, au demeurant, que même la
République fédérale lui refusa le poste d'enseignant qu'il
mendiait. — Ainsi donc, des années durant, vous avez employé
dans les universités communistes un professeur dont vous
m'assurez aujourd'hui que c'est un idiot fortifié d'une canaille.
Ou bien c'est vrai, et vous condamnez le système qui mit en
évidence indue et Harich et Kantorowicz. Ou bien c'est faux,
et vous me prouvez à quel point j'avais raison de déplorer,
il n'y a guère, le crétinisme qui gouverne la vie intellectuelle
de Berlin-Est et d'affirmer qu'hélas les staliniens conservent
plus que jamais leurs réflexes de curés. Quoi! Vous osez vous
réclamer de Marx, vous croyez ne pas croire en Dieu, et vous
réagissez à qui se sépare de vous comme à Uriel Acosta la
Synagogue, comme à Luther l'Eglise de Rome, et l'Islam à
Taha Hussein. » S'ensuivit un parfait dialogue de sourds, où
je me surpris bientôt qui défendais les croyants, et même les
religions. M. Hauser m'objectait que les imbéciles ou les
salauds pouvaient seuls éprouver un sentiment religieux et se
vouloir une âme immortelle. A tous mes arguments historiques
ou autres, M. Hauser répondait en substance : « Au Moyen
Age, passe encore parce que les conditions objectives de la
science ne permettaient pas à l'esprit de s'affranchir concrè-
tement de l'aliénation religieuse; mais le marxisme a tout

changé : nous avons désormais une base scientifique incontestable, le matérialisme dialectique, qui rend inutile et même impensable toute vie religieuse. » Comme je l'asticotais en lui citant Mauriac et l'équipe d'*Esprit*, le *Sillon* et Marc Sangnier, les prêtres de Soukh-Ahras et les laïcs de *Témoignage chrétien*, M. Hauser eut enfin ce mot sublime : « Toutes vos raisons ne valent rien : je crois aux bases scientifiques de l'irréligion. »

J'allais me faire curé par dépit, ou du moins musulman, lorsque M. Rabenoro, tout doucement : « Je jouerai donc cartes sur table. Non seulement la sociologie religieuse, que j'enseigne, m'enseigna qu'il est puéril de traiter comme vous le faites le sentiment religieux, mais mon existence même contredit votre théorie. Je suis protestant, et pratiquant. Mon ami Tevoedjre a beau sortir d'une prison colonialiste, il croit en un Dieu unique et pourtant triple, en l'infaillibilité pontificale et en la transsubstantiation : c'est vous dire qu'il est catholique romain, ce qui ne l'empêche pas d'admirer le *Manifeste du Mouvement africain de libération nationale* qui préconise des Etats-Unis d'Afrique noire, des Etats-Unis socialistes. Or lui, le catholique, et moi, le protestant, nous fûmes délégués par nos pays respectifs au Congrès de Tachkent. Si l'un et l'autre nous luttons contre l'esprit colonialiste, c'est au nom du même Christ que nous croyons l'un et l'autre être dieu, et même le vrai Dieu. Dans un cas comme le nôtre, que faites-vous des *bases scientifiques de l'irréligion?* »

Maintenant que j'ai lu le *Manifeste* que signa M. Tevoedjre [1], et cette *Afrique révoltée*, préfacée par Alioune Diop, qu'il me fit la confiance de m'offrir le lendemain de ce mémorable repas, je comprends mieux encore que la ligne de partage des hommes, relativement au problème colonial, ne coïncide pas aujourd'hui avec celle qui, des agnostiques, sépare les croyants. Il en résulte que l'*esprit de Tachkent* se dissocie en deux tendances qui ne peuvent être unies que très provisoirement. Un

---

1. Fin 1965, M. Tevoedjre fut nommé correspondant du B.I.T. en Afrique noire. Il vient d'être nommé sous-directeur, à Genève.

musulman convaincu, comme ce professeur de Rabat, membre du F.L.N., avec qui longuement je parlai, s'il peut aujourd'hui faire alliance avec les athées qui dirigent ce mouvement, comment ne se trouverait-il pas en conflit, un jour ou l'autre, avec des gens dont tout le sépare, sauf la haine du colonialisme? Ce dont témoigne fort bien M. Tevoedjre : « Mesure-t-on l'écartèlement de l'Africain chrétien? S'il travaille pour l'indépendance de son pays, on le présente comme un ami de Moscou, traître à sa religion. Si au contraire il veut par anti-communisme modérer ses élans patriotiques, il est rejeté de la communauté africaine. »

Lorsque nous quittâmes le restaurant, ce jour-là, le Dahoméen et le Malgache me confiaient leur surprise de constater à quel point les chrétiens qu'ils étaient, et les colonisés, formaient avec moi (l'agnostique et le colonisateur) un bloc homogène en sympathie qu'on eût dite ancestrale sur tout l'essentiel : la religion et l'amitié, le socialisme et la liberté, alors que tout, absolument tout, les séparait de celui qui se prétendait leur allié au nom des bases scientifiques de l'athéisme et de la décolonisation.

Plus je connus de délégués qui revenaient de Tachkent, mieux je compris que beaucoup d'entre eux avaient très bien senti que l'intérêt n'est pas strictement désintéressé que porte aux choses de l'Afrique l'Institut moscovite d'Etudes africaines. Assurément ils admiraient que telle jeune femme parlât irréprochablement l'arabe littéral et connût à fond les questions du Maghreb, assurément ils se sentaient flattés de voir qu'un savant russe excellait en langue peule, mais en découvrant avec quelle précision les africanistes soviétiques connaissaient jusqu'au détail des intrigues locales, ils se demandaient si la poussée russe en direction de Suez et la curiosité moscovite pour les peuples de couleur ne signifiaient pas des visées impériales un peu moins rassurantes que l'*esprit de Tachkent*.

Ce que je ne crus pas pouvoir dire aux nègres que je rencontrais, c'est l'inquiétude des Russes, même cultivés, devant l'homme aux cheveux crépelés. Deux personnes en quelques

jours, et d'une culture bien au-dessus de la moyenne, m'ont
posé la même question : « Vous qui voyez beaucoup de nègres,
dites-moi, est-il vrai qu'ils puent? » Qu'après quarante années
de régime soviétique l'élite intellectuelle du pays en soit encore
à parler des Noirs comme ces Bretons ou ces Mainiaux parmi
lesquels voilà quarante ans je passais mon enfance, qu'elle en
reste à me poser la question même qui fut celle de ma mère
le jour où j'arrivai chez elle en compagnie d'une amie antillaise, quelle plus désolante preuve de la fausseté du bouddhisme! Quand l'Asie bouddhique, celle qui pèlerine à Tachkent, déplore l'impermanence, j'observe, moi, la pire
permanence : celle des pires sentiments.

Où je veux en venir, cher monsieur? A ceci, probablement :
en 1946, après avoir en Egypte rencontré Bourguiba, j'essayai
en vain de joindre le général de Gaulle pour lui apporter les
conditions d'un traité bien plus favorable que celui qu'il
fallut signer plus tard. On m'empêcha de parvenir à lui.
Six ans plus tard, à mon retour d'un voyage en Algérie au
cours duquel je fus mis à l'index par les universitaires d'Alger,
mais qui, grâce au réseau tissé par l'enseignement populaire,
me permit de voir bien des gens et des choses entre Beni Saf
et Soukh-Ahras, je suggérais qu'il était grand, grand temps
de négocier avec Ferhat Abbas. Je ne veux pas jouer les
Cassandre, mais après ce séjour à Moscou, je tiens à vous dire
que si nous voulons nous épargner en Afrique noire ce qui
nous advint en Indochine et qui continue au Maghreb, c'est
aujourd'hui et non demain qu'il faut aménager ce qui peut-
être se peut encore sauver d'une communauté fraternelle avec
ces nègres, ces musulmans, ces Malgaches, qui sont revenus
du Congrès de Tachkent. Quand donc les Français sauront-ils
que parmi ceux qui refusent en Afrique d'être traités comme
du bétail, les protestants, les libéraux, les catholiques, ne sont
ni moins nombreux, ni moins décidés au combat, s'il le faut,
que les moines-soldats communistes? Avez-vous remarqué que
le *Manifeste du Mouvement de Libération*, tout hostile qu'il se
déclare au « Socialisme d'importation », qui camouflerait mal

l'empire de l'homme blanc et ferait fi des « structures nègres », recommande le recours « aux formules chinoise, yougoslave, polonaise, israélienne ». Israélienne, oui, vous lisez bien. S'ils refusent, ces nègres, ce qu'ils appellent « la communauté du cavalier et du cheval », s'ils espèrent, ces protestants malgaches, en une République socialiste où les Houves eux-mêmes s'efforceront d'oublier qu'ils furent jadis conquérants et féodaux impérialistes, peut-être accepteraient-ils encore d'entrer dans une communauté d'intérêts incontestables et qui du moins les mettrait à l'abri d'un nouvel impérialisme, politico-religieux celui-là, et non plus foncier ou mercantile, l'impérialisme du parti communiste.

Hâtons-nous! Soyons généreux : c'est la meilleure façon de servir nos intérêts. Négocions par conséquent avec ceux de ces nègres qui ont l'oreille de leur peuple et qui, admirablement formés à notre culture, sont encore sensibles aux vertus de ce qui subsiste en nous de notre humanisme. Si nous tardons, les sagaies que nous avons dans les reins pourraient se transformer dès demain en mitraillettes.

Veuillez croire, chez monsieur, etc.

Les Cahiers de la République.

Pasternak : un homme seul parmi les siens

Pour avoir osé dire, à mon retour de Moscou, que la presse occidentale avait eu grand tort de présenter Pasternak comme un martyr, on m'a prié de ne plus collaborer à la seule revue qui acceptait régulièrement mes chroniques. Ça ne m'empêchera pas de répéter ici que la Russie de Rouchiov n'est plus celle de Staline et qu'à la traiter de la même façon, nous risquons de freiner une évolution dont je puis témoigner que les intellectuels soviétiques ne se félicitent pas moins que moi.

Voici le corps du délit :

A l'heure où presque tous les journaux d'Occident retentissent de clameurs et de rumeurs relatives à Boris Pasternak, quelqu'un qui rentre de Moscou a peut-être son mot à dire. Au risque, pour moi familier, de déplaire à gauche et à droite, j'essaierai de parler sans autre passion que celle de la vérité.

Depuis ce jour de 1934 où, sur la place Rouge, j'eus le bonheur de me trouver en face de Pasternak, son visage lumineux, un peu illuminé, n'a cessé d'éclairer ma vie. L'an dernier encore, j'admirais en lui celui « qui ne cède pas, ne concède pas un seul vers idiot, officiel ». Je ne me dédis point.

Je ne saurais pour autant approuver l'allure que prend chez nous l' « affaire Pasternak ». On parle de martyre; et de quêter pour la victime d'un régime plus cruel encore que celui de

Staline, etc. (A ce propos je m'étonne que nul n'ait cité le mot de Staline à Deman Biedny : « *On bagat, a toui biedni* », c'est-à-dire : « Il est riche, lui, Pasternak, et toi, Biedny, tu es pauvre », pauvre bien entendu de génie poétique : car *biedny*, en russe, c'est *pauvre*.)

Deux ou trois jours après mon arrivée à Moscou, je discutais du fameux *Docteur Jivago* avec un collègue moscovite : « Pourquoi faut-il que le seul de nos romanciers autour duquel vous montiez une affaire ce soit celui qui, dans un livre imparfait, refuse en bloc toutes nos valeurs? Comme si nous n'avions pas produit *Le Don paisible!* — Ne nous reprochez rien, répondis-je, sinon je vous accuserai de fêter chez vous ceux de nos écrivains qui vilipendent mon pays : M. Stil, par exemple, qui n'a pas plus de talent que vous n'en accordez à l'auteur de *Jivago*. Cela dit, je reconnais que tout n'est pas très pur dans cette frénésie de l'Occident pour *Jivago*. »

En dépit de la réserve avec laquelle en effet on me parlait ici et là du romancier Pasternak, je découvris bientôt qu'on jouait à Moscou ses adaptations de Shakespeare et que, contrairement à ce qui s'affirme en Occident, le nom du traducteur figurait sur l'affiche en caractères d'affiche. Par un familier du poète j'appris ensuite que le martyr tenait table ouverte dans sa *datcha*, qu'il lisait volontiers ses inédits, lesquels, au vu et au su des autorités, circulaient en copies dactylographiées; que plus d'un lettré soviétique avait découvert en russe *Le Docteur Jivago* (au lieu de *Gosizdat*, éditions d'Etat, la couverture portait *Samizdat*, éditions de l'auteur); j'apprenais enfin et surtout qu'en dépit de la lettre par laquelle les rédacteurs de *Novy Mir* avaient refusé naguère le manuscrit de Pasternak, on parlait fortement d'imprimer là-bas ce roman lorsque l'indiscrétion de l'éditeur italien lança « l'affaire » et compromit l'espoir des libéraux.

Depuis des mois, malgré le ton de la presse occidentale qui célébrait en Pasternak un ennemi du régime soviétique (belle façon de le perdre si ce régime était celui que l'on prétend!) et bien que *Jivago* fût aux Etats-Unis un « best-seller », ce qui prouve en tout cas le caractère malsain de l'engouement, les autorités soviétiques n'avaient pas fait un geste, pas proféré un mot qui pût inquiéter les amis du poète.

Deux jours après le prix Nobel, un fonctionnaire déclarait encore : « Nous admirons beaucoup le poète et le traducteur. » Le silence officiel ne présageait sans doute rien de bon. J'eus pourtant l'impression, et non pas seul à Moscou, que si la presse occidentale avait gardé quelque mesure, tout pouvait évoluer de façon différente. Or elle eut la maladresse d'interpréter cette distinction comme un camouflet à l'Union soviétique, trahissant ainsi le propos du jury. Il est vrai que ce jury eût désarmé les ultras si la sagesse politique lui avait conseillé de partager l'honneur entre Cholokhov et Boris Pasternak (n'a-t-on pas récompensé conjointement trois physiciens de l'Union soviétique ?).

La maladresse me paraît d'autant plus fâcheuse que l'opposition des staliniens impénitents n'empêche pas M. Rouchiov de rendre aux travailleurs manuels le goût de vivre, aux paysans l'amour de leur terre, aux intellectuels quelques-unes des libertés indispensables. Quel dommage que les Russes soient tombés dans le piège que leur tendaient leurs ennemis irréductibles ! En accueillant de bonne grâce la dépêche de Stockholm, qui honorait un écrivain que respectent tous ceux qui comptent, le parti communiste aurait démontré l'évidence : à savoir que Boris Pasternak n'est pas le porc, le traître, le voyou qu'on prétend, mais un homme simplement qui fait le procès de la condition humaine. En accablant le poète d'injures d'autant plus vaines que plus véhémentes, le secrétaire du Komsomol et l'Union des écrivains ont encouragé ceux des Occidentaux qui s'obstinent à répéter que rien n'a changé au pays de Staline.

Pasternak était si persuadé de sa bonne foi qu'il accepta d'être pressenti pour le prix et qu'il se voyait à Stockholm. Cela, je le sais. La tolérance respectueuse dont il bénéficiait jusqu'alors et les libertés chaque mois plus perceptibles lui permettaient de « croire au Père Noël », pour reprendre le mot d'un de ses amis que je voyais le 26 octobre. Détrompé, a-t-il cherché le martyre? Point du tout : il a décliné cet honneur importun. Trop tard, nous dit-on. Ceux qui reprochent à M. Rouchiov de manquer fâcheusement de « vigilance révolutionnaire » se promettent bien de l'emporter sur la tendance libérale. Pour avoir constaté sur place plus d'un heureux effet de la nouvelle politique, je veux encore espérer que ceux que là-bas on nomme les « réactionnaires » n'auront pas le dernier mot. Si mon espérance est déçue, je ne pardonnerai jamais à ceux qui, abusant de Pasternak à son insu et à son dam, en ont fait un héros de l'ordre bourgeois alors que c'est un en dehors, un réfractaire, un homme seul, dont la place est près des siens, dans ce pays qu'il aime et dont il reste une des gloires.

Le Monde, 4 novembre 1958.

Conclusion (1934-1958)

1934 : j'avais vingt-cinq ans; on m'invita en Russie. Communisant lorsque je quittai Paris, j'y revins décidé à ne point m'inscrire au Parti, mais résolu à collaborer avec lui quand même, contre Adolf Hitler et pour Mao Tsö-tong. Après les procès de Moscou, il me fallut pourtant prendre plus de distance, et, par fidélité à mon idée du socialisme, combattre sans merci ceux qui nous l'avilissaient. A l'aller puis au retour d'un voyage qui me conduisit en Chine, durant l'été 1957, je passai quelques nouveaux jours en Union soviétique : Rouchiov s'occupait alors de limoger le groupe « anti-parti »; Lénine, un peu partout, remplaçait Joseph Staline; au musée, les gloses puériles de l'ère jdanovienne le cédaient enfin à des notices raisonnables; au lieu de torturer Molotov, on l'expédiait en Mongolie, avec le rang d'ambassadeur. Tout cela satisfaisant.

Dans *Le Singe pèlerin* [1], j'ai noté ma surprise heureuse : « Plutôt que de continuer à pleurer les erreurs anciennes, cherchons les raisons d'espérer. » Comment soupçonner alors que l'université de Moscou bientôt m'appellerait comme professeur d'échange? Premier littéraire à enseigner là-bas depuis la Révolution, aux termes des accords culturels franco-soviétiques, je partis tout curieux, mais bardé de réserves et de cruels souvenirs : je connais quelques-uns des Hongrois qui se trouvaient dans la rue en octobre 1956.

1. Gallimard, 1958.

Ou bien, me disais-je, les Soviétiques ignorent tout de toi (ce qui me paraissait le plus probable) et alors, gare! Ou bien ils t'invitent bien qu'ils sachent que, depuis les procès de Moscou et jusqu'aux événements de Hongrie inclus, tu n'as jamais cessé de désapprouver leurs fautes, et alors c'est qu'il y a vraiment quelque chose de changé au pays de Rouchiov. Or je découvris sur place que certains de mes collègues connaissaient quelques écrits de moi qui, sous le régime stalinien, m'auraient valu de la « vipère lubrique », ou du « trotskisto-freudien ». Oui, décidément, quelque chose là-bas se passait. Un nouveau vent soufflait favorisant le dégel dont tant de fois on m'avait parlé, et auquel je ne croyais guère. Ecrasées quelque peu par le « bond en avant », les « cent fleurs » allaient donc fleurir du côté de Moscou? Doucement! Ne nous emballons pas. Nous n'en sommes pas aux « cent fleurs ».

J'étais là-bas lorsque parut à fracas l'anti-Doudintsev, l'anti-*Jivago*, l'anti-*dégel*, à savoir *Les Frères Ierchov*, de Kotchetov. Impossible d'acquérir un exemplaire de ce prétendu ou soi-disant « roman » que se disputaient ceux qu'on traite en Russie de « conservateurs », voire de « réactionnaires » (les staliniens impénitents), mais également tous les libéraux qu'on y mettait au pilori. Sous prétexte que Kotchetov vilipende tout ce qui dévie du réalisme socialiste le plus vulgaire, allais-je désespérer? Non, car tous ceux dont je faisais cas ne faisaient aucun cas de ces *Frères Ierchov*. J'étais encore à Moscou lorsque Zaslavski bava dans la *Pravda* contre Boris Pasternak, coupable d'un prix Nobel. Allais-je aboyer avec tous ceux de nos antisémites qui, ne sachant même pas que Pasternak est juif, s'en firent aussitôt leur croix et leur bannière? Non, car sous un régime qui se réclame de Lénine, j'estimais rassurant qu'on chargeât d'insulter Pasternak un individu dont tout le monde sait que Lénine le méprisait : il faut savoir lire les journaux, et surtout les journaux russes.

Si j'en restais au manichéisme de ma jeunesse, si je me cher-

chais encore un paradis terrestre, je m'ingénierais à ne voir
en Russie que des survivances du régime stalinien, et j'annon-
cerais au beau monde, qui m'en saurait gré, que rien décidément n'a changé dans l'univers concentrationnaire, et qu'il
convient de préparer, contre les maux de l'athéisme, le remède
prescrit par le Révérend Président de l'Université américaine
Notre-Dame : « Un tas de bombes aussi haut que le ciel, et de
bombes toujours meilleures, toujours plus grosses. » Hélas! je
suis ainsi fait que je m'en remets à l'expérience pour corriger
mes préjugés : mon séjour m'ayant confirmé dans le pressentiment que j'avais formé en 1957, il m'importe de publier ce
que j'ai vérifié, à savoir que l'Union soviétique, selon M. Rouchiov, ressemble de moins en moins à celle de feu Staline.

Je ne dirai rien du nouveau statut de la paysannerie, sinon
que les environs de Moscou se couvrent de vergers entourant
des cabanes banlieusardes où passer la fin de semaine, et que,
les filles de la campagne se trouvant bien chez elles, on ne
trouve plus de domestiques. Quand vraiment elle serait nulle,
l'opérette que Chostakovitch composa sur un livret qui exalte
la nouvelle politique du logement, c'est un fait que la politique
du logement est nouvelle : d'une année à l'autre, aux environs
du mont Lénine, j'ai vu foisonner les immeubles, et je sais
que les Moscovites approuvent cette initiative.

Je veux surtout parler de la vie intellectuelle. Certes, il n'est
pas facile de discuter là-bas sur la liberté de la presse, l'octobre
hongrois, ou l'antisémitisme invétéré dont subsistent beaucoup
trop de vestiges; mais, après avoir interrogé longuement mes
collègues sur l'amour et le métier, sur la mode et le bruit,
sur l'alcoolisme et les zazous, sur la télévision et le rôle du
sport, je pus déclarer aux Nouvelles de Moscou qu'à cet égard
du moins nous parlions le même langage. Je ne scandalisai pas
non plus, que je sache, lors des cours, une douzaine, que je fis
à l'Université : le roman au XVIIIᵉ, la pensée de Diderot,

l'influence de la Chine sur la formation des idées philosophiques au XVIIIᵉ.

Dès la seconde heure, je m'abandonnai avec autant de liberté qu'en Sorbonne : mon auditoire évidemment m'y portait. A propos du héros de roman, dont j'affirmai qu'on ne doit jamais le construire à coups d'idéologie, lorsque je citai certain défaut d'André Gide afin de mieux affirmer que cet écrivain savait dompter la ladrerie au profit des antifascistes, je perçus comme un frémissement, et, chez certains, ce que je crus une inquiétude : on fut si peu horrifié qu'on applaudit à l'ordinaire et qu'on me demanda si j'acceptais qu'on radiodiffusât mes deux dernières leçons. Les étudiants qui me happaient dans les couloirs m'interrogeaient avec gourmandise. Sur André Stil? Mais non! Sur Albert Camus, Jean-Paul Sartre et Mlle Sagan. Un « aspirant » — disons un licencié qui continue ses études — connaissait à fond Nathalie Sarraute, Butor et Robbe-Grillet : il m'en parla pertinemment. Au cours d'une conversation avec une vingtaine de collègues, je leur citai pêle-mêle des écrivains que j'estime, et dont j'avais lieu de penser qu'ils les connaissaient mal : René Daumal et Raymond Guérin, Yassu Gauclère et Calet, Michel Leiris et Lévi-Strauss. Ils notèrent avec soin les titres que je suggérais. Je me demandais pourquoi.

Or, le lendemain, comme je visitais la bibliothèque des langues étrangères, je pris une heure au moins pour en parcourir le fichier, et je compris le zèle de mes auditeurs : Sartre et Camus étaient très bien représentés, mais aussi Daumal et Calet, Raymond Guérin (y compris *Quand vient la fin* et même *L'Apprenti*), Yassu Gauclère (notamment *Sauve qui peut!* que chez nous la critique étouffa ingénieusement). Tout Sagan, je l'aurais parié, mais aussi, qui l'eût cru? les meilleurs Aragon de la période surréaliste, les *Œuvres complètes* d'André Gide et celles de Claudel, Maurras et Joseph de Maistre en vrac, Pascal à gogo, Crébillon père et fils, *L'Elève Gilles*, parfaitement, douze volumes de Jouhandeau, les *Carnets* de Montherlant, les *Essais* de René Guénon, les cours que M. Dédéyan professe à la Sorbonne; jusqu'au *Shakespeare et Claudel* de Jean-Claude

Berton, ce parfait diplôme d'un de mes étudiants, qui venait
de sortir chez Plon; jusqu'au dernier bouquin de Bardèche!
J'en discours, croyez-moi, de façon désintéressée, car aucun de
mes livres n'a l'honneur du catalogue. A l'Enfer, qui sait?
où les savants ont accès. N'étais-je pas à l'Enfer de ce Pontigny
où l'on me demanda pourtant de diriger une décade? Ne suis-je
pas condamné à l'Enfer de Montpellier, cette ville où j'enseignais?

Naturellement, si j'avais prétendu soutenir, dans la section
de philosophie, que l'humanisme selon Montaigne et Diderot
me paraît préférable au marxisme-léninisme, ou y attaquer de
front *Matérialisme et empirio-criticisme*, on m'aurait renvoyé
à ma chère Sorbonne. Sous prétexte que chez lui l'avortement
chirurgical est de nouveau permis, si un professeur soviétique
d'échange venait vitupérer nos lois en cette matière, qu'advien-
drait-il? Je ne prétends nullement que l'Union soviétique soit
d'un coup devenue le paradis des libéraux : touchant le matérialisme de Diderot, si j'ai pu exposer une thèse qui contredit
celle des marxistes, elle passa d'autant mieux que j'essayais
de prouver que Diderot fut matérialiste dès les *Pensées philosophiques*. Simplement ceci : parce que je me rappelle que
Pod Znamenem Marxisma condamnait voilà vingt-cinq ans la
physique des quanta, et que je constate les résultats obtenus
aujourd'hui par les physiciens russes, force m'est de conclure
que les savants soviétiques, eux du moins, ont le droit de tout
savoir.

J'ajouterai qu'en effet, dans les divers instituts dont je visitai
les salles de travail, j'ai admiré, et plus d'une fois jalousé, le
rayon des périodiques : sa richesse, son éclectisme. Non, je
n'oublie pas que j'ai fréquenté des milieux ou des individus
que leur inclination ou leur spécialité avaient ouverts à l'humanisme et aux valeurs de l'Occident; mais ceux-là n'étaient pas
mes collègues qui viennent de décider qu'on va réimprimer
les œuvres de Babel, les poèmes de Mandelstam : deux juifs,

deux hétérodoxes, deux victimes de Staline. Pour satisfaire nos
belles âmes, dois-je mentir et nier que l'Institut Maïakovski
publie désormais toutes sortes de documents qu'on tenait jadis
sous clé, ne serait-ce que certain mémoire du poète à Léon
Trotski (on ne révélera pas encore, me dit-on, l'identité du
dangereux destinataire). Vais-je vous cacher qu'à ces postes en
vue j'ai vu des hommes qui rentraient soit de l'émigration,
soit de la Sibérie? Et tous ces gens occupés à recoller tous les
articles, toutes les photos dont les scribes et les sbires de l'époque stalinienne purgeaient pieusement la presse révolutionnaire, voulez-vous que je les assassine pour qu'il ne soit pas dit
qu'ils font leur beau métier?

Que je me sente plus à l'aise chez moi, infiniment, que chez
lui l'écrivain ou le philosophe soviétique, c'est évident. Que les
écrivains et les universitaires soviétiques se sentent plus à l'aise
chez eux, sensiblement, qu'ils ne l'étaient sous Staline, cela
aussi m'est évident.

De même pour les artistes. En 1957, la rétrospective accordée
au peintre Deineka me semblait de bon augure. Les centaines
de tableaux qu'on exposait à Moscou en octobre 1958 ont
réalisé le présage. A votre idée, que peignent les Soviétiques :
des oudarniks, des généraux, Rouchiov, des brigades de choc
allant voter avec aux lèvres un sourire aussi niais que celui
de la publicité pour le coca-cola ou les Philip Morris? Vous
avez perdu. Des bouquets, des intérieurs, des portraits, des
civils, des paysages, des nus, voilà désormais le cher souci du
peintre russe. Il peint de vrais nus; je ne dis pas de beaux
nus. Pas encore. Nous en sommes toutefois à montrer quelques
œuvres où transparaît la connaissance du cubisme. Sur le livre
d'or de ces expositions, quel dialogue passionné : « C'est une
honte! Ces gens-là nous ramènent plus d'un siècle en
arrière. — Bravo à ces artistes qui nous préparent un avenir!
— Otez-nous ces ordures petites-bourgeoises réactionnaires!
— Réactionnaire toi-même! », etc., etc. On prend ses précau-

tions, voilà tout : pour faire passer une toile, quelques danseuses espagnoles dont après trois mois les rouges me restent
présents, mais dont il se peut que tous les boutons ne fussent
point dessinés au compas comme l'exige le public populaire, le
peintre a qualifié d'*esquisse* son audace. Il semble que le Parti
encourage cette tendance : tel aujourd'hui siège à l'Académie
dont Jdanov mit l'œuvre au pilon; tel oriente avec discrétion
la critique d'art vers ce qu'elle est, et ce, dans la grande presse
du Parti, et ce, avec l'appui non moins discret de ceux dont
la fonction naguère eût été de l'opprimer; tel publie un
Matisse pour une collection bon marché.

Au musée, la qualité des conservateurs, la sûreté du goût des
personnes auxquelles on me confia pouvaient-elles m'échapper?
Le temps est loin où l'interprète de 1934 m'expliquait les ors
des icônes par l'oppression que nobles et curés faisaient peser
sur les masses. Qu'il s'agît des portraits du Fayoum, des
paysages flamands, des statuettes égyptiennes ou des peintres
impressionnistes, infailliblement on me signalait la pièce la
plus belle; d'un geste, d'un sourire, on me dispensait de m'égarer vers une œuvre en effet médiocre ou complaisante. Devant
ces jeunes esprits avec lesquels je me sentais en parfaite
communion, vais-je m'obstiner à chiquer mes anciennes nau-
sées? Et tenez-vous pour rien cette exposition d'art abstrait
qui se tint à Moscou en décembre 58? Tant s'en faut que je
me pâme devant tous les barbouilleurs sans talent qui s'en
tirent en se réclamant d'un art prétendument *abstrait* (celui
que Kandinsky préférait appeler *concret*); mais croyez-vous
que Staline et son ami Jdanov auraient permis cette infamie :
une exposition d'art *abstrait*?

Au théâtre des Marionnettes comme à celui de la Satire, la
mise en scène me confirma l'impression de renouveau que me
donnaient les galeries d'art. Un peu tard sans doute, Meyerhold
revit en esprit dans la présentation des pièces de Maïakovski.

De *L'Aurore* à *L'Humanité*, la presse parisienne écrase à cœur
joie *La Punaise*. J'ignore ce que vaut l'interprétation française,
mais après avoir admiré à Moscou les *Mystères-bouffes*, *La
Punaise* et *Le Bain*, je me refuse à mettre ceux qui favorisent
des spectacles pareils dans le même bain que les punaises de
la sacristie stalinienne. Non pas que m'ait satisfait l'explication officielle de *La Punaise*. On m'assure que plusieurs textes,
qui ne souffrent point la réplique, démontrent que le poète
condamne Pryssipkine et n'aspire qu'à l'humanité désincarnée
des dernières scènes. Quoi, ces mannequins aseptiques et abstinents, ces échappés du cauchemar climatisé, ce seraient là les
hommes vrais! « Mieux vaut crever de vodka que d'ennui »,
écrivit Maïakovski. Qui croire? l'auteur du poème d'où
j'extrais cette phrase, ou celui que nous peignent les glossa-
teurs de *La Punaise*? Quel que soit le sens qu'on donne à cette
pièce, reste qu'on la joue aujourd'hui à Moscou, en même
temps que deux autres du même auteur, qui furent interdites
sous le régime stalinien. Alors?

J'ajouterai que les citoyens soviétiques m'ont paru divisés en
trois classes d'âge : pour avoir connu le lyrisme révolutionnaire,
l'espoir fou, les caricatures de Vladimir Lebedef, les temps
heureux où Maïakovski troussait les *Mystères-bouffes*, la génération qui naquit au début du siècle a conservé la nostalgie
du beau et celle des libertés qu'annonçait la Révolution : après
m'avoir montré la statue de Tchaïkovski, chef-d'œuvre, dirait-
on, de l'art officiel sous la troisième République française, tel
de mes collègues me conduisit devant le bloc si sobre, si pur,
érigé pour Timiriarev, le savant naturaliste. Il guettait mes
réactions. Nous fûmes contents l'un de l'autre. Ceux-là aussi
m'ont paru disponibles, curieux du beau et frémissants de
liberté, qui entrèrent à l'Université depuis la mort de Staline.
Entre les deux, la troisième classe, les victimes, ceux que
modela l'ignorantisme stalinien. Avec ceux-ci, l'accord est
souvent plus malaisé. Souvent; non pas toujours.

Au moment où nous venons de signer avec l'Union soviétique de nouveaux accords culturels grâce à quoi nos ouvrages techniques et notre littérature, pour la première fois depuis la Révolution, seront exposés à Moscou en vente libre, nous aurions mauvaise grâce à nous faire les complices des bien-pensants et des soi-disant communistes français, tous également intéressés à nous faire croire que Staline, s'il revenait, féliciterait son successeur. Pour moi, je n'en doute pas, il lui ferait donner une jolie balle dans la nuque. Parce que, vingt années durant, j'ai combattu le stalinisme, parce que je continuerai à en condamner l'esprit et les vestiges, je me crois fondé à vous annoncer la bonne nouvelle et que, malgré tout, malgré le battage organisé autour de « l'affaire Pasternak », le dégel là-bas continue. La cellule Sorbonne-Lettres exceptée, et quelques autres dissidents, le parti de Maurice Thorez n'est qu'un « parti anti-parti », pour parler selon Rouchiov. Il déteste et réprouve tout ce qui se passe à Moscou; il estime que Rouchiov « manque de vigilance ». Sinon ceux qui furent toujours des antistaliniens, et le resteront à jamais, qui donc dira la vérité?

L'Observateur, *5 février 1959.*

RETOUR DE HONGRIE

1962

Budapest reconquiert ses libertés

Arrivant naguère à Budapest, un jeune Français qui savait du hongrois admira qu'on fût là-bas assez libéral pour laisser un des grands cafés de la ville célébrer André Marty bien après son exclusion du parti communiste français : *Marty le Rouge,* en hongrois *Vörösmarty.* Le visiteur ignorait Vörösmarty Mihaly, le Hugo des Magyars. Le « Vörösmarty » ne commémore donc point le mutin de la mer Noire, mais l'auteur du *Vieux Tzigane.* Ne m'étonnais-je pas qu'une grande rue de Buda divulguât une illustre eau minérale, dont la réputation, dans mon enfance, avait gagné la Mayenne? Une vieille sorcière en vantait les vertus aux jeunes femmes : « *Pour rester fraîche et belle, ma petite, faites comme moi : buvez de l'eau de Janos!* » Par suite de quoi, je connus à la maison les bouteilles d'*Hunyadi Janos.* L'autre jour seulement, grâce à ma surprise dans cette rue, je pus superposer au nom de cet élixir de jouvence le nom du héros de la lutte contre les Turcs : Hunyadi Janos, voïvode de Transylvanie, puis régent de Hongrie, qu'un honnête marchand avait mis en bouteilles.

Si vous revenez de Hongrie, soyez prudent : ne me dites surtout pas que la tyrannie communiste y contraint le citoyen à rentrer le soir avant onze heures, sous peine de payer un forint au concierge, ou à charge de vivre en hôtel particulier : il s'agit d'un vestige des mœurs autrichiennes!

Prière de ne pas confondre Marty-le-rouge avec Vörösmarty.

Mais Imre Nagy? J'ai posé la question, que je savais indiscrète. « *L'influence de la Chine n'a pas été pour rien dans cette exécution.* » Que l'argument soit ingénieux, ou fondé en histoire, il prouve que je ne suis pas seul à souffrir à jamais de cette pendaison : il laisse enfin espérer qu'après Rajk, Imre Nagy aura son jour. Avez-vous remarqué, l'autre semaine, dans *Les Lettres françaises,* un placard annonçant l'*Histoire de la Révolution russe,* par Léon Trotski, et qui présentait cet ouvrage comme le chef-d'œuvre (qui sait?) de la littérature révolutionnaire?

Les Hongrois ont le sentiment que, politique étrangère exceptée — le gouvernement de M. Kadar reste fidèle au Pacte de Varsovie —, on leur accorde graduellement ce pour quoi, en 1956, au début de la révolution, des étudiants, des ouvriers qui n'étaient pas fascistes, pleurèrent en écoutant retentir soudain, place Petöfi, l'hymne national hongrois, prohibé sous Rakosi. A croire que M. Kadar, qui participait avec Lukács au gouvernement Nagy, a reconnu que ceux du moins qui déclenchèrent la révolution ne voulaient que conquérir ces libertés faute desquelles le socialisme ne se distingue plus — sinon par sa structure économique (capitalisme d'Etat remplaçant un capitalisme tout court) — des régimes totalitaires de droite.

Parlons donc un peu des libertés reconquises. Les Hongrois ne sont pas encore libres d'assurer à tout étranger le couvert; ils peuvent déjà lui offrir le vivre, et ne s'en font pas faute; s'en font fête plutôt, et lui font fête avec une générosité du cœur et du portefeuille que j'ai trouvée un peu partout dans le monde, capitaliste ou socialiste, à l'exception, hélas! de la France, toujours aussi grippe-sous, crispée, crispante dans son quant-à-soi.

Je ne dirais pas sans mentir que les Hongrois voyagent à leur fantaisie; parce que je n'ignore point que cette liberté-là signifie, le cas échéant, celle de s'exiler; je la tiens pour essentielle : *ubi bene ibi patria,* pourquoi pas? Les Hongrois en savent quelque chose, que de longues migrations conduisirent jusqu'au Danube! Le passeport, en Hongrie, se dispense avec discrétion : tel ne le recevra jamais pour nulle part; tel, qui ne l'obtiendra pas pour un pays capitaliste affilié au Pacte de l'Atlantique, partira sans peine pour la Suisse; tel, à qui l'on chicanerait ces faveurs, parcourra les pays socialistes de son choix, ou de son goût.

A Paris, à Londres, nous connaissons tous des réfugiés de 1956 qui revoient enfin leurs parents. Les boursiers se font plus nombreux. Pour peu que vous invitiez chez vous un citoyen hongrois, vous rendrez son départ singulièrement plus facile car, outre la politique générale, l'économie, les finances commandent ces restrictions : pauvre en devises, la Hongrie a une balance commerciale déficitaire avec la France, et de beaucoup : pays agricole, ne vient-elle pas de nous acheter 300 000 tonnes de blé?

La liberté de conscience? Celle des cultes? J'ai visité la synagogue de Szeged. Conçue pour une communauté de cinq ou six mille juifs pieux, elle offre deux mille places au moins, et n'est jamais pleine, tant s'en faut : deux ou trois cents fidèles. Avant de juger, n'oubliez pas que les crématoires nazis ont réduit des neuf dixièmes la juiverie de Szeged. Un dimanche matin, non loin de là, j'observai quelques paysans qui se rendaient à la messe, un peu gourmés dans leurs habits noirs et stricts. J'ai cru comprendre qu'on évite, au village, de marquer trop de zèle, car chacun y connaît tout le monde.

Il en irait de même dans les grandes villes où les fonctionnaires, les étudiants qui croient en Jésus-Dieu se croient tenus de ne pas trop décevoir la trinité dialectique. A Estergom, en revanche, où j'arrivai un jeudi soir, afin de visiter le trésor de l'église (gigantesque bâtisse dont les volumes, plutôt que le divin, exaltent le temporel), les curés nous renvoyèrent poliment à une heure de là, à cause d'un salut : plusieurs centaines de personnes y assistaient. Dans l'ensemble, j'ai vu moins de monde ici dans les églises qu'en Pologne : la foi serait-elle plus tiède, ou plus vigilant l'athéisme?

En tout cas, le régime actuel a renoncé aux bourrages de

crânes qu'on imposait sous Rakosi à tout intellectuel dépravé.
Si les rapports de l'Eglise et de l'Etat ne sont pas ici ce qu'ils
sont à Varsovie, d'où l'on délègue au Concile, entre plusieurs
prélats, le cardinal primat, ne serait-ce pas que le cardinal
Mindszenty, réfugié perpétuel à l'ambassade des Etats-Unis,
ne fait pas tout ce qu'il peut, dans ses prières, pour favoriser
l'apaisement? Gide, en mai 1949, l'avait bien jugé, qui disait
à Martin du Gard : « *Lisez les sermons, les lettres pastorales
du pauvre cardinal! C'est d'une platitude, d'une puérilité, d'une
indigence de pensée in-dé-pas-sa-bles.* »

Depuis lors, il n'a rien appris, le pauvre Mindszenty, ni rien
compris; peu lui importe le destin présent de celles de ses
ouailles qui, fidèles en ceci du moins à l'esprit de charité
qu'elles apprécient l'effort du socialisme pour nourrir, vêtir les
pauvres, se rallient à la politique de M. Kadar. Midszenty ne
sert que les desseins des intégristes, de ceux qui, par amour,
haïssent tout ce qui se fait en Hongrie, y compris la dissolution
de la franc-maçonnerie! (L'Eglise devrait pourtant approuver
une réforme au moins, celle qui, d'une ville de stupre, paradis
des putains, fit un purgatoire puritain. Je me suis laissé conter
que les chauffeuses de taxi faisaient jadis le tapin : au lieu du
trottoir, on leur a donné la chaussée. N'essayez pas de les
ramener à leur ancienne profession. Le socialisme ne badine
pas avec l'amour vénal.)

Bref, depuis 1956, de l'avis et de l'aveu général, les Hongrois
recouvrent peu à peu, un peu trop lentement au gré de plusieurs, une part non négligeable des libertés publiques et
privées pour lesquelles ils ont dit non à la tyrannie stalinienne.
Les Hongrois envient néanmoins leurs amis polonais à qui bien
des fantaisies sont permises qu'on se borne ici à souhaiter
quand on se morfond dans le pessimisme, à espérer quand on
penche pour l'optimisme. Après la Pologne, la Hongrie est
pourtant la plus libérale des démocraties populaires.

Les Polonais, eux, se voudraient aussi prospères que les Hongrois, qu'ils aiment et admirent. Depuis que, renonçant à la folie des grandeurs, le gouvernement Kadar accepte modestement de tirer du sol hongrois ce qu'il donne, ou prodigue, le niveau de vie monte doucement, régulièrement, et chacun s'en félicite, félicite les gouvernants.

A 20 centimes le forint (sans parler des 15 centimes que le paient les touristes), les salaires nous semblent bas : de 900 à 1 200 forints par mois pour l'employé; de 1 200 à 2 000 pour un professeur de lycée; de 1 600 à 1 800 pour un ouvrier spécialisé; 4 000 ou 4 500 pour un professeur de faculté, et 10 000 environ pour un membre de l'Académie des sciences. Mais le tram coûte 1/2 forint, l'autobus 1 forint (1,50 avec changement) et l'étudiant, pour 2,70 forints par semaine, dispose d'une carte qui lui assure deux longs voyages quotidiens.

Malgré la crise, le logement est devenu bon marché : de 100 à 180 forints par mois pour deux pièces (si vous logez en meublé, vous paierez jusqu'au triple, de sorte que les étudiants loueront à plusieurs une chambre meublée).

L'agriculture assure aux Hongrois, savants cuisiniers et gourmets, une table saine et variée. J'ai mangé dans les endroits chers, et dans plusieurs bistrots fréquentés par les gens modestes. Pour 35 forints, sans vin, vous pouvez savourer un bon plat dans un palace, où le repas complet, bien arrosé, en coûterait peut-être 100; mais, à 15 ou 17 forints, j'ai mangé mieux que décemment. Comme la plupart des travailleurs déjeunent à la cantine (6 ou 7 forints) et qu'on dîne ici légèrement, comme au Mexique, d'un café avec un sandouiche ou quelque pâtisserie, l'alimentation grève moins lourdement que chez nous le budget des travailleurs : les pommes de terre se paient, selon la qualité, de 1,50 à 5 forints le quilot; les fruits du pays, de 4 (pommes) à 6 forints (raisin).

Pour le scandale des marchands yanquis de cigarettes, des betteraviers de France et de Navarre, le gouvernement Kadar vient d'augmenter le prix de l'alcool et du tabac : le verre de bière passe de 1,70 à 2,50 et les 25 *Terv* de 3,50 à 4 forints.

Moyennant quoi, le chocolat baissa de 20 à 12 forints les 100 grammes, les agrumes de 40 à 19 forints, le café de 400 à 200 forints le quilot (on ne s'en aperçoit guère à l'*expresso*; à la maison, ça se sent).

Ainsi que dans les autres pays socialistes, le vêtement coûte cher relativement aux salaires : 250, 300 forints pour un sac à main; de 400 à 2 000 pour une robe, un manteau; un complet veston varie de 1 200 à 1 500 forints en tissu hongrois et atteint 2 000 en lainages importés.

Quand vous saurez que la moyenne des ménages ouvriers gagne de 2 300 à 2 500 forints par mois, que dès 4 000 forints une famille se sent aisée, peut s'offrir une femme de ménage, vous pourrez évaluer le niveau de vie à Budapest. Des pauvres, j'en ai vu, quelques clochards, et même deux mendiants, auxquels on donne l'aumône, en plein pont de la Liberté, à quelques pas des agents de police.

J'ai vu des riches. Songez qu'un entraîneur, dans une équipe de ballon rond, se fait 5 ou 6 000 forints par mois. Un artisan, 10 000 sans peine (autant que les académiciens); un dentiste, jusqu'à 30 000. Pour ceux-là, le réfrigérateur n'est plus un luxe, qui vient de passer de 6 000 à 4 000 forints; la voiture est accessible, qui varie de 36 000 à 60 000 forints; ceux-là peuvent acheter sans effort un appartement de deux pièces : 160 000 forints dans une grande ville, dont 16 000 comptant, le reste en mensualités de 250 forints (ce qui correspond au système et au tarif en vigueur dans les pays socialistes que je connais). Ceux-là pourront aller danser à la brasserie du Gellert, et même se tortiller (touiste et samba) au bar du même hôtel : couvert 35 forints; coquetèles, de 19,40 à 48,80; champagne hongrois depuis 121, soviétique à 185,70, pommery à 707,95 (presque le salaire d'un employé qui débute!). Sachez enfin que, pour peu qu'il entre 4 000 forints par mois à la maison, vous êtes classé parmi les riches, lesquels, s'ils envoient à la faculté un fils unique, paieront par an 2 000 forints d'inscription.

Cela ne signifie pas que la « morale socialiste » (au fait, qui

nous la proposera, cette morale enfin dégagée du judéo-christia-
nisme?), cela, dis-je, ne signifie pas que la morale socialiste
ait purifié les cœurs, tendu les volontés. Comme partout en
pays socialiste, on déplore le coulage; on vole aussi ingénument
l'Etat polonais ou hongrois que le percepteur et les ministères
du monde capitaliste. S'il est vrai qu'un chauffeur de taxi a
voulu m'escroquer le double du tarif, c'est bien le seul de tous
ceux que je pris, entre deux autobus, deux métros ou deux trams
(bondés, ceux-ci, aux heures de pointe); tous les autres furent
irréprochables à l'égard d'un barbare qui, après huit jours,
savait tout juste soixante mots de hongrois, et jamais ceux qu'il
fallait.

Je n'ignore pas non plus que si, à l'*expresso*, on veut boire un
bon café, il convient de présenter au percolateur un *ticket dur*,
c'est-à-dire soutenu par la pièce d'un forint, le reçu payé à la
caisse de l'établissement; mais, quoi! c'est le pourboire grâce
auquel, dans mes bistrots familiers, je me garantis à Paris un
express bien tassé. Certes, si dans un grand hôtel vous laissez
200 forints au portier, pour qu'il les répartisse équitablement
(ce qu'on m'avait conseillé), vous découvrirez qu'on a oublié
la femme de chambre, le garçon d'étage, celui de l'ascenseur,
et que le service, pour un portier, ne comprend que les
employés de la conciergerie. Il y a beau temps que je ne
compte plus sur le socialisme pour faire en morale *beaucoup*
mieux que le confucianisme, le bouddhisme, le christianisme,
l'Islam et l'antoinisme, qui n'ont pas fait grand-chose de bon :
les hommes ne furent pas et jamais ne seront des saints.

Une distribution plus équitable des richesses, la chance
offerte à tous de se cultiver, selon ses dons et ses goûts, la
justice unie à la liberté, notre vieux rêve libertaire, quarante-
huitard, est-il dès maintenant incarné en Hongrie? Tout ce que
j'attendais, après l'horreur des années 1948-1956, c'était un
peu plus de justice, un peu plus de liberté. Cela, je l'ai trouvé,
et je tiens à le dire, moi qui redoutais en M. Kadar, il n'y a
guère, un nouveau Rakosi. Je me suis trompé : tant pis pour
moi, tant mieux pour les Hongrois.

Ou bien doutez du témoignage d'un des hommes que j'aime et admire, grand lettré, traducteur de Gide, Camus, Claudel, Marguerite Duras, etc., juif de naissance, catholique par conversion, socialiste par bonnes raisons : « *Aucun doute*, me disait-il, *tout va mieux, beaucoup mieux depuis 1956; voyez nos halles, nos magasins, nos femmes élégantes, lisez le sommaire de* Nagyvilag; *allez au théâtre, à l'Opéra. Vous comprendrez pourquoi le peuple s'est réconcilié autour de M. Kadar.* »

Dans les hôtels et restaurants de Hongrie, les serveuses portent des bottillons, blancs le plus souvent, solidement lacés pour maintenir la cheville, cependant qu'un trou, découpé à l'avant, libère le gros orteil. Ça n'est pas joli-joli; ça ressemble à des chaussures orthopédiques; ça épargne aux travailleuses, ou du moins ça diminue, la fatigue des longues stations. Ce bottillon m'a paru symboliser une politique, une façon de s'intéresser au bien-être du peuple. Mais cet intellectuel n'avait pas tort, qui me disait : « *A ceci, je reconnais le progrès de nos libertés, qu'on joue beaucoup moins aux échecs, ce jeu d'esclaves, où le pion, ce prolétaire, se revanche puisqu'il peut faire échec au roi; outre que les échecs vous occupent assez pour vous faire oublier le tyran. Sous Rakosi, on y jouait tout le temps. Maintenant, beaucoup moins. Si je m'y adonne encore, c'est qu'il s'agit là d'un beau, d'un grand jeu, qu'on peut aimer lors même qu'on a recouvré une bonne part des libertés sans lesquelles à quoi bon vivre!* »

France-Observateur, *22 novembre 1962.*

Depuis 1959 et les 200 000 exemplaires aussitôt vendus que publiés de *A nök védelmében* (*Pour la protection des femmes*), les Hongrois disposent d'une liberté au moins que, plus sages, nous leur envierions : celle de mener sans hypocrisie leur vie charnelle, mais non sans quelques habiletés qui secondent la nature.

Après un exposé, illustré, sur l'anatomie et la physiologie de l'homme et de la femme, le Dr Hirschler traite de l'art d'aimer avec une précision discrète et suggère les fantaisies qui peuvent, qui doivent enrichir le déduit. O paysans mainiaux de mon enfance, vous qui connaissiez votre épouse à travers une chemise percée par-devant, que diriez-vous d'apprendre qu'on invite les Hongroises à participer activement aux fêtes de la chair? Ovide et Petöfi justifient ces audaces, cependant que le *Kama soutra* cautionne les figures du ballet intime.

J'y ai même vu de quoi guérir les Hongroises de ce que certaines féministes, en retard de quelques millénaires sur la technique, considèrent comme la position soumise, et donc humiliée, de la femme. L'éducation sexuelle est ici considérée comme l'apprentissage du musicien qui doit savoir tirer de son violon ou de sa flûte les plus beaux sons. Le Dr Hirschler étudie ensuite le détail de la vie charnelle, sans négliger les aphrodisiaques (qu'il condamne) et les prétendues anormalités (qu'il

préfère qualifier de « pratiques moins répandues ») ; rien ne
lui est suspect : ni les adjuvants du plaisir lent ou malaisé
(« tout est bon qui favorise la volupté, car tout vaut mieux
que l'absence de volupté »), ni le rôle souvent contrariant des
souvenirs infantiles. Comble d'impudence, il traite de l'ona-
nisme et de l'homosexualité avec l'indulgence qui convient au
savant!

Assez dépravé pour supposer qu'outre les couchailleries, qui
occupent une si belle part de notre littérature, il existe des
amants doués pour le bonheur, et même des époux désireux
de s'aimer, cet individu leur enseigne à procréer dans la joie :
quand ils le veulent. Sévère autant qu'il convient pour les misérables ruses à quoi nos mœurs condamnent la plupart des
couples (*coïtus reservatus, interruptus*), il recommande l'usage
combiné du pessaire occlusif et des gelées. Ce qui, étant donné
la qualité des dessins qui éclairent ces propos, lui vaudrait,
chez nous, beaucoup d'ennuis.

Quelques fanatiques m'ont exprimé le dégoût que leur
commande *A nök védelmében*, et quelques jeunes gens acquis
au socialisme ont devant moi regretté que l'ouvrage de
Hirschler ait favorisé une excessive liberté. Ainsi sommes-nous
constitués que nous brimons toujours notre bonheur charnel,
soit par la contre-nature de notre morale officielle, soit par les
débauches tristes. Mais j'ai vu des Hongrois, des Hongroises,
qui doivent à ce livre-là d'aimer l'amour.

En ceci encore, nous pouvons envier les Hongrois : le russe
n'a pas contaminé leur langue aussi gravement que l'anglo-
américain fait la nôtre. L'originalité sémantique du hongrois,
sa structure agglutinante lui ont sans doute permis de résister
à l'influence slave; obligatoire pour tous les élèves des écoles
secondaires, que le russe n'épate point là-bas les demi-lettrés
comme le fait chez nous l'anglais, je le crois volontiers; que la
publicité, l'esprit de lucre n'aient plus là-bas le droit de
corrompre la langue maternelle, c'est certain. Non moins certain, que les Hongrois aiment leur langue et la respectent, eux.
Si *kukorica* (maïs), d'après le russe *koukourouza*, a déplacé le

terme original *tengeri* (mot à mot : *qui vient de la mer*), du moins *kukorica* est-il assimilé à la phonétique, à l'orthographe du hongrois; et nul n'imputerait au communisme le nom russe du site sacré : Visegrád (prononcez *Vichégrade* qui révèle un *Vouichegrad*, en russe *la ville haute, l'acropole* du roi Mathias).

Or, si l'on admet que la condition première de toutes les libertés publiques, pour un peuple, c'est l'autonomie langagière, comment contester que les Hongrois sont, à cet égard, plus indépendants des Russes que nous autres des Yanquis?

Admettons que la lecture soit en Hongrie une activité compensatoire : faute de posséder sa voiture et d'en être possédé, le Hongrois lit plus et mieux que nous; c'est donc que la bagnole devient chez nous un principe de barbarie — et non pas seulement morale.

Que le public se méfie encore de ce qui se publie avec la bénédiction des autorités ou, qu'à juste titre, il estime que la moyenne de ce qu'on lui propose ne vaut pas Cervantès, Diderot et Lou Siun, le fait est qu'il se rue sur les classiques, les siens, ceux des autres littératures. Outre sept ou huit pièces contemporaines — deux de Nemeth, une de Pogodine, une de Salacrou — le programme des théâtres comportait durant mon séjour une œuvre de Vörösmarty, *Œdipe roi, Hamlet, Alls's well that ends well, Pygmalion, L'Oiseau bleu, Le Revizor, La Résistible Ascension d'Arturo Ui, Crime et Châtiment* dans la mise en scène de Baty, *Les Trois Mousquetaires* dans celle de Planchon, un Lorca, *Turcaret* (que, par respect pour nos banquiers, nous jouons aussi rarement que possible, nous); Arthur Miller que j'oubliais, et un Tennessee Williams que j'eusse aimé qu'on oubliât.

Un coup d'œil aux index de *Nagyvilag* (*Le Vaste Monde*) confirmera cette impression : Akutagawa et Arland, Fargue et Robbe-Grillet, Brecht et Guilloux, Dhôtel et Dürrenmatt, Ionesco et Dreiser, Goytisolo et Mauriac, Ramuz et Nerval, Saroyan et Henri Thomas, Cholokhov et Beckett, Alberti et

Bashô, Cocteau et Neruda, Supervielle et T. S. Eliot, Evtouchenko et Gongora, Quasimodo et Schehadé, voilà quelques-
uns des écrivains, des poètes que par dizaines chaque année
divulguent M. Kardos et ses collaborateurs. Damaso Alonso y
voisine avec Miguel Hernandez, Sartre et Reverdy.

La qualité des traductions encourage fort les lecteurs :
Aucassin et Nicolette dans la langue de Tóth, Proust dans celle
de Gyergyai, Rimbaud interprété par Illyés, Babits, Tóth,
Radnóti (pour ne citer que quelques noms), Supervielle magya-
risé par Rabá ou Madacsy, ce sont régals dont l'équivalent nous
est chichement mesuré. Outre que les Hongrois savent les langues étrangères, les traducteurs sont assez bien rémunérés
désormais pour accepter de soigner leur travail : 5 forints par
vers jusqu'à 3 000 exemplaires, 7 jusqu'à 5 000, 10 jusqu'à
10 000; après quoi, tarif dégressif, pour éviter la naissance
d'une faction de traducteurs enrichis. La gourmandise est telle
qu'on peut servir au public du japonais, ou du yanqui, du
suédois ou du français.

M. Tökei, dont nous lirons l'an prochain, en français, un
important essai sur le poète K' iu Yuan [1], prépare un *Corpus*
des philosophes chinois en trois tomes, dont le premier vient
de paraître; sous la direction de M. Ligeti, le mongolisant,
et avec la collaboration de deux jeunes sinologues dont l'un
passa huit ans à Pékin, l'autre cinq, on a traduit Lou Siun,
Kouo Mo-jo, Mao Tsö-tong, Pa Kin, mais aussi le *Li Sao*, des
poèmes T'ang et Song, un abrégé du *Pavillon Rouge* d'après
Kuhn, etc.

Les classiques français n'ont pas moins de succès. Au cours
d'une visite à la maison Európa, je me suis patriotiquement
soucié des écrivains de ma langue : Balzac, Balzac et Balzac,
vous l'auriez parié; mais Stendhal et Stendhal et Stendhal,
c'est moins attendu. Diderot, Zola sont à l'honneur. Je ne m'en
plaindrai pas. Parmi les contemporains, le choix vous semblera
sans doute plus contestable, encore que *L'Ile des Pingouins* y

---

1. *Naissance de l'élégie chinoise*, Gallimard.

fasse pendant à *Thérèse Desqueyroux* et Prévert (que les étudiants s'arrachent) aux nouvelles d'Arland, celles d'*A perdre
haleine* (dont je ne sache pas qu'elles suintent l'optimisme).
Je fus agréablement surpris de découvrir en hongrois la *Passion*
de Schlumberger. M. Lazar et sa collaboratrice Mme Gergely-
Somló m'ont annoncé pour 1963 Roblès, Lanoux, Clancier,
Vailland, Courtade, Cendrars, Monique Lange, Adamov, Aragon, ainsi qu'une *Anthologie de la poésie française des origines
à Paul Eluard.*

Ajoutez que le livre est toujours bien présenté; que, parfois,
il est beau. Créée en 1957 par quelques bibliophiles, la maison
Helicon fut nationalisée en 1958, mais continue dans le même
heureux esprit. Enrichi de parfaits bois en couleurs, son *Aucassin et Nicolette,* dans la version de Tóth, m'a fait envie :
comme le *Cantique des cantiques* décapé de sa bondieuserie.
Le Roman inachevé, avec des bois de Hinaz, *Nana,* illustré par
Vertès, Balzac par Daumier ou Gavarni, Rolland par Masereel,
cinquante volumes tirés sur la presse à main, tous de très bonne
qualité.

En quelques jours, Helicon vendit les 5 000 exemplaires du
Gilgamesh, à 45 ou 75 forints selon l'habillage, ce qui est
donné. A 900 forints, les dix volumes du Balzac de la Pléiade
ont déjà plus de souscripteurs (12 000) que le tirage prévu
pour le tome premier (10 000). D'autres collections atteignent
des tirages beaucoup plus élevés : *Les Thibault,* à 50 000,
d'emblée, par exemple. En 1962, les éditions Magvetö ont vendu
35 000 exemplaires de *Gondolatok Könyve,* anthologie des
moralistes français, due à Georges Gábor : de Montaigne à
Léautaud, rien n'y manque, pas même Joubert. On a débité
150 000 *Rouge et Noir* et 500 000 Stendhal en tout.

Non pas que tout soit permis : le pays où l'on publie l'essai
du Dʳ Hirschler ne traite pas les écrivains avec autant de libéralisme. Suspect jadis et naguère, Proust aujourd'hui reparaît,
les premiers volumes du moins. On ne traduira pas tout. La

truculence, passe encore! *Les Contes drolatiques* illustrés par
Dubout. Soit. En face de la faculté des Lettres, j'ai même relu-
qué, avec étonnement *Kapriolen der Liebe : 33 nicht ganz
sittsame Geschichte*. Mais les amours de Charlus scandalise-
raient.

Les philosophes, en pays socialiste, sont moins libres encore,
beaucoup moins que les écrivains. Tout leur est plus difficile
(encore que les Polonais viennent de publier un des leurs,
existentialistes) : Lukács, par exemple, suspect tantôt d'exis-
tentialisme, tantôt de dogmatisme, tantôt de comparatisme,
c'est-à-dire de cosmopolitisme. « Notre plus grand homme »,
disait pourtant un jeune homme, acquis au régime actuel. Je
rencontrai Lukács à l'Académie des sciences, dont il reste
membre (après 56, on le raya du Præsidium). Nous parlâmes
de Balzac le critique : à tort, il nous reprochait de l'avoir
négligé (faute de francs, nos livres sont rares à Budapest, plus
rares dans les autres villes). On lui reproche également de se
former du réalisme une idée rigoriste, mais son *Esthétique* va
bientôt paraître en Allemagne de l'Ouest, puis en Hongrie. On
parla de lui au Congrès de littérature comparée; mais il n'y
prit point la parole; n'y assista même pas. Tel autre philosophe, M. Nador dont les travaux ont déplu ici, se voit publié
là, traduit en Union soviétique, à Berlin-Est [1], hors du monde
socialiste : nuances!

Je ne dirai pas non plus que tout soit facile aux poètes. Les
œuvres qu'on juge subjectives, ou pessimistes, paraissent en
tirages limités, mais se voient refuser l'accès aux revues qui
atteignent le grand public. Les peintres, eux, ne se hasardent
pas volontiers au tachisme, à l'abstrait, à l'informel : le musée
de Lodz est possible en Pologne, ici non.

Comme en Russie Répine, Tornyai reste le patron. Pour
moi, qui ne fais guère cas des fresques d'Aba Novak, récom-

1. Il s'est depuis lors réfugié en Allemagne de l'Ouest.

pensées en 1937 à notre Exposition internationale, j'ai vu avec
plaisir la rétrospective qu'on lui accordait enfin (plusieurs
toiles en particulier que lui inspira la Sicile, et qu'on montre,
quoiqu'il ne s'agisse nullement de photos en couleurs). Lorsque
je m'approchai des peintures que j'aimais le plus au musée
provincial de Hodmezövasarhely, celles de Kohan, je constatai
qu'elles étaient acquises par les musées nationaux.

Tout n'est pas encore possible, non; mais tout change lentement, et dans le sens que nous souhaitons depuis 1956. A l'Université, au cours d'une table ronde, les étudiants me posèrent,
deux heures durant, des questions qui prouvaient à la fois leur
curiosité et que la liberté de propos ne leur était plus contestée.
Encore que plus d'un fils de ci-devant préfère à la modeste
condition de professeur dans un lycée la dignité d'ouvrier spécialisé, ou le salaire plus alléchant de contremaître, il a recouvré cet été, sur le papier, le droit de faire des études : décision
qui met heureusement fin à une forme neuve du péché originel : la filiation bourgeoise ou « koulaque ».

Enfin, et peut-être surtout, c'est en Hongrie, à Budapest, que
se tint, du 26 au 29 octobre, le premier Congrès international
de littérature comparée organisé dans le monde socialiste
depuis la mort de Staline. Qu'une discipline suspecte de libéralisme, de « cosmopolitisme », voire de « formalisme », soit
désormais reconnue, encouragée, illustrement représentée à
Budapest par des savants dont certains avaient pâti sous le
jdanovisme, voilà déjà qui ravigote; que les Yougoslaves fussent
présents, non point les Albanais, c'était bon signe. Qu'une dis-
cussion, une vraie, se soit engagée entre Polonais et Russes,
entre Hongrois et Russes, entre Russes et Français, c'était du
nanan! L'Association véritablement internationale de *littérature comparée* devient désormais possible [1]. Qui l'eût imaginé
voilà six ans?

1. Elle existe désormais, grâce au Congrès de Budapest où j'assistai,
parlai franchement.

Ceux qui combattirent en 1956 contre la tyrannie de Rakosi et de ses sbires savent donc, et s'ils ne sont plus en Hongrie doivent savoir, que leur combat ne fut pas vain. Au gré de plusieurs, à Paris, à Londres et là-bas, la reconversion du pays se fait trop lentement, ou trop timidement. Les années passent, je le sais, et qu'il est dur d'attendre, et surtout en exil. Mais dans la mesure précisément où j'étais en 1956 avec ceux des insurgés qui n'en voulaient qu'à la tyrannie stalinienne et qui ne prétendaient pas restaurer celle du fascisme, je leur dis aujourd'hui que la Hongrie de M. Kadar ne ressemble pas, pas du tout, à celle des bourreaux dont le seul nom inspire une saine, une sainte horreur.

A propos : les plus fermes ennemis de la Hongrie actuelle ont-ils protesté, au nom des libertés et des principes, lorsque Babits et Benedek, pour ne citer que deux illustres victimes, furent condamnés sous Horthy au chômage, coupables d'avoir enseigné, l'un l'esthétique, l'autre la ʻlittérature, durant la Commune de 1919 ? Et quand Radnóti, que les nazis hongrois allaient assassiner comme juif, devait camoufler son patronyme en Radnoczi afin de suivre clandestinement les cours de l'université de Szeged, avec la complicité des professeurs libéraux, protestaient-ils, nos néo-libéraux ? En lisant là-bas une copie du futur poète, si lucidement, si généreusement notée et annotée par l'humaniste Koltay-Kastner, je n'y pensais point sans vergogne.

Alors, sans rien renier du respect que nous devons à ceux qui luttèrent pour un socialisme libéral, ne trahissons pas l'espoir de ceux qui, en Hongrie, attendent que nous reconnaissions les progrès qui s'y accomplissent. Inspirons-nous plutôt de l'histoire suivante, qui court les rues de Budapest : à l'occasion du Concile, Rouchiov est invité par Jean XXIII. On bavarde en amis. « *Tout bien pesé*, conclut Nikita Sergueiévitch, *nous pouvons, nous autres communistes, reconnaître que Dieu créa le monde. — Sans doute, mon fils*, réplique le Saint-Père, *mais avec l'aide du Parti communiste.* »

Histoire qui m'en remémore une autre que me contait un

ami polonais. Après son voyage autour de la Terre, Gagarine est convoqué chez Rouchiov : « *Eh bien! camarade cosmonaute, parlez-moi franchement : là-haut, avez-vous vu Dieu? — Oui, camarade Rouchiov, j'ai vu Dieu. — Je m'en doutais,* répond Rouchiov, *mais que cela reste entre nous.* » Un peu plus tard, le héros est invité à l'audience du patriarche de l'Eglise orthodoxe : « *Dites-moi, mon fils, sincèrement, et sous le sceau de la confidence, avez-vous vu Dieu, là-haut? — Franchement, non. — Je m'en doutais, mon fils, mais que cela reste entre nous.* »

Ne soyons pas moins iréniques.

France-Observateur, *29 novembre 1962.*

Bartok et le stalinisme

Durant les années qu'un euphémisme ingénieux consacre — rétrospectivement, hélas — au « culte de la personnalité », on ne cultivait guère la personnalité de Bartok dans le monde socialiste. Pour fière qu'elle fût de lui, la Hongrie devait se résigner à ne le célébrer qu'avec discernement, et non sans quelques gloses pieuses. Quand on tient pour saintes des lois qui exigent que la musique se situe à un « haut niveau idéologique », on comprend que le *3e Concerto pour piano*, par exemple, ne saurait guère inciter les Hongrois à révérer la politique intérieure de M. Rakosi. Et quand on prétend percevoir dans tel accord un souvenir de la technique de Prokofiev pour sa *Petite Suite scythe*, j'ai bien peur qu'il ne soit fortuit, ce concours, vu que le scythisme, forme rénovée du slavisme ou du panslavisme, n'avait aucun sujet de satisfaire les Hongrois. Non, je ne crois pas qu'on puisse entendre là une invitation à bénir la politique étrangère de Rakosi, entièrement soumise au bon plaisir de Staline. Je ne suis même pas certain que le *2e Concerto pour violon* puisse encourager les Hongrois de 1962 à encourager M. Kadar, ou condamner Imre Nagy. Ou bien dois-je admettre que le contraste entre la mélodie et la percussion dans *Pipeaux et Tambours* signifie quelque *dialectique musicale* et, par conséquent, hausse Bartok à ce « niveau idéologique » sublime à quoi prétendent s'exalter les compositeurs jdanoviens ?

Parmi les signes de déstalinisation que le voyageur objectif
peut déceler en Hongrie, six ans après l'automne 1956, il faut
donc noter le respect, l'admiration, dont Bartok redevient
l'objet. Souhaitons même que le « culte de la personnalité » ne
soit point rétabli au profit du musicien; plusieurs de ses véritables amis s'inquiètent déjà de voir certains zélateurs embau-
mer un artiste dont le destin ne fut pas aussi anodin, heureusement pour lui, que le souhaite la piété familiale. Par chance,
le prêtre belge qui, depuis quelque temps, dirige à Budapest
les archives Bartok, est soucieux avant tout de l'œuvre. Il vient
de découvrir des partitions inconnues, qu'on publiera bientôt,
et qui nous donneront quelques nouvelles raisons d'admirer
cet homme libre.

Je consens qu'il ait composé des choses d'inspiration
rustique, les *Quinze Parasztdal*; mais là même, bien spé-
cieux qui saurait subentendre de l'idéologie, et du « niveau
élevé ». Quand on m'a minutieusement expliqué que la *Musique pour cordes, tambours et célesta* s'inspire de thèmes
folkloriques, c'est-à-dire de sonorités profondément enracinées
dans le patrimoine populaire, ou que ce morceau, dans ses
éléments polyphoniques, exprime un état collectif, collecti-
viste, socialiste, et constitue Bartok en prophète du monde
communiste — l'*Allegro molto* de la fin signifierait que
l'humanité sauvée, se rue vers le havre de grâce, le port franc
de l'unité socialiste — si par malheur je pose ces enregistrements sur mon tourne-disque et que j'écoute avec soin,
je constate qu'il m'est impossible d'entendre là des conseils
aussi précis.

Mais, enfin, nous appartient-il de ricaner devant ce genre de
glose, nous qui, pour accepter la *Celestina*, l'avons niaisement
assaisonnée au goût romantique ainsi que M. Marcel Bataillon
vient de le démontrer; nous qui, maniaques de l'échec et des
ratés, exaltons désormais Icare aux dépens de son père le savant
architecte, dont le nom gratifie notre mémoire ingrate d'un
palais au moins inquiétant? Il a fallu Robert Vivier pour nous
rappeler récemment que le gosse désobéissant qui se cassa

sottement la figure ne mérite guère la vénération que lui voue notre siècle infantile.

Pour faire passer Bartok, s'il faut aujourd'hui prétendre que la polyphonie prépare le socialisme, tant pis pour la polyphonie, mais tant mieux pour Bartok.

Je me suis donc réjoui de voir joué à Budapest l'auteur suspect de ce *Mandarin miraculeux* qui n'eut pas toujours l'heur de plaire.

Si décadent, ce ballet, si peu moral! Pensez donc trois petites gouapes se servent comme appeau d'une cocotte, ou d'une grue, qui racole par la fenêtre avec des effets d'écharpe. Le premier miché qui se radine, un peu lourdingue, on te le refroidit d'un coup de rallonge, après quoi on lui étourdit son fric, ses faffes et sa toquante. C'est aussi qu'il se conduisait en miché. Après quoi, on règle son compte à un étudiant des plus pomme; mais, comme il n'est guère au pèze, on se contente de le vider dans l'escalier, sans le tondre. La voilà prise sur le vif, l'aliénation capitaliste! Comme disait déjà Léon-Paul Fargue, qui ne se savait point marxiste : « Les bourgeois sont des aliénés du sentiment. » Tiens! voici devant un drôle de chinetoque, tout à fait conforme aux branlants de cheminée, s'ouvrir doucement la lourde. Le prix de Diane a beau y aller de tous ses effets de vase, ou, pour être plus poli, de derche, le chinetoque y bronche pas : de bronze chinois qu'il reste, ou de jade, sauf sa flûte, apparemment. Assis qu'il reste le micheton, bien ajusté sur sa chaise, immobile, absent, pas un poil dressé par les agaceries de la môme, de sorte que les barbillons n'arrivent pas à leurs fins. Qu'est-ce qui se passe tout à coup? Comme un Bouddha l'Eveillé, le branlant se réveille, se jette sur la fille et danse avec enthousiasme. Rien du miché en lui; l'amant de cœur plutôt, l'amour fou. Les truands cette fois te l'assomment, et hop, à la trappe, où s'évanouit le bourgeois. Celle-ci bientôt s'entrouvre, à l'épouvante des frappes, et le chinetoque miraculé fait de nouveau danser la fille. On a beau le rosser, le tuder, le pendre par le cou jusqu'à ce que mort s'ensuive, le miraculeux chaque fois ressuscite, si beau son désir, ou plutôt son amour, si beau et si fort qu'il sait toujours vaincre la mort. Vieillerie poétique, sans doute, mais assortie à notre goût.

L'irréprochable vertu des staliniens répugnait, on s'en doute, à tolérer la représentation de pareils stupres. Il fallut 1956 pour qu'on osât mettre en scène, mais non sans mise en garde, ce ballet un peu faisandé.

Imaginez une chambre d'entôleuse, genre atelier de Montparno ou de Montmartre; à l'arrière-plan, sur la toile de fond, d'immenses parallélépipèdes grattent le ciel de ce qui ne peut être que la métropole du fric et de la débauche : Nouillorque ou Chicago. Grâce à quoi Bartok ne sera suspect ni de présenter une scène de la vie hongroise, ni de dénigrer le monde socialiste. Que signifie alors le mandarin miraculeux? Seul capable de rapports érotiques et amoureux dignes de ce nom, ne serait-ce point qu'en lui se réincarne le sage chinois de notre fable occidentale, l'homme intact, celui que n'a pas encore gâté une civilisation de toc et de troc? Les circonstances politiques étant aujourd'hui ce que nous savons, on peut se demander si *Le Mandarin miraculeux* fera longue carrière encore. Après avoir livré un texte qu'on lui avait commandé et qui traitait du *sage chinois*, tel écrivain s'entendit objecter : « En 1962? Un sage chinois? Vous n'y songez pas! Tous les Chinois sont fous. » Dès 1960, on le doublait à Moscou, ce sage chinois, par un ouvrier vertueux, tout aussi capable qu'un mandarin miraculeux de résister aux blandices (mais je n'en parle que par ouï-dire). Quel que soit l'avenir du *Mandarin,* le présent lui appartient, et je me réjouis de cette victoire du libéralisme, car son ballet m'enchanta, dans la mise en scène de ce même Fülöp Zoltan, qui sut dresser, pour *Le Roi de bois,* des châteaux de rêve, une forêt de songe, où se danse un ballet de ton bien différent.

Qu'un prince évidemment charmant désire la plus belle des princesses et en soit aimé, pourquoi pas? Chaque semaine, notre presse nous apprend qu'une tête couronnée ou à couronner meurt d'amour pour une autre tête couronnée ou découronnée. Ce *Roi de bois* est donc bien réaliste. Une fée jalouse lui suscite un rival en la personne, si l'on ose dire, d'un morceau de bois qui s'anime et pour lequel, un temps, la volage princesse néglige son royal amant. Pourquoi pas? Chaque jour, nous découvrons que les amours de Rainier, de Farah Diba, de Baudoin, de Margaret ou de la princesse de Réthy sont traversées par des rois ou des reines de bois, et que force reste à la loi. Ainsi, dans le ballet de Bartok, le roi de bois redevient souche, restituant la reine à son roi, pour qu'ils aient beaucoup d'enfants. Un je ne sais quoi m'ennuyait dans ce ballet, ou plutôt me choquait; si, je sais quoi, il me semble : plus nue que nue dans un collant plus chair que chair, parée d'un soutien-gorge si léger qu'il s'envolait coquinement, ou du moins se soulevait comme ailes d'ange, la princesse, qu'elle dansât ou qu'elle demeurât assise à sa toilette, minaudière, jouant elle aussi de l'écharpe en gaze, me rappelait Brigitte Bardot. Au cours de ses pas-de-deux avec son roi de chair, aussi nu, celui-ci, que celui d'Andersen, elle me paraissait contrarier fâcheusement la naïveté du thème folklorique. Comme je m'en plaignais un peu, on m'apprit que notre Brigitte nationale, naguère peu prisée en Hongrie (« C'est un sexe, et rien de plus ») se vit promue au rang d'héroïne populaire après sa réponse aux sommations de l'O.A.S. Désormais, tous les magasins pittoresques chargés d'édifier la femme socialiste affichent en première page la militante. Ce serait donc par esprit socialiste que la reine du ballet jouait les B.B. Poursuivant mon enquête, j'appris que la chorégraphie et les costumes qui me décevaient un peu représentaient justement une révolution libérale : au temps du culte de la personnalité, on jouait certes *Le Roi de bois*, mais bien plus chastement, et très folkloriquement. On en montait un ballet socialiste par sa forme et national par son contenu, à moins qu'il ne fût national par sa forme et socialiste par son contenu. Aux archives Bartok, j'obtins confirmation. Aucun doute, le stalinisme servait mieux l'esprit de Bartok au *Roi de bois*.

A ce point redoutables en effet les tyrannies que, lors même qu'elles ont disparu et que les hommes de nouveau rapprennent

la liberté, elles continuent à nuire. Sous prétexte qu'Adolf
Hitler voulait remplacer *Telefon* par *Fernsprecher* et appliquer
à l'allemand la réforme que chez nous préconisait Gourmont
dans son *Esthétique de la langue française*, les Allemands
d'aujourd'hui considèrent *Telefon* comme le gage, le garant de
leurs libertés. Quelle sottise! Si donc sous Kadar on joue moins
bien *Le Roi de bois* que du temps de Rakosi, il faut encore en
accuser Staline.

Reste que, si l'on peut monter *Le Mandarin miraculeux*, c'est
que Staline a disparu. Nous devons aussi à sa mort de voir et
d'entendre *C'est la guerre*, l'opéra d'Emile Petrovics. Non pas
que la musique innove dangereusement; le sujet, à soi seul, eût
scandalisé Jdanov. L'action se passe à la fin de la dernière
guerre, quand nul n'avait plus confiance en personne. Un jeune
couple abrite un déserteur. Dans l'immeuble en face vit M. Vis-
à-vis, colonel en retraite. Assis à sa fenêtre, les jumelles collées
à l'œil, il use à espionner ce qui lui reste de vie. Les rideaux
d'en face, toujours tirés, lui suggèrent quelque chose de louche :
comme il ne lui déplairait pas de séduire la jeune femme, il
moucharde le mari et s'allie à la concierge du jeune couple,
une veuve qui perdit son époux en 1914-1918, ses deux fils en
1939. Folle de douleur et obsédée sexuelle, elle en veut mortellement aux femmes qui ont encore un homme. Sans répit,
elle marmonne : « Chacun son tour, tôt ou tard. » Tandis que
le déserteur explique à ses amis, devant une tasse de thé, qu'il
les compromet et se doit de partir, on sonne. Le déserteur se
cache. Entrent trois officiers qui viennent arrêter le mari. Le
chef s'attarde, pour faire un brin de cour à la solitaire; elle
garde son sang-froid et, comme machinalement, laisse tomber
par la fenêtre le porte-documents du militaire entreprenant,
qui court après ses « secrets ». Rentrée du déserteur, tout
content de se trouver seul avec l'épouse de l'absent. Nouveau
coup de sonnette : sous prétexte d'encaisser le loyer, la
concierge, insidieusement, haineusement, scrute l'appartement.
La jeune femme ne s'en débarrasse qu'à grand-peine. Restés
seuls, la jeune femme et le déserteur s'avouent leur amour

mutuel. Au moment où ils tombent dans les bras l'un de l'autre, la concierge, munie d'un passe-partout, fait une nouvelle irruption : « Ah! ah! je savais bien qu'un étranger se cache ici. » Le mari revient, escorté des trois officiers. Désireux à la fois de sauver sa peau et celle du déserteur, il suggère aux flics que ce jeune homme suborne son épouse. On le croit. Le déserteur se croit sauvé. Cependant, la concierge fouineuse a déniché la pièce à conviction : l'uniforme. Les deux hommes partent vers la mort, encadrés de deux officiers, tandis que cyniquement le bellâtre se déshabille, tout en exposant sa philosophie de la guerre. Cependant qu'il pérore, la jeune femme se jette par le balcon. M. Vis-à-vis n'aura point sa chair fraîche : il garde ses jumelles et se cherche une victime neuve.

Trois innocents voués à la mort : *C'est la guerre!* Rien là d'exaltant, de réaliste-socialiste. N'espérez, dans l'œuvre d'Emile Petrovics, ni les danses d'almées, ni le bel incendie qui ornent la *Kovantchina*. Pensez plutôt à Menotti. En vérité je vous le dis, puisque à Budapest on peut jouer *C'est la guerre*, c'est la paix.

N.R.F.

RETOUR DE MOSCOU

1962

La crise de l'art soviétique

I. Drôle de Manège!

« — *Non! Monsieur, vous n'avez pas le droit de m'inté-resser à des choses que je réprouve. Qu'avons-nous besoin de laborieuses bagatelles, dont il est impossible de tirer aucun profit, de ces Vénus, par exemple, avec tous vos paysages. Je ne vois pas là d'enseignement pour le peuple! Montrez-nous ses misères plutôt! Enthousiasmez-nous pour ses sacrifices! Eh! Bon Dieu! les sujets ne manquent pas: la ferme, l'atelier...*

» — *Ce Rouchiov, quand même! Pire que Staline! Sous prétexte de " déstalinisation " — mot du reste imprononçable et qui prouve que la chose est impossible — il n'assouvit que sa rancune et son appétit du pouvoir. Ecoutez-le dogmatiser sur la peinture! Joseph Vissarionovich n'eût pas fait mieux, ni son Jdanov! Les sujets ne manquent pas: la ferme, l'atelier...* »

Pardon, excuses, citoyens camarades! Je ne citais pas Rouchiov, mais Sénécal: le pur, le dur, le sûr militant, celui qui condescend à faire enfin cas de Molière, pourvu que ce soit «comme précurseur de la Révolution française», Sénécal, le héros de *L'Education sentimentale*, le pur, le dur, le sûr, le futur flic de l'Empire...

Ce n'est pas d'hier, vous le voyez, que les arts et les lettres font mauvais ménage avec les dirigistes et les révolutions. Lisez donc, si vous le pouvez, le pur, le dur, le sûr Marie-Joseph de Chénier, l'intransigeant montagnard sous la Montagne, et l'ingénieux serviteur des régimes qui remplacèrent la Convention; puis relisez *Les Autels de la peur*, le chef-d'œuvre d'André Chénier, et vous comprendrez pourquoi, plutôt que de survivre comme son frère, ce misérable choisit d'offrir au bourreau son cou de *libéral-décadent*, et du reste *vendu à Pitt*.

Voilà vers quoi me renvoyait, ces jours-ci, tout le tapage autour du Manège.

Tapage qui, du moins, aura servi là-bas l'exposition de peinture : la veille du jour où je quittai Moscou, le 19 décembre, le courage me manqua pour faire la queue par 25° en dessous et revoir le meilleur de ce que j'avais aimé : moins long sans doute que celui qui serpente vers le mausolée de Lénine, ce cortège piétinant m'eût imposé une heure ou deux d'attente et je sentais mes oreilles geler. Les oreilles toutes chaudes encore des discussions en cours, les Moscovites ne rabattaient même pas les pattes de leur toque, eux, et patientaient comme eux seuls savent le faire; or, c'était jour ouvrable, un mercredi, vers deux heures.

Lorsque j'entrai au Manège, le vendredi 30 novembre, je n'avais pas eu besoin de poireauter. Il y avait du monde, certes : dans les trois mille personnes par jour; mais enfin on y circulait. J'y fus assailli et quasiment accablé par les œuvres de la Belle Epoque; belle, j'entends pour un premier prix d'académisme et de conformité. Belle époque, où Guérassimov amassait une fortune en barbouillant d'angéliques Staline, de fidèles Vorochilov; où, pour avoir du génie, il suffisait de complaire aux policiers du tyran; que la personnalité n'eût pas goûté un musicien, un sculpteur, on l'envoyait « s'asseoir », comme on dit là-bas, cinq ou dix ans.

Peu à peu, je réussis à ne plus voir cette peinture officielle, tout ce qu'il y a de petit-bourgeois par la forme, encore qu'elle

se prétende socialiste par le contenu (scènes d'usine, de kolkhoze, de guerre patriotique, muscles tendus, bras levés, sourires fades, optimisme dialectique) et à discerner quelques
œuvres devant lesquelles comment ne pas se dire : « *Tiens,
enfin quelqu'un pour qui Bonnard doit exister! Bonnard, ou
Braque, ou Picasso, ou Matisse.* » Entre deux immeubles
hallucinants de réalité tragique, un enfant au ballon, d'une
dépaysante poésie, proposait même une allusion à Chirico.
Ehrenbourg avait donc raison d'annoncer à mi-voix la bonne
nouvelle, et que cette exposition du Manège, c'était, enfin, la
fin de la Belle Epoque; de *leur* Belle Epoque (car nous eûmes
la nôtre, qui ne vaut guère mieux en tant que telle).

Cette exposition, je la souhaitais depuis 1957; depuis la
rétrospective de Deineka, que l'on m'avait montrée, discrètement, à mon retour de Chine. Cette exposition, je l'espérais
depuis celles que j'avais visitées en 1958, tandis que j'enseignais à l'université de Moscou. Cette fois, je l'avais. Cette fois,
ça y était. On pouvait peindre en Union soviétique; on pouvait
même exposer de la bonne peinture. Le Manège tournait
rond.

J'en sortis étourdi, farci de noms parfois neufs à mon ignorance, de belles images, d'espoirs fous. Elkonine, par exemple,
avec une *Baltique*, des *Bouteilles* et surtout, surtout, deux
Esturgeons dans une bourriche, de quoi honorer n'importe
quel artiste d'Europe ou de la Chine. D. P. Stehrenberg, par
autre exemple, à cause d'un vieillard de 1934, sur un fond bleu,
et qui, lorsque Staline déjà stalinise à outrance, annonce valeu-
reusement le tableau d'un peintre plus jeune, et qui lui fait
ingénieux pendant : une *Maternité* de 1962, dont les heureux
systèmes de courbes, subtilement stylisées, déguisées, se
découpent sur un mur lisse : je m'approchai, crus lire Birger.
Un inconnu, pour moi. Pas mal du tout, ce Birger. Mais voilà
mieux : une parfaite table noire, chargée d'oranges, signée
V. G. Weisberg. Du même, des natures mortes, des portraits.

Si mémorable, cette table noire, que l'amour de ces trois ou
quatre oranges m'invitait à l'optimisme, j'entrai dans un res-

taurant, commandai cent grammes de *stalitchnaïa,* un peu
d'esturgeon en l'honneur d'Elkonine, et rêvassai...

Roma... quoi au juste? Comment diable s'appelle-t-il l'auteur de cette *Nuit* de 1947, de ce *Printemps* de 1962? Roma-
chine, ou Romadine? Peu importe : l'œuvre seule nous
importe, et foin du culte de la personnalité, qui corrompt
l'artiste lui-même. Romaquelquechose, mon garçon, vous
avez un sacré talent, vous savez rêvasser vous aussi, je parierais,
et même rêver, comme Chagall, commissaire aux Beaux-Arts
du temps de Lénine.

— Garçon, cent grammes encore de vodka.

— Impossible : on ne sert que cent grammes par personne.
Tant pis, j'irai ailleurs.

Chemin faisant, la devanture d'une librairie d'occasions,
qui exposait un Matisse, me renvoya vers Kontchalovski.
Admettons que l'influence du Matisse de 1907 à 1910 ait un
peu visiblement asservi ce peintre-là; comment ne pas se
réjouir en constatant que l'octogénaire qui mourut disgracié
tout au début de la déstalinisation dispose au Manège d'un
généreux pan de mur, où éclate un grand portrait de l'une
précisément des illustres victimes de Staline : Meyerhold?
Comment ne pas admirer que, dans tel tableau de 1946, au
« sujet » bien sagement socialiste, ce qui retient l'œil ce n'est
plus le sujet seulement mais certains jaunes, et leurs rapports
avec certains rouges, ou verts, ou bleus?

Même habileté chez Tychler : contraint parfois, ou du moins
résigné, aux sujets commandés par le Génie de la Personnalité
(*La Mort du commandant* est de 1937), il parvint à en tirer
d'heureux effets de plastique, et pourquoi pas après tout « la
mort du commandant » si l'on obtient le droit, ou si on le
prend, de la peindre, c'est-à-dire l'inventer? Sitôt restaurée
la liberté grâce à Rouchiov (ou, du moins, des libertés),
Tychler en tira le meilleur parti : les *Tziganes* de 1958, et
ces deux portraits de femmes, datés de 1961, où Rouault laisse

entrevoir, heureux parce que discret, son génie tutélaire. Je retrouvai Tychler, avec joie cette fois encore, au rayon des maquettes, pour un décor destiné à l'opéra-bouffe de Maïakovski.

Décidément, la peinture altère. Au *Pékin*, j'aurais sans doute une chance d'obtenir cent autres grammes de vodka. Décor mandchou, chanteuse de charme assez jolie, cent grammes en effet de vodka. Elle n'est pas laide la mâtine, pas réaliste-socialiste pour deux kopeks. Le décor chinois m'évoque Kouznietzov, dont je viens de faire connaissance plus intime, grâce au livre de Romm qu'on a réédité [1]. Justement, ils exposent au Manège le *Repos des pasteurs* (1927), dosage heureux de Gauguin (pour les gestes) et de Matisse (pour les couleurs). Alors que, dans cette toile, deux chevaux se caressent à l'arrière-plan, dans la *Maternité* de 1932, le Génie de la Personnalité se manifeste par des chevaux-vapeur, ceux d'un tracteur qui anime le fond, à gauche du spectateur, à droite de la *Mère*; mais le peintre n'a pas changé de palette. Il n'a presque rien perdu, sous Staline, des qualités qui faisaient le charme — c'est le mot — du *Soir dans la steppe* et du *Mirage dans la steppe* (tous deux de 1912) : voyez la *Nature morte aux bananes* (1946). Au fait, Aslamazian lui aussi trouve son inspiration, sa joie, dans quelques bananes, colliers, ananas, idoles nègres. Et Machkov que j'allais oublier (seraient-ce les deux cents grammes de vodka?) Ilya Ivanovitch Machkov, inflexiblement fidèle aux prunes, aux oranges, aux pêches, aux ananas, aux poires, aux mandarines, et ce malgré la rareté de ces fruits à Moscou. Rien donc là de réaliste, de socialiste; mais qu'on la juge ou non saine, cette peinture [2], elle démontre que Machkov savait peindre, et fort bien, des natures mortes.

1. A. G. Romm, *Pavel Bartholomeïévitch Kouznietzov*, Moscou, 1960.
2. Droujinine en loue la santé dans son récent *Ilya Ivanovitch Machkov*, Moscou, 1961.

Voyons si deux cents grammes de vodka m'aideront à récapituler : Elkonine, Stehrenberg, Birger, Romadine, Kontchalovski, Tychler, Kouznietzov, Aslamazian, Machkov, un, deux, trois, quatre, cinq, six, quatre, deux, non : six, sept, huit, neuf. Ce n'est pas si mal pour une seule exposition, et j'en oublie. Parbleu, Chioukine; mais il est mort tout jeune, avant le plein du stalinisme; et Prorokov! Non, je ne raffole pas de Prorokov, trop décoratif pour mon goût, trop directement marqué d'un expressionnisme allemand, d'un expressionnisme à fiche... non, tu dérailles mon ami, d'un expressionnisme à affiche, quel hideux hiatus, non, c'est un hoquet. Et de onze! J'aurai bien la douzaine. Chichequebab ma parole, je me crois au *Bakou* — garçon! une Arslan, y en a pas bon alors une eau minérale quelconque mais chiche que j'aurai la douzaine, je l'ai, Matviev, zut y vont encore me chicaner pour mes transcriptions du russe, enfin quoi! l'élève de Bourdelle. Et de douze. Mais je ne suis pas chien, sacrebleu, j'en donne treize à la douzaine, niet nitchevo niettvestny non, c'est pas ça l'autre grand sculpteur, voyons j'y suis : Neizvestny. Et l'autre encore : Lebedeva, Sarah Lebedeva. Quatorze et quinze à la douzaine! Et Konenkov! et son Paganini, un peu bien expressionniste aussi pour un Jdanov, ah mais! voilà que je me prends à te leur coller des étiquettes, mauvais ça, très mauvais; stalinien, ça; pas léniniste pour deux ronds de flan. Sortons voir un peu si j'y suis. L'air me ravigotera, me remettra sur le droit chemin, celui du réel, de la réalité, du réalisme et même, qui sait, du réalisme socialiste.

Vous me croirez si vous le voulez; je n'avais pas fait deux cents mètres dehors que j'étais rendu au monde, avec la réalité rugueuse à étreindre moi aussi pardi, avec, non mais c'est à mourir de rire, je vous le donne en mille, avec sur les bras, le plus dur des cuculs, le plus pur des zozos, le plus sûr des gagas, avec le chef-d'œuvre du Manège : la *Lettre du front*. Ah! les belles familles, les saintes familles, famille je ne te hais point, familles heureuses comme celles de la publicité yanquie pour la télé, pardon : la TIVI, familles léchées comme un Bouguereau, quel bougre ce Laktionov, un bouguereau de Laktionov. Que c'est beau, à gauche, un beau soldat bien blessé, c'est-à-dire pas trop, juste assez blessé, gentiment blessé, oh dieu! que la guerre est jolie avec ses jeux, ses longs loisirs, un beau soldat auquel, si les guêtres se faisaient encore, se portaient encore, il ne manquerait pas un bouton de, et tandis qu'on lit, au soleil, cela va de soi, au soleil que le petit père le *tsar atiets* Staline produit pour le bonheur des siens, tandis donc qu'on se lit la lettre du front, tout chante la joie de la guerre, adultes, enfants, animaux, c'est à qui sera plus Déroulède que l'autre.

Mais j'y suis, c'est exactement, je dis e-xac-te-ment du Brulof, ou Brioulov, la belle Mme Saltikova les pieds sur sa peau de tigre, à la main le chasse-mouches en plumes de paon; pan dans le mille! Le même rigolo ripolin. C'est ça, vains dieux, l'héritage culturel. Laktionov fils de Brioulov, ou Brüllow, ou von Bülow, enfin le fils de l'auteur des derniers jour de Poppei : non! de Poppée; non, de Pompéi! Laktionov, pompier, fils tout ce qu'il y a de légitime du pompom du pompier en soi, et en bourgeois.

Du coup, j'étais dessaoulé. Laktionov, ça ne pardonne pas. Je disais donc seize ou dix-sept à la douzaine. Ai-je vu double? Je me jure de respecter les conseils de Rouchiov, et de ne jamais plus dépasser la dose juste de vodka, la dose léniniste : cent grammes.

Je pris la queue, à l'arrêt du 12, place Maïakovski, pour regagner le *Sovietskaïa*, où je pourrais me consoler de Laktionov, en me tapant cent autres grammes de vodka. Cochon! Tu viens de te promettre de ne plus dépasser la dose léniniste. Quatre kopeks? Je ne les ai pas. Baste! l'exposition du Manège vaut bien que je prodigue à la machine cette pièce de 15 kopeks. Une vieille me demande, car on est serré en diable, de lui prendre son ticket. Je la regarde, un peu fatiguée, ça se sent; un peu bouffie; elle a dû souffrir beau-

coup sous les stars, non : sous les tsars, et tout à coup je sens
au cœur le pincement de la beauté : mais oui, sous ce manteau
médiocrement coupé, ce que le poète imagine, la misère de
la femme usée par les travaux, boursouflée de graisse pauvre,
mais voilà, c'est Falk, c'est le nu de Falk, ce nu terrible de
compassion, aussi beau que le Christ de Grünewald; un nu
sans concession, un nu aux chairs effondrées, brunes, grises,
verdâtres, d'une puissance, eh oui, d'une beauté! Oui, la plus
forte sans doute des œuvres exposées.

Je me dégante, fouille la poche où j'avais fourré les fiches
sur lesquelles je notai quelques points de repère : « Falk : rien
de réaliste-socialiste, au sens nigaud du mot. Rien de plus
vrai. Beau comme un bœuf écorché de Soutine. Si ça passe,
tout passera. Il y a un mois que ça passe. Tout passera donc.
Il faudra désormais compter avec l'art soviétique. »

Fidèle aux sages principes de Vladimir Ilitch, je me couchai
ce soir-là au *Sovietskaïa* sans avoir pris ma troisième dose de
stalitchnaïa. Le lendemain, j'avais retrouvé ma place à la salle
numéro 1 de la Bibliothèque Lénine, et je me remis à travailler, dans des conditions à Paris inimaginables de confort,
sur le mythe de Rimbaud en Russie et en Union soviétique.
Quelques jours plus tard, *L'Humanité*, arrivée par avion,
m'apprenait, avec une évidente satisfaction pour elle, sinon
pour moi, qu' *« au cours de sa visite de l'exposition du Manège
— 2 000 toiles, dessins et sculptures — Nikita Krouchtchev »*
(a-t-on idée d'abîmer ainsi le nom de Nikita Sergueïévitch?)
*« exalte l'art qui donne une juste représentation de la vie.
De notre envoyé spécial, Max Léon... La Pravda [...] souligne
les progrès de Deineka, Plastov et Laktionov... »* Hein? Laktionov? Laktionov, impossible! Ah bon! *« accusé par les uns de
photographisme »* mais qui? *« soutenu par les autres, qui
aiment la clarté du contenu et de la forme. Cependant, il est
des œuvres qui provoquent la déception, de sérieuses objec-
tions. Dans certains tableaux de Falk... »* Falk? C'est sûrement

une faute d'impression : chez Falk donc « *des tendances for-*
malistes » apparaîtraient « *clairement. Les personnages y*
prendraient des formes monstrueuses »?

Ils n'ont donc jamais vu de femmes nues, les Soviétiques?
De vraies femmes; pas des misses Machin ou des misses
Chose; des femmes; des femmes comme on en voit dans son
lit, dans les maternités, ou à la morgue. Et le réalisme? Et la
réalité rugueuse à étreindre?... Max Léon, tout content, continuait : « Certains peintres méprisent l'opinion; or, si une
œuvre n'est compréhensible qu'à son auteur, a déclaré Krout-
chev » (non : Khrouchtchev; décidément je préfère Rouchiov),
« si le peuple ne la reconnaît pas, elle ne peut être considérée
comme une œuvre d'art authentique ».

Une demi-douzaine de coups de téléphone, que je donnai
aussitôt, me confirmèrent la nouvelle : le Manège ne tournait
plus rond! Ehrenbourg restait introuvable.

France-Observateur, 10 janvier 1963.

II. *L'affaire du Manège*

Alerté par *L'Humanité,* je voulus voir la presse moscovite;
j'y appris qu'en effet Nikita Sergueïévitch, accompagné de
hautes personnalités de la politique et de l'art, avait visité
l'exposition du Manège et celle que, discrètement, des
« abstraits » s'étaient offerte. Or, à la suite de cette expérience,
Rouchiov avait condamné le libéralisme intempestif des orga-
nisateurs qui accueillaient au Manège des œuvres « faibles et
inacceptables », et l'aberration des « informels », coupables
d'une peinture « étrangère à notre peuple » et telle, au demeurant, qu'on doit se demander si elle fut « *dessinée par la main*
d'un homme ou barbouillée par la queue d'un âne ». Ses
propos tenaient la une à la *Pravda,* la une aux *Izvestia;* journaux du soir, journaux littéraires les divulguaient avec une

émulation émouvante. Le langage était vif, assurément, et le rappel au « réalisme socialiste » d'autant plus alarmant pour les nombreux libéraux qu'à l'exception de Deineka, il aboutissait à condamner, outre Falk, depuis toujours menacé, tous les bons peintres du Manège, ou peu s'en faut.

L'affaire semblait d'autant plus grave que, dès le lendemain, et pour un mois, ce serait à qui, parmi les médiocres et les staliniens camouflés, se ruerait au servage volontaire. Le 3 décembre, un caricaturiste présentait, sans verve aucune dans le trait, un individu à tête d'âne et qui, de sa queue, barbouillait un tableau « informel », cependant que ses pattesmains arrière tenaient gauchement, gauchistement, une palette. Pour légende : « Dans l'extase de l'art. »

Le Choukaïev en question se bornait à démarquer Rouchiov, lequel retrouvait — le connaissait-il? — le fameux Boronali de notre jeunesse, dont se toquèrent plusieurs personnes à la page. Le même jour, la *Pravda* citait l'ingénieur Ivan Pétrov, juste arrivé de son Oural, et tout ébaubi par ces œuvres sans queue ni tête. Le même jour, un bout-rimé par Serge Vassiliev s'achevait sur cette forte pensée : « *Moins ça signifie, plus ça fait* RICHE. » Partout on répétait, amplifiait, aggravait les propos de Nikita Sergueïévitch. Etrange, non?

Que, dans un pays socialiste, le gouvernement fasse connaître son opinion sur l'art, nul ici n'en sera surpris. Que par conséquent les *Izvestia* du 3 reviennent à la charge; qu'après avoir rappelé que « *parmi les éléments qui eurent une influence heureuse sur la vie du peuple russe* », et aussi « *sur notre art russe* », il importe de compter « *la liquidation des séquelles du culte de la personnalité* », elles célèbrent l'enseignement de Lénine sur l'art, rien que de naturel; d'autant que Lénine écrivit beaucoup là-dessus et que chacun, selon ses goûts, saura toujours s'en tirer avec une habile citation. Par bonheur, les *Izvestia* ne contestaient point ce précepte de Lénine, qu'il faut à l'artiste « *une grande liberté d'initiative personnelle* [...], *une liberté de la pensée et de l'imagination, de la forme et du contenu* ».

Mais que, dans un pays qui, grâce à Nikita Sergueïévitch et à ses partisans, recouvre peu à peu les libertés publiques et privées, il se trouve encore quelques hommes pour regretter la servitude, voilà qui fait rêver... Or, dans la *Litératournaïa Gazeta* du 5 décembre, un certain Ioganson, ou Iogansohn, « artiste du peuple » qu'il signe, ce monsieur, déclare que « *Falk et Stehrenberg lui sont étrangers* »; afin de mieux s'expliquer, il propose à notre admiration la *Fête au kolkhoze*, de S. Guérassimov, un kolkhoze de navets, sans doute. Soit. C'est son droit de n'aimer ni Falk ni Tychler.

Mais pourquoi donc attendre le 5 décembre, et que Rouchiov ait publié son sentiment? Le même jour, un autre journal félicite Plastov, Deineka et surtout Laktionov, ce grandissime Laktionov, dont « *chaque œuvre résout un problème* » (un problème-logement, un problème-voiture, un problème-glacière, je suppose, pour parler franglais), puis tombe dru sur Falk, toujours lui, et ses complices : Drevine, Nikonov, etc. (D'où je conclus que je n'ai pas bien regardé l'exposition, et que j'aurais dû admirer aussi ces gens-là, qui ne sont point sur mon rollet.)

Vous abominez Vasnietsov? Libre esprit que vous êtes entre tous, que ne l'avez-vous proclamé le 20 novembre, ou même le 29, ou même le 30 au soir? (D'où je conclus que si Rouchiov l'avait aimé, ce gêneur, vous auriez gardé jusqu'ici le silence.)

Qui que vous soyez, Eugène Katzman, « artiste émérite », que vous dites, et « membre correspondant », etc., vous qui, le 16 décembre, dégouliniez en seconde page de la *Pravda* toute votre bile contre — mais je l'aurais juré! — contre Falk précisément, Tychler, Kouznietzov, Stehrenberg, et ces autres que vous n'oubliez que de nommer (l'incertitude en devient plus pesante aux « autres », qui deviennent tous et chacun), permettez-moi de vous faire observer que vous écrivez dix-sept jours trop tard pour que je puisse prendre en considération votre bave de « vipère lubrique », comme disaient vos amis staliniens. Qui que vous soyez, vous l'avez bouclée, votre belle bouche, l'avez tenu vissé, votre stylo, aussi longtemps que Nikita Sergueïévitch n'éclaira point votre infaillible, votre inflexible jugement.

Et vous osez vous réclamer de Vladimir Ilitch? Vous osez condamner « *l'art réactionnaire de France et d'Amérique* »? Vous demandez que tout soit mis au seul service des « *artistes réalistes, ceux qui, par leur art, aident le Parti à construire le communisme* »? Vous voilà qui marchez au pas de l'oie, dans le régiment des missionnaires bottés qui chantent le *zusammen marschieren* pour la « haute mission de l'art ». Plein la bouche, plein de bave, comme toutes les petites canailles vous mâchouillez de « l'idéal »; vous estimez que votre art à vous « *aide le peuple dans son illustre combat pour l'idéal* » et vous craignez que l'art des autres « *ne le freine, cet illustre combat* ». Laissez-moi rire! Excusez-moi, camarade correspondant aux goûts de Jdanov, vous ignorez ou, si vous le savez, vous ne voulez pas savoir que Vladimir Ilitch, qui ne vous ressemblait guère, par bonheur pour le socialisme, se promenant un jour en Suisse, s'arrêta, fasciné par un tableau qui présentait un bouquet à une fenêtre : « *Voilà*, dit-il à cette occasion, *voilà le genre de peinture qui exprime le bonheur que je veux donner au peuple russe.* » Oui, camarade correspondant aux goûts de Beria, il s'agissait d'un bouquet de fleurs, les roses chères à Lénine, vous savez, ou vous ne savez pas? et, pour comble, d'un bouquet qui témoignait de « l'art réactionnaire de la France » : un bouquet de Monet.

Aussi longtemps que Lénine put imposer son génie au Parti, il y eut un art soviétique, et les gens de votre force, camarade correspondant aux goûts de la majorité, ne régentaient point l'opinion. C'est là que le bât vous blesse, maître Ali Boron, qui ne savez que nous jeter au nez votre Répine. Nous le connaissons; mais nous sommes en condition de vous assurer qu'un jour prochain, un jour où l'on ne saura même plus votre nom, le nu de Falk célébrera pour les hommes de goût la dignité enfin rendue au peintre, et même, oui, à la femme soviétique. J'ajouterai, monsieur l'éminent correspondant à de fâcheux instincts antijuifs, que je n'aime pas beaucoup les Katzman qui, pour se couvrir les rognons, crient haro sur les Weisberg et sur les Stehrenberg. On est comme ça, nous autres *réactionnaires*.

J'en aurai autant et plus à votre service, monsieur Vano Mouradéli, « artiste du peuple », vous aussi, et qui, reprenant une insidieuse attaque chuchotée, puis publiée, assouvissez votre haine des musiciens de qualité et battez hypocritement votre coulpe sur la poitrine d'autrui. A vous en croire sur parole de Mouradéli, ce n'est pas aux seuls peintres qu'en avait Nikita Sergueïévitch, et les musiciens feraient bien de commencer une sérieuse autocritique, vu que, « malheureusement », des « tendances abstraites », çà et là, montrent leur museau de hyène (la *hyène* est de moi, mais avouez que vous regrettez de ne pouvoir encore écrire sur ce ton-là, le bon ton du bon temps de la Belle Epoque).

Certes, je n'eusse guère approuvé, fût-il daté 29 novembre, un article qui dénonce le plus doué des jeunes compositeurs soviétiques, excellent claveciniste de surcroît, A. Volkonski, mais coupable surtout d'avoir poli ses dons au conservatoire de Paris, avant de rentrer dans la patrie perdue. « *Encore qu'à l'exception de* Suite de miroirs, *écriviez-vous, on n'ait pas joué ses œuvres* », vous craignez vertueusement que ses « *tendances antiréalistes n'intensifient la cadence* » de l'offensive contre « l'art réaliste ». D'être publié le 17 décembre, votre factum devient ce qu'il est : du mouchardage. C'est le 16 novembre, monsieur la Belle Ame, qu'il fallait vous compromettre en faveur « *du haut niveau idéologique de la musique* ». Le 16 novembre; non pas le 16 décembre.

Aux dernières nouvelles, la *Pravda* du 4 janvier 1963 s'ouvre à ce bouguereau de Laktionov, plus Laktionov que jamais. D'un courage impavide, il pourfend le pauvre Falk, si bien mort qu'il s'en fout, lui; mais aussi Stehrenberg, qui s'en fout peut-être un peu moins. Falk avait un grand tort, j'en conviens : il était de gauche, lui, dès 1917, quand Guérassimov, déjà son ennemi, fleurissait dans les rangs tsaristes; Guérassimov, l'un des pères spirituels de Laktionov, avec l'impayable Brioulov, ou Brüllov. Le Laktionov demande la liquidation pure et dure et sûre de tous les peintres moscovites qui ne se contentent pas de photographier en couleurs des cucuteries petites-bourgeoises. Joli coco, ce cucul! Plus flic que le dur, le pur, le sûr Sénécal, il demande la fin de tous ses confrères.

Eh bien, cher Sénécal, je parie mille roubles que Falk un jour aura sa place, une place d'honneur, dans la *Sovietskaïa Entsiklopediia,* et vous, ces quatre lignes : « Laktionov, peintre réactionnaire, de tendance petite-bourgeoise; à la faveur du culte de la personnalité, il intrigua contre les bons peintres et tenta même de récidiver en 1963; on lui doit quelques images naïves de la guerre patriotique. »

Curieusement, on ne vit point s'étaler dans la presse le nom de l'homme le plus compromis dans les manigances du Manège : pas si bête, la bête noire de tout ce qui pense à Moscou, j'ai nommé M. Sérov (qui s'est déjà reconnu). Chacun sait, chacun dit sans peur, que, battu à Moscou aux élections, contraint de se présenter dans un coin perdu de l'Oural, Sérov jura d'avoir la peau de ces insolents Moscovites. Comme son talent n'est pas inégal à celui de Guérassimov et de Laktionov, comme il s'est assez bien porté au temps béni de *la* Personnalité, il s'efforce maintenant de restaurer à son profit le culte de *sa* Personnalité.

A cette fin, il aménagea sournoisement l'affaire du Manège, incita les « abstraits » qui exposaient privément à se manifester devant les autorités. Profitant du scandale, il se fit porter, sans concurrent, à la présidence de l'Académie des beaux-arts, où il espère bien casser les reins de quiconque vaut quelque chose, en fait de peintre ou de sculpteur.

Certes, il a fait du mal, déjà. Ceux qui préparaient l'exposition Kouznietzov estiment qu'il faudra patienter quelque
peu; ceux qui espéraient une exposition Falk en sont réduits
à la souhaiter. Par la vertu de l'inflexible stalinien, la pauvre
Mme Falk n'ose plus venir chaque jour, comme au début,
s'asseoir sur son pliant devant les toiles de son défunt mari,
et s'émouvoir de la revanche qu'il obtenait enfin.

Sérov, surtout, fait tort à l'Union soviétique, en offrant à
ceux qui l'exècrent un prétexte de qualité : « *Quand on vous
le disait, que Staline et Rouchiov c'est blanc bonnet-bonnet
blanc! Il n'y a point de place pour l'art en pays socialiste* »
(tandis, sous-entendu, tandis que chez Franco, Hitler ou Salazar)...

Mais Sérov se croit encore au beau temps de Jdanov. Il se
croyait, serait plus juste; car il reçut, depuis lors, et tout
président qu'il se soit désigné de son Académie, certaine lettre
d'un de ses collègues (nous nous comprenons lui et moi) qui
ne lui laisse aucune illusion sur le cas qu'on fait de lui. Sans
doute il continue à pérorer : la télé colporte sa Personnalité
et ce qui lui sert de pensée, mais s'il s'imagine avoir gagné,
il se trompe.

Il sait que, Rouchiov vivant, on ne lui passera point ses
fantaisies haineuses. Lorsque sans vergogne il proposait à
Nikita Sergeïévitch de boucler le Manège, ou de décrocher
les toiles des impurs, on le déçut. Même, on décida de convo-
quer tous les intéressés : staliniens, libéraux, jusqu'aux
abstraits. Des heures durant, on discuta, et ferme, le 17 décembre. A la Belle Epoque, est-ce qu'on discutait sur un Falk,
avec un Stehrenberg, un Tychler? Au trou! Or Evtouchenko,
Ehrenbourg, d'autres encore parlèrent pour les maudits; les
abstraits se défendirent, et non parfois sans verdeur (celui par
exemple à qui Rouchiov demandait où il prenait de quoi
peindre : « *Parbleu, comme tous mes pareils, je le vole!* »).

Assurément, Ehrenbourg passa un pénible moment lorsqu'une victime de Staline, rentrée des camps, l'accusa d'avoir

paisiblement prospéré sous le tyran et de vendre maintenant sa patrie à l'Occident. Mais la véhémence excessive, quasiment « stalinienne » de certains propos ne saurait nous cacher l'heureuse nouveauté : imagine-t-on Joseph Vissarionovitch convoquant un concile, écoutant le pour et le contre, et décidant, sagement, de suspendre son jugement ? Et tout Moscou, le lendemain, au courant du débat...

Lorsque certains « réactionnaires » (nom là-bas des staliniens) tentèrent il n'y a pas longtemps de perdre quelques jeunes savants qui voulaient appliquer à la linguistique des méthodes mathématiques, les prévenus firent appel jusqu'à Rouchiov. Celui-ci les écouta et, leur donnant raison, eut raison. Quand on soumit à *Novy Mir* le manuscrit d'*Une journée d'Ivan Dénissovitch*, la rédaction fut partagée : l'un des manitous était pour, à fond; les autres temporisaient; l'affaire fut portée jusqu'à Rouchiov, qui donc se contenta de suggérer qu'« il fallait considérer cette affaire avec plus d'attention », libérant le courage qui leur manquait.

Le temps n'est plus, Sérov, où l'on n'avait, pour perdre un homme, qu'à murmurer « formaliste », « décadent », « futuriste », « homosexuel » ou encore « il a parlé irrévérencieusement de Gorki ». Après trois séjours dans l'Union soviétique de Rouchiov (l'un quand on liquidait le « groupe anti-parti », le second durant l'affaire Pasternak), tout ce que j'ai appris, dans la conversation des savants, des écrivains, des universitaires, tout me commande d'espérer que les Sérov, Laktionov et autres staliniens n'entameront point la volonté du premier secrétaire qui gouverne lentement (aussi vite pourtant que possible, cette affaire en serait la preuve) vers le fameux « léninisme ».

Ce que nous attendons de lui, du reste, ce n'est pas un jugement sur les lettres et les arts. Comme Lénine, il peut se tromper. Mais, léniniste qu'il se veut, il lui souvient sûrement que Vladimir Ilitch savait reconnaître le talent littéraire, fût-ce chez un garde-blanc. Or il ne s'agit point ici de gardes-blancs; de citoyens soviétiques, tout simplement, qui ne

veulent plus peindre comme les pompiers du XIX° siècle,
d'hommes qui, en retard, historiquement, sur la peinture
européenne, sont en avance d'un siècle — et de l'infini —
sur Laktionov, parce que la tyrannie de la Personnalité ne
put infléchir, ni fléchir, leur conscience, et parce que, jusque
sous la terreur, ils ont construit quelques images belles, pour
la plus grande gloire, un jour prochain, de l'Union soviétique.

17 janvier 1963.

III. Les moulins de Dieu tournent lentement

L'affaire du Manège fut donc manigancée par Sérov et ses
affidés, tous également staliniens, tous également nuls comme
peintres. Elle inquiéta, elle inquiète encore les libéraux. Qui
ne les comprendrait quand on revoit, dans la *Pravda* du
12 janvier, la signature d'Alexandre Guérassimov, le plus
obstiné persécuteur de talents qu'ait suscité la Belle Epoque?
Au camp dont il est question dans *Une journée d'Ivan Dénissovitch* croupissaient plusieurs peintres « formalistes » ou
« futuristes », dont M. Guérassimov ne fut pas témoin à
décharge. Ils avaient pour mission de dessiner, sur la tenue
des forçats, les numéros infamants : C.H. — 854, ou 855, ou
même 856. L'aimable variété de cette peinture « réaliste-
socialiste », est-ce donc cela que préparent pour les exposants
du Manège les nostalgiques du jdanovisme?
Pour que l'incident devienne aussi grave que le souhaitent
ceux qui tendirent le guet-apens, il faudrait qu'il eût sa place
dans une série de mesures destinées à réhabiliter le stalinisme. Tout se tient en effet dans la société soviétique. Or
la déstalinisation continue, se précise et se confirme. Quelques
jours après le début du scandale, à savoir le 5 décembre,

M. Rouchiov recevait à Moscou le maréchal Tito, et tout ce
qu'il y a de chaleureusement. Plus d'une fois, il renouvela ses
sorties contre ceux, Albanais ou autres, qui rêvent de perpétuer le « dogmatisme ». Partout, sur les échafaudages, la
devise de la coexistence pacifique » : *Mirou mir!* Paix au
monde! Paix sur la terre! Contre les staliniens de l'Union
soviétique et d'ailleurs, M. Rouchiov répète que les tigres
de papier ayant les dents atomiques, le communisme ne doit
s'imposer que par les œuvres de la paix. Et voilà pour la
politique étrangère.

Mêmes tendances à l'intérieur : le premier secrétaire en
personne favorisa la publication du *Journal d'Ivan Dénissovitch*, et l'on produira bientôt, avec sa bénédiction, un autre
volume au moins qui témoignera de ce que furent les bagnes
de Béria. Désormais, quand on passe rue Kirov, près de
l'ancienne citadelle de Béria, on n'a plus peur. La dernière
fois que cela m'arriva, le Russe qui m'accompagnait en profita
pour me conter une histoire : Staline, un jour, téléphone à
son compère : « J'ai perdu ma pipe. Retrouvez-la. » Une demi-
heure plus tard, nouveau coup de téléphone de Joseph Vissarionovitch : « J'ai retrouvé ma pipe. — Dommage! répond
Béria, j'ai déjà pu arrêter cent personnes, dont vingt-cinq
au moins ont avoué le forfait. » Dans la rue ou le métro, les
citoyens soviétiques adressent volontiers la parole aux étrangers; ceux qui sont bien logés vous accueillent chez eux, avec
quelle générosité! Le temps n'est plus où tout Allemand, tout
Français, puait l'espion. Et voici qu'on réhabilite Georges
Tchitcherine, « compagnon d'armes de Lénine », comme
l'écrit enfin M. Gromyko lui-même; Tchitcherine, qui mourut
disgracié en 1936.

Mieux : si l'on considère l'ensemble de la vie intellectuelle,
presque tout confirme l'évolution. Au moment précis où Sérov
se découvrait, un récital de poèmes antistaliniens rassemblait
à Moscou douze ou quinze mille auditeurs. Durant mon séjour
à Leningrad, deux pièces de théâtre, *L'Ombre* et *Le Dragon*,
disaient en clair son fait au petit père des peuples. L'Institut

de Littérature mondiale publiera bientôt les œuvres complètes
de Lounatcharski, et Mandelstam enfin sera réimprimé. Je
l'avais pressenti dès 1958, et l'avais dit. Cette fois, c'est sûr :
je le tiens d'un ami du poète, celui chez qui, traqué, il vint
se réfugier une dernière fois peu avant de disparaître. Celui
comme moi qui a pu comparer la thèse dactylographiée soute-
nue sur Rimbaud par M. Balachov en 1944 et l'étude du
même savant sur ce même poète, au tome III de l'*Histoire
de la littérature française* que publie l'Académie des sciences,
comment voulez-vous qu'il nie les progrès de la liberté? Et
qui l'eût pensé, voilà quelques années, que *La Peste* d'Albert
Camus figurerait bientôt en version intégrale, au sommaire
de *Novy Mir?* Le livre d'un renégat! Si je me réjouis de
l'événement, ce n'est pas que j'aime ce bouquin. Du vivant
de Camus, j'écrivis le peu de bien que j'en pense, mais j'aime
que les Russes le publient, parce que c'est pour eux la levée
d'un tabou.

Comment s'alarmer outre mesure des inepties d'un Katzman sur la « peinture réactionnaire de France et d'Amérique », quand on examine le catalogue des traductions récentes ?
En quelques jours, le public soviétique enleva 50 000 exemplaires du *Roman bourgeois*; à dix kopeks le volume, un
demi-million de *Tristan et Yseut,* d'après Joseph Bédier, ont
divulgué dans le peuple russe le mythe « réactionnaire » de
l'amour fou. Ne cherchez plus Boileau, qui vient de paraître
là-bas, traduit en vers : volatilisés aussitôt, les 50 000 exemplaires du tirage, comme les 50 000 Voltaire, et l'admirable
catalogue de la Bibliothèque de ce « réactionnaire », avec
préface d'Alexeïev. En même temps à peu près que M. Pos-
toupalski donnait sa traduction de Leconte de Lisle, M. Antokolski offrait enfin aux Soviétiques la première anthologie
d'Arthur Rimbaud qui ait jamais paru en russe — ce
Rimbaud qu'un jugement de Gorki, formé en 1896 d'après
celui de M. René Doumic, condamnait comme « décadent ».

Je connais même celui qui tient prête, depuis quelque temps, une version de tous les poèmes de Paul Valéry; à son avis, les temps seront bientôt mûrs. On se prépare à traduire La Bruyère et *Les Liaisons dangereuses*. Enfin, voyez jusqu'où s'étend la pernicieuse influence « réactionnaire » de la France : l'orientaliste Conrad, l'un des humanistes soviétiques les plus respectés, pouvait dire publiquement, il n'y a guère, que « Descartes est plus important que les invasions mongoles ». Un jour prochain, les Soviétiques seront sans doute les seuls à trouver un intérêt à ce philosophe « réactionnaire », qui nous paraît à nous si dangereusement bolchevique.

Jusqu'à la mode, qui témoigne contre Sérov, Laktionov et Guérassimov. Une querelle s'émut, voilà quelque temps, à propos de pantalons : par amour du socialisme, doit-on les porter aussi larges que naguère, monsieur Rouchiov ? Est-il permis, sans trahir Marx, de les couper plus étroits ? La question fut posée au Congrès du Parti, et il se trouva des staliniens du pantalon, des jdanoviens de la coupe pour anathématiser, comme « réactionnaire », le pantalon étroit (en dépit des économies d'étoffe que cela représente). « Laissez-les donc tranquilles! », vint dire un orateur. Depuis, le pantalon se porte étroit comme une gaine, et le socialisme, que je sache, ne s'en porte guère plus mal. Pour moi, qui me querelle toujours avec mon tailleur, lequel veut me mettre à une mode que je déteste, je me réjouis de penser qu'à Moscou les citoyens ont le droit de porter des pantalons auxquels, moi, je me refuserais.

Si donc l'accueil fait à Tito et l'étroitesse des pantalons célèbrent la fin du stalinisme, aussi évidemment que la *Journée d'Ivan Dénissovitch* et la publication en russe de *La Peste*, comment expliquer l'affaire du Manège, et que Nikita Sergueïévitch soit tombé dans le panneau que lui tendaient ceux dont il ne peut ignorer que ce sont ses pires ennemis : les peintres staliniens ? Croit-il vraiment, lui, que l'abstrait soit une « arme idéologique de l'Occident » ? Il sait aussi

bien que moi, et probablement un peu mieux, que des spé-
culateurs yanquis provoquent sans vergogne certains jeunes
peintres moscovites à barbouiller des toiles prétendument
abstraites, qu'on leur paie dans les mille dollars et qu'on
revend beaucoup plus cher à Nouillorque, avec une étiquette
aguichante : « Art abstrait : arrivage direct de Moscou. »
Aussi bien que moi, et mieux sans doute, le premier secrétaire du Parti en connaît les conséquences : certains de ces
peintres dépassent la dose léniniste de vodka, les cent grammes
juste, et paresseusement rêvassent, jusqu'à la prochaine commande, aux mille dollars qui leur permettront cette fois de
trahir la vodka pour le ouisqui. Et après? Ceux qui boivent
ce ouisqui-là, laissez-les faire. Demain, sur commande, ils
vous barbouilleront une Marie-Madeleine réaliste-chrétienne,
un Béria réaliste-policier. Non, l'art abstrait n'est pas une
« arme idéologique » du pervers Occident. En Pologne, pays
socialiste, on rivalise d'abstractions et de tachismes, de peintures gestuelles, de dégoulinages et autres techniques « réactionnaires ». Voyez le musée de Lodz.

Je dirai plus : condamner comme « étranger » l'art
abstrait, c'est retomber en stalinisme. A ce compte-là, il faudrait anéantir toutes les icônes russes : nul n'ignore la part
de Théophane le Grec dans la naissance de cet art [1]. Michel
Alpatov expliquait fort bien, naguère, tout ce que la peinture
de Roubliov doit à la Grèce classique. Après avoir étudié une
Apocalypse du XVe siècle, accrochée au Kremlin et jusqu'ici
trop négligée, le même Alpatov y décela toutes sortes d'indices
d'une influence de l'Italie dès cette époque. De même que
l'homme crèverait bientôt, qui entendrait ne se nourrir que de
ses réserves de graisse, tout art dépérit et meurt qui prétend
vivre sur soi. Qui donc, sinon Marx, affirme que toutes les littératures, tous les arts nationaux, appartiennent désormais à

---

1. V. N. Lazarev publiait à Moscou, en 1961, un excellent ouvrage sur
Théophane le Grec et son école.

l'humanité tout entière, qui doit en faire son profit? Un
marxiste ne peut, sans se renier, condamner l'influence de la
peinture étrangère sur l'art russe.

Mais un marxiste russe, comment faire qu'il ne soit pas
russe? Quand il se réclame de son héritage culturel, comment
oublierait-il Biélinski, Tchernychevski, tous ceux qui, voilà
un siècle, affirmaient que l'art n'a nullement pour fin la
beauté; l'édification, plutôt. Or jamais l'art abstrait ne glori-
fiera les vaillants blessés de la guerre jolie, les kolkhoziennes
à la poitrine généreuse.

C'est également l'héritage culturel qui m'explique ces accu-
sations de « formalisme » obstinément portées à Moscou par
les staliniens contre ceux des artistes qui connaissent leur
métier. Lisez l'étude publiée par Pierre Pascal sur la *Pensée
russe contemporaine* [1]; vous verrez qu'il s'agit là d'une tentation permanente. Mais puisque V. Jirmounski, naguère suspect
de « formalisme », est aujourd'hui, à combien juste titre,
admiré en Union soviétique, en France et partout, comme l'un
des grands comparatistes de ce siècle, puisqu'il est à l'Académie des sciences, puisqu'il fut applaudi au Congrès de Budapest, comment se fait-il que ce qui paraît désormais acceptable en littérature reste suspect dans le domaine des arts
plastiques ? Il ne suffira pas de dire que, pour un barbouil-
leur stalinien, toute peinture *belle* est *formaliste*, toute croûte,
réaliste-socialiste (ce qui pourrait paraître une réponse grammairienne, et par conséquent plausible). Car, tandis que les
jdanoviens cuisinaient l'affaire du Manège, l'Ermitage exposait plusieurs peintres yougoslaves, dont une dizaine de toiles
poétiques, naïves, signées Ivan Guénéralitch : un cheval rose
paissant la neige, par exemple, à l'ébahissement de deux
paysans cachés derrière un arbre. Œuvres chargées de charme,

1. *Cahiers du monde russe et soviétique*, janvier-mars 1962, p. 5-89.

bien pourvues d'animaux irréels, de forêts fantaisistes, dignes
du « Douanier » Rousseau; aussi peu réalistes-socialistes que
possible, par conséquent, mais jolies, toutes, et plusieurs,
belles; « formalistes », et comment! Coïncidant avec la visite
du maréchal Tito, je consens que cette audace ait un rien de
diplomatique. Mais les dessins d'Eisenstein, ceux qu'à la même
époque on accrochait dans une galerie de Moscou, la diplo-
matie ne les explique en rien : d'une grâce parfois, tantôt d'une
âpreté, toujours d'une qualité proprement *formaliste*. Bref.
de beaux, de très beaux dessins, tellement beaux que l'ami
qui m'accompagnait se demandait si la grandeur du cinéaste
n'était pas là, plutôt que dans ces pellicules un peu statiques
pour son goût. Or, que je sache, Laktionov n'a pas encore crié
au meurtre. Serait-ce que la querelle du formalisme ne
concerne pas la forme? Serait-ce que le Sérov sut ingénieusement organiser un amalgame, à la façon de ceux qui naguère
pourvoyaient d'innocents les procès de Moscou?

Je le crois. Quarante années d'athéisme officiel n'ont point
atténué (plutôt auraient-elles aggravé) la pudibonderie de ce
peuple. En traînant Rouchiov devant le nu de Falk, Sérov
savait que ce torse brutal blesserait la pudeur du Russe. Les
chairs modelées, potelées, des filles de Loth peintes par François de Troy, et dont la cuisse chevauche celles du bon papa-
gâteau, elles peuvent s'exhiber à Leningrad : le chiqué fait
passer l'inceste. Mais cette Vénus Anadyomène de Falk,
conçue dans l'esprit même qui inspira celle de Rimbaud... du
même coup, je comprenais que ce poème, lui du moins, ne
figurât point dans l'anthologie d'Antokolski, et je me rappelais que les *Chercheuses de poux*, quand il les traduisit,
Annenski les trahit en *Fées des cheveux peignés*. Tant les
préjugés bourgeois, judéo-chrétiens, oppriment encore une
société qui s'en veut, s'en croit délivrée!

Mais rappelons-nous le chahut que suscitèrent ici l'*Olympia*, ou le *Déjeuner sur l'herbe*.

Au pays de la Révolution, les arts évoluent donc plus lentement que partout au monde. L'Encyclique *Rerum Novarum*,

dix Guérassimov sont toujours prêts à la signer, et la brève renaissance russe n'aura duré qu'une vingtaine d'années, de 1900 à 1920. Des nouveautés, Seigneur! Ils veulent des nouveautés! Au lieu de refaire bien sagement ces gracieuses paysannes à la faucille avec une raie tirée au cordeau de jardinier, et des bandeaux dont pas un cheveu ne dépasse, celles que Vénézianov [1] composait si joliment vers 1937, je veux dire 1837, voilà-t-il pas que ce dangereux novateur de Falk qui, déjà se hasardait à gauche lorsque nous autres staliniens nous étions déjà tsaristes, il ose peindre en 1937 comme faisaient à Paris, vers 1907, les Rouault, les Derain, les Picasso, les Braque, ces « réactionnaires » trop connus. Qui ne voit, par conséquent, que ce Falk impudique est, de plus, et par là même, un *futuriste?*

Que souhaiter ou espérer? Eh bien! que Lénine reprenne le dessus, lui qui savait qu'il faut à l'écrivain, au peintre, au musicien, des libertés, beaucoup de libertés, et d'abord celle de connaître à fond son métier, celle ensuite de se tromper, celle enfin de ne pas plagier en 1962 les braves peintres de 1862, fussent-ils russes. Ce que prouve surtout l'affaire du Manège, c'est à quel point l'art officiel des Soviétiques est englué dans la tradition : non point la meilleure, celle des icônes, de Kandinsky ou de Chagall, non : celle de Répine, de Brioullov, ou de Vénézianov. Comme à ce propos me disait un Polonais : « Patience! Les moulins de Dieu tournent lentement. » Puisse le vent des libertés acquises leur fouetter un peu les ailes!

24 janvier 1963.

1. Voyez l'album sur *Alexis Gavrilovitch Vénézianov*, Moscou, 1954.

Siniavski et Daniel

I. Pour Siniavski et Daniel

En ce siècle où, se substituant aux religions, aux valeurs monarchiques ou aristocratiques, le culte du coffre-fort, cette métamorphose géométrique et fonctionnelle du Veau d'or, avilit et compromet les cultures qui croient que tout se cote en Bourse, il me fut réconfortant d'apprendre qu'un régime socialiste venait de marquer un nouveau point, et quel! dans la partie qu'il joue avec et sans doute contre les Etats-Unis. Heureusement pour les savants soviétiques, le temps est loin où la physique des quanta, les discussions sur l'indéterminisme statistique, condamnaient à Moscou leur homme, coupable de succomber aux blandices de la pensée bourgeoise (et peu importe en l'espèce le ridicule, en effet, de ceux chez nous qui se pâmaient alors devant le prétendu libre arbitre de l'électron). L'important, c'est que les citoyens soviétiques disposent maintenant du droit d'étudier librement la physique; c'est qu'un savant de là-bas puisse dire : « La nature est parfois un peu moins progressiste que certains de nos camarades. »

C'est pour moi un autre réconfort que d'avoir vu pâlir, puis s'éteindre l'étoile de Lyssenko. Quand il prétendit faire interdire en Union soviétique la génétique « bourgeoise », née des aberrations d'un moinillon, Mendel, et d'un valet du capitalisme, l'Américain T.H. Morgan, je me permis de protester : me voici récompensé de mon indélicatesse passée.

Certes, dans l'ordre, ou plutôt dans le désordre actuel de la planète, tout retard technique, et par conséquent toute faiblesse en recherche fondamentale, devient mortel pour un Etat. Si Adolf Hitler avait obtenu la bombe atomique avant les Etats-Unis, où serions-nous? En se prévalant des exigences de la défense nationale, les savants soviétiques ont obtenu les coudées franches. Par malheur pour les arts, les lettres, la philosophie, les gouvernants, qu'ils soient bourgeois ou socialistes, ne disposent d'aucun critère aussi évident pour juger de la valeur ou de l'ineptie d'une œuvre. Voilà pourquoi le même Staline, qui bannissait comme réactionnaires les quanta exigeait qu'on lui bâtît de hideux monuments qui me rappelèrent, quand je les vis, la *Chicago Tribune tower* et le gothique en béton. Voilà pourquoi Staline accepta de se faire idéaliser par le peintre le plus réactionnaire, le plus bourgeois de Moscou : Guérassimov. Voilà pourquoi enfin les « réactionnaires » véritables, les staliniens survivants, continuent à mener, dans le domaine des lettres et des arts, la lutte sournoise mais obstinée qu'ils ont perdue en physique, en biologie.

Ne contestons pas les gains des libéraux : en 1957, c'est à une exposition quasiment clandestine, fort discrète en tout cas, de Deineka, que je fus convié par un expert; c'est à la sauvette que, cette année-là, on regardait les toiles de Sarian. Aujourd'hui, on estime le premier de ces peintres, on célèbre le second. Sur Roublev, sur Théophane le Grec, on publie d'excellents travaux et de tendances diverses. Je viens de recevoir un beau volume qui rend justice, et pleine, à la peinture religieuse monumentale dans les vieilles églises de la sainte Russie.

Reste qu'en 1962, lors de la fameuse exposition du Manège,

dont les libéraux avaient tant espéré, Falk et divers autres peintres, dont plusieurs juifs, hélas! coïncidence malheureuse, furent blâmés, condamnés par M. Rouchiov en personne, à l'instigation il est vrai de la cabale des dévots qu'aiguillonnait Sérov, l'impénitent stalinien. Comme j'avais longuement étudié sur place l'exposition en cause, je pris à Paris la défense des peintres incriminés. La *Literatournaïa Gazeta* falsifia mes articles afin de me déguiser en suppôt des valeurs bourgeoises, en insulteur du socialisme. Je lui répondis que, membre de l'Association France-U.R.S.S. et du comité de rédaction de *France-U.R.S.S. Magazine,* je me devais, ès qualités, de déplorer tout ce qui nuit à la qualité des œuvres qui se réclament du socialisme. On ne publia de ma lettre que des fragments méconnaissables. Or, disgracié M. Rouchiov, la même *Literatournaïa Gazeta* reprit contre le chef déchu, mais plus violemment, les griefs que j'avais eu le grand tort d'adresser au chef régnant.

Je n'ai pourtant pas démissionné de France-U.R.S.S. [1]. Après trente ans ou peu s'en faut d'oppression, on ne retrouve pas du jour au lendemain le chemin des franchises. Pour aider le socialisme à se réconcilier avec la liberté, il importe que nous continuions à discuter avec lui, quittes, quand il le faut, à pousser jusqu'aux remontrances.

L'affaire Siniavski-Daniel est un épisode, un de plus, de ce combat douteux. Que leur a-t-on reproché? D'avoir publié quelques œuvres à l'étranger? C'est oublier que ceux de nos écrivains que préfèrent les Russes ont souvent imprimé hors de France la part la plus neuve, la plus audacieuse de ce qu'on admire aujourd'hui et diffuse dans les écoles. Et puis, ce qui ne fut pas imputé à crime à Pasternak, *Le Docteur Jivago,* lèserait Siniavski, Daniel? Pourquoi deux poids deux mesures? Parce que mon collègue Siniavski serait également coupable d'irrespect envers les classiques russes. Et quand

1. Depuis l'invasion de la Tchécoslovaquie, c'est chose faite.

cela serait! Les plus grands hommes ont leurs faiblesses. Je
connais un écrivain soviétique au moins qui connut la Sibérie
pour avoir mis en doute l'infaillibilité de Maxime Gorki. Si
je l'aime, ce Gorki, si je l'admire! Vais-je pourtant oublier
que les quelques lignes de lui sur Rimbaud, lignes médiocres,
insignifiantes, qui tyrannisent depuis 1933 la critique soviétique, il les emprunta chez M. René Doumic, académicien
bourgeois et entre tous réactionnaire? Bien mieux : il est
faux que Siniavski ait manqué de « respect » à Tchékhov.
M. Aucouturier l'a fort bien démontré. Alors? Alors Siniavski
et Daniel se seraient égarés jusqu'à la propagande antisoviétique? Si la satire spirituelle devient reprochable en régime
socialiste, si la fantaisie créatrice passe pour trahison, je n'ai
rien à dire en faveur des prévenus. Que les juges néanmoins
se rappellent le sort de Mandelstam, la disgrâce d'Akhmatova.
Or on réédite Mandelstam. Demain peut-être, après-demain
en tout cas, Siniavski, Daniel, auront leur place dans l'histoire des lettres russes, dans tous les manuels soviétiques. Des
juges socialistes ne peuvent pas se donner le ridicule de ceux
qui chez nous condamnèrent *Les Fleurs du mal* et *Madame
Bovary*.

Il n'est pas facile aux écrivains d'être libres, je le sais. En
1963, la *Literatournaïa Gazeta* m'accusait donc de propagande
antisoviétique parce que je défendais Falk. Or, en 1958, quand
je défendis dans *Le Monde* cette même Union soviétique à
propos de l'affaire Pasternak, je fus chassé de la revue française où je collaborais chaque mois. Motif : vendu à Moscou.
Que les Soviétiques en prennent leur parti : *Oportet et haereses
esse*. Même des hérétiques, il en faut. Ce que Rome admet,
je ne puis admettre que Moscou ne l'admette point. C'est
pourquoi je fais confiance aux juges : ils acquitteront les prévenus [1].

Le Monde, *11 février 1966.*

1. Naturellement, je n'étais pas dupe de cette dernière phrase, qui
n'était qu'une façon, faussement naïve, de condamner la condamnation
attendue (novembre 1968).

II. *Ces gibiers de prison* [1]

A toute vitesse, car les affaires sont les affaires, un peu trop vite, même, si j'en juge selon les nombreuses coquilles et cette « Tchéka » qu'on transforme en « phénomène », les éditions Sedimo viennent de publier quatre nouvelles de Nicolas Arjak, celles précisément que Youli Daniel va payer de cinq années de réclusion : *Ici Moscou*. Si hâtive, l'impression, que je reçus le bouquin en même temps à peu près qu'une réponse à la lettre par laquelle j'acceptais en principe de préfacer le recueil.

Après en avoir épluché la postface, un « dossier de l'affaire Tertz-Arjak », je comprends mieux pourquoi on n'a point attendu ma préface : au lieu de mettre en évidence les mérites de l'écrivain, on n'a voulu que compiler, en montant des coupures de presse, un dossier qui permettra aux Kotchetov de triompher : « *Quand on vous le disait que Siniavski et Daniel seraient utilisés à l'étranger par la propagande antisoviétique!* » Quelques imbéciles et quelques canailles avaient, en 1958, joué le même tour à Pasternak. Cette fois, le cas est plus grave, car Pasternak échappa, lui du moins, à la réclusion criminelle.

Le même jour, donc, entre tous fastes, j'apprends que, dédaigneux de deux avis favorables formulés par la commission de censure, M. le ministre de l'Information prenait sur soi de ridiculiser notre pays en interdisant *La Religieuse* en France et à l'étranger, cependant qu'à Moscou Michel Cholokhov, prix Nobel de littérature, prenait sur soi de dégrader

1. *Ici Moscou* par Nicolas Arjak [Youli Daniel], Ed. Sedimo, 180 p.

l'image que nous nous faisions de lui en attaquant les « renégats » et en fourrant dans le même sac, tout juste bon à jeter au Bosphore, ceux (dont je fus) qui osèrent élever une voix en faveur des prévenus.

Quand il s'agit de brimer l'écrivain, le cinéaste, admirons les heureux effets de la coexistence pacifique. Qu'il a raison, le juif Daniel, de citer une chanson qui évoque *la haine des foules pour l'artiste!*

Soyons franc : Daniel pèche, et gravement, et consciemment, et délibérément, contre les principes sacro-saints du réalisme socialiste : pour lui, cela ne mérite point d'être consigné sur le papier qui ne fait que répéter ce que les hommes font, ou ne font pas; il ne voudrait écrire que ce que les hommes devraient faire. Bref, il se choisit moraliste. Crime évident d'idéalisme, et qui, à soi seul, mérite évidemment cinq années de réclusion criminelle.

Au lieu de produire un gros navet conforme aux règles, il se permet de publier, contre les règles, deux cents pages intelligentes, graves et courageuses. « *Au trou!* » comme disait, à Alger, le général Massu quand on lui parlait de Mgr Duval.

Deux de ces nouvelles évoquent la tyrannie stalinienne : les camps, la balle dans la nuque. Nul ne nie plus l'existence et la nature de ces bagnes. Alors? Eh bien! Daniel est gravement coupable puisque, de ces horreurs, il a tiré un chef-d'œuvre de dix petites pages, *Les Mains*, une merveille qui honorera toutes les anthologies, tous les manuels scolaires de l'Union soviétique lorsque ce douloureux pays aura enfin obtenu de soi les libertés indispensables.

Moins accomplie peut-être, *L'Expiation* est pourtant l'édifiante histoire d'un intellectuel accusé de délation par un homme qui revient des camps. Tous le méprisent et le fuient, une femme exceptée, qui l'aime et qu'il finit par aimer, lui le libertin. Or cet homme est innocent. S'il a quelque chose à se reprocher, s'il se reproche quelque chose, c'est de n'avoir pas été arrêté sous Staline : « J'aurais dû faire quelque chose qui aurait mérité la prison, les camps de travail, le bagne,

une balle dans la peau. » Les bureaucrates objecteront qu'en
Union soviétique il est impossible qu'un innocent soit victime
de soupçons injustifiés. Vous voyez bien que les juges se
devaient de condamner cette vipère lubrique...

Et qui ne verrait en quoi les deux autres nouvelles devaient
scandaliser les pharisiens? D'abord, ce sont histoires fantas-
tiques et fantasques. La radio d'*Ici Moscou* proclame une
journée de meurtre libre (encore que cette liberté soit tem-
pérée de quelques interdits). Du seul fait que la nouvelle
paraît en 1966 et que la journée en question est censée avoir
lieu le 10 août 1960, la bombe est désamorcée; la fiction
évidente. Il est vrai que *L'Homme du Minap* conte l'histoire
assez peu édifiante d'un garnement ingénieux qui se pique
de faire sur commande une fille aux femmes soviétiques, ou
un garçon. Il ne chôme guère, jusqu'au jour où quelque
infortuné mari le fait traîner devant le Komsomol. Il s'explique : quand je pense à Karl Marx, c'est un garçon; voulez-
vous une fille, je me concentre sur l'image de Clara Zetkin.
Justifié par la science et les saints patrons du marxisme, le
franc-tireur de coups devient monteur sélectionné, fonction-
narisé, pourvu d'une villa aux environs de Moscou : « Il
mange, boit, dort, fait du sport et regarde la télévision sous
la surveillance des médecins. De temps à autre, une voiture
vient le prendre et Volodia s'en va accomplir son devoir. »
Que MM. les juges en tout cas n'accusent pas Daniel de
penser comme ses personnages : il en est un dans *L'Expiation*
qui ne se pardonne pas d'avoir négligé Pasternak. Or c'était
Daniel qui portait avec Siniavski le cercueil du poète suspect.

Non, je n'irai pas jusqu'à soutenir que Daniel flatte Kotchetov, les ronds-de-cuir du journalisme, les littérateurs à
la botte; et Cholokhov n'a pas dû beaucoup apprécier l'allusion, si amicale pourtant, au *Don paisible,* ce roman du vrai

pouvoir soviétique : « Celui où il n'y a pas de communistes. »
Je soupçonne même Daniel d'aimer la vodka, les femmes et
la poésie, de détester la *Komsomolskaïa Pravda,* le puritanisme officiel, les bureaucrates, les « salauds gras », et de
penser que l'époque où il vit est « puante », comme celle de
Leskov.

Eh bien! quoi : toutes les époques puent au nez tant soit
peu délicats. Si parfois un régime s'instaure, un peu moins
puant que le précédent, c'est à Pasternak, à Siniavski, à Daniel
qu'on le doit, comme ici à Voltaire, à Diderot, et autres
gibiers de prison. Cette Russie qu'il raille à bon escient,
Daniel la chérit au point de risquer pour elle sa liberté, et
de la perdre en effet : « Nous en Russie, nous vivons dans
la merde jusqu'au cou et ça ne nous empêche pas d'avoir
des entretiens affectueux. » Ma foi, c'est cela même que je
pense de la France : nous vivons ici dans la merde jusqu'au
cou, et ça gagne les lèvres. Daniel a bien de la chance de n'en
avoir que jusqu'au cou et je comprends qu'à la France il
préfère sa Russie. Je suggère donc à M. le ministre de l'Information de faire ouvrir une information judiciaire contre
M. Youli Daniel, coupable de préférer Moscou au régime
capitaliste, et les prisons soviétiques à la liberté de Tarsis
dans les pays où l'on interdit *La Religieuse.*

Le Nouvel Observateur, *21 avril 1966.*

RETOUR DE CHINE

1962-1963

Pour une solution léniniste
du conflit russo-chinois

I. *Les Chinois sont-ils des Mongols?*

La droite ment toujours, ou presque : c'est que l'argent ne peut avouer qu'il est aujourd'hui le seul dieu. Durant la guerre d'Algérie, qu'ils fussent ou non socialistes, tous ceux-là ont menti qui niaient la torture, exaltaient l'Algérie française. Socialistes ou non, ils agissaient en hommes de droite, et pour la seule gloire de l'argent. Depuis la guerre d'Indochine, qui devint celle du Viêt-nam, où le vertueux impérialisme yanqui, toujours enfariné de Dieu, relaie celui de nos Salan, le mensonge, toujours le même, toujours aussi bête, toujours aussi bas, nous est administré bon an mal an à la même dose : massive. La droite a ses raisons de mentir, et raison de se mentir : elle ne peut vivre dans l'air de vérité.

La gauche, hélas, ment quelquefois; pis, elle se ment. (Et je ne parle point du totalitarisme stalinien, qui mentait toujours, on le sait, et du coup se classait à droite.) Or que sommes-nous, gens de gauche, sinon des malotrus qui avons une fois pour toutes parié pour la vérité, toute vérité quelle qu'elle soit, et si hostile qu'elle nous soit, et quoi qu'il puisse nous en coûter? La justice et la liberté, jamais vous ne les sauverez à renfort de pieux mensonges. Quand elle ment, la gauche passe à droite. Quand elle se ment, elle s'interdit de comprendre, et par conséquent de transformer le monde. Alors que la droite se nourrit de mensonges, la gauche, lorsqu'elle ment, ou se ment, se condamne à dégénérer, à dépérir, et bientôt à mourir.

De nos jours par exemple, la gauche ne sait plus dissocier une politique de celui qui la fait. Après m'être félicité du résultat des élections en Angleterre, j'ai déchanté : quoi, c'est le chef du travaillisme qui vole au secours de la force « multilatérale », c'est-à-dire d'une politique dont bénéficieront surtout des nazis mal blanchis qui lorgnent déjà du côté des Sudètes? Sous prétexte que M. Wilson est travailliste, s'ensuit-il que la politique, la stratégie du Pentagone vont le devenir? Sous l'autre prétexte que la Chine communiste fut reconnue cette année par un général catholique et autoritaire, n'a-t-on pas vu des gens prétendus ou soi-disant de gauche qui condamnaient cette décision? Au moment où les capitalistes français avouent loyalement qu'entre la socialisation et l'américanisation de leurs entreprises ils préfèrent la seconde solution (ce qui, de leur point de vue même, est idiot), la gauche ment et se ment qui feint de croire qu'on peut imposer chez nous une politique de gauche en courtisant le dollar. Il lui paraît plus simple d'accuser de gaullisme quiconque refuse de faire en toute chose le bon plaisir de Washington.

Ce même refus des évidences lui embrouille à merveille l'affaire russo-chinoise et le schisme en suspens. Voilà sept ans que j'observe l'évolution des sentiments (réserve, animosité, hargne, fureur) qui animent l'un contre l'autre les deux grands pays « socialistes ». Au cours d'une conférence que je fis à Buenos Aires en 1959, j'annonçai point par point ce qui se passerait en 1963-1964. Victoria Ocampo le rappelle cette année dans son dernier ouvrage : *La Belle y sus enamorados*. Elle veut y voir la preuve de ma lucidité. Mais non, chère Victoria! Nulle raison d'admirer. Il ne fallait que savoir un peu d'histoire, et suivre les événements.

Au moment où la visite à Moscou de Tchou En-laï nous permet d'espérer qu'après celui des injures homériques qui préludent au combat, le ton peut redevenir celui de la discus-

sion, ou même, qui sait, celui de la négociation, essayons
d'élucider les raisons vraies d'une crise qu'on a feint de croire
idéologique avant tout.

Certes, il est plus conforme à l'image que la gauche veut
prendre aujourd'hui de soi de transformer en querelle idéologique ces souvenirs douloureux et ces conflits d'intérêts. Obstinément, vainement, on ergotera donc pour décider qui sera le
dogmatique de qui, qui le réformiste de qui, qui le stalino-
trotskiste et qui le trotskisto-stalinien. Ceux en revanche qui
pensent comme je fais qu'il ne faut pas que la Chine rompe
avec l'Union soviétique, faute de quoi nous serions condamnés
à n'avoir pour idéal humain que celui d'un jour devenir de
parfaits consommateurs et d'assurer ainsi la prospérité du
« meilleur vendeur du monde », ceux-là doivent vouloir que
Pékin et Moscou se réconcilient en socialistes, et s'ils y tiennent,
en « léninistes ».

Rappelons-nous le mot assez surprenant du chef disgracié de
l'Union soviétique : « Les frontières de l'Union soviétique
sont sacrées. » Ce disant, il reconnaissait que la querelle théo-
logique camouflait des revendications territoriales (dont je fis
état en 1957). Rappelons-nous aussi que le président Mao
reprochait aux camarades soviétiques de s'ériger en champions
d'une race supérieure, la blanche, cependant que l'on rétorquait
à Moscou : « Nous, des racistes? Vous en êtes un autre, vous
qui prétendez que le vent d'Est prime sur le vent d'Ouest, mot
d'ordre où l'on cherche en vain un contenu de classe. »

Notre ennemi, je veux bien que ce soit notre maître. C'est
également celui qui dispute avec nous sur un mur mitoyen.
Notre ennemi, à nous Français, comment serait-il aujourd'hui
hongrois, ou tibétain? Mais ouvrez un atlas, et une chronologie
sommaire de ces trois derniers siècles; puis reportez-vous un
peu au XIIIe siècle, en Eurasie. Cela vous rappelle, fort à propos,
quelques belles images d'*Alexandre Nevski*. Bien que le film
s'efforce notamment de mobiliser l'énergie des Slaves contre
les ambitions coloniales des nouveaux chevaliers teutoniques,
Eisenstein n'a pu résister au désir, ou au devoir, de montrer

en même temps quelques images de l'invasion mongole. On
comprend que les Russes aient gardé souvenir du sac de Kiev
en 1240! Jean de Plan Carpin, qui passait par là sept ans plus
tard, décrit ainsi ses impressions : « Les Mongols marchèrent
contre la Russie et y firent un grand massacre, détruisirent ses
villes et ses forteresses, massacrèrent ses habitants. Et ils assié-
gèrent Kiev, qui était la métropole de la Russie, et après l'avoir
assiégée longtemps, ils la prirent et massacrèrent les habitants;
en sorte que, lorsque nous traversâmes la région, nous trou-
vâmes d'innombrables crânes et ossements des morts, qui
gisaient dans la campagne. C'était en effet une très grande
ville et très peuplée, dont il ne reste quasi rien. On y voit à
peine deux cents maisons, et la population est maintenue dans
une très grande servitude. » Quelques années après Plan Carpin,
l'ambassadeur de Saint Louis, Rubruquis, en route vers Karakorum, capitale des Mongols, traversa cette région : « Elle a
été totalement dévastée par les Tartares, et l'est encore
aujourd'hui. Quand les Russes ne peuvent plus donner ni or ni
argent, on les emmène, eux et leurs enfants, comme des trou-
peaux dans le désert, pour qu'ils gardent les animaux des
Mongols. » Cette servitude pesa plus de deux siècles. Comme
chez nous en terre d'oc le souvenir de la croisade des Albigeois,
la mémoire des invasions mongoles n'est point effacée en Russie.
Rien de plus humain. Rien de plus légitime. Le fâcheux et
le tragique de l'affaire, c'est que les Soviétiques oublient qu'aux
temps précisément où les Tartares (comme on disait alors pour
Tatars) saccageaient la région de Kiev, d'autres éléments des
mêmes nomades, commandés par Ogödai, s'emparaient du
Sseu-tch'ouan, préludant à la conquête de la Chine du Sud,
où les empereurs Songs tentaient de prolonger les fastes et les
délices de leur culture. Autant et plus que les Russes, les
Chinois ont pâti des Mongols. Ils subiront ensuite l'occupation
d'autres Tatars, les Mandchous. Parmi les Chinois qui
vivent aujourd'hui, beaucoup naquirent avant 1911, et
l'éviction des Mandchous; beaucoup portèrent la natte que
le colonisateur imposait en signe de sujétion, et où notre

ignorance de la Chine sut déchiffrer comme le passeport des
« fils du Ciel »... Une pièce très souvent jouée en Chine, que
j'y ai vu jouer, et dont récemment on a tiré un film à succès :
L'Eventail de fleur de pêcher, manifeste que la Chine de Mao
n'a pardonné ni aux Tatars, ni aux « collabos » d'alors. Autant
que les Russes, elle se méfie des Mongols, sans du reste avoir
aujourd'hui à les craindre. Rappelez-vous du reste le commu-
niqué publié en juillet 1963 par le parti communiste de la
République populaire de Mongolie, et l'hommage qu'on y
rendait à « l'effort créateur du parti communiste de l'Union
soviétique, effort accompli au cours des dix dernières années
dans le domaine idéologique ». C'était ouvertement choisir
contre la Chine. En dépit de leurs cheveux noirs, de leurs yeux
bridés, de leurs pommettes saillantes, de leur peau jaune, non
les Chinois ne sont pas des Mongols. Les associations passion-
nelles sont donc malencontreuses qui, dans l'esprit des citoyens
soviétiques, tendent à confondre les paysans chinois avec les
pillards mongols d'*Alexandre Nevski* ou les militaristes japonais de 1935.

Si quelqu'un devait garder du péril « jaune » un souvenir
particulièrement douloureux, il me semble que c'est un
« jaune » précisément, l'intellectuel ou le travailleur chinois.
Le plan Tanaka s'en prit tout d'abord à la Chine et respecta
Vladivostok.

En s'égarant à interpréter en termes de racisme leur diffé-
rend, Russes et Chinois obéiraient à des mobiles fort peu
marxistes. A ce compte-là, qui empêcherait les Chinois de
lancer au nez des Soviétiques une brochure publiée à Koursk
en 1904 : *Kitaï ili my : La Chine, ou bien nous.* Car j'y lus
ceci, noir sur blanc : « Que cela nous plaise ou non, c'est une
question de vie ou de mort entre la race jaune et nous; si nous
en sortons victorieux, il nous faudra inéluctablement nous
emparer d'une partie de la Chine; mais si nous sommes
vaincus, c'est nous qui serons esclaves des Mongols. » La confu-
sion, vous le voyez, continuait. Dans l'esprit de plus d'un Russe,
les Chinois restent des Mongols; ce qui ne peut que blesser,

voire humilier les descendants de ceux qui subirent le joug de
Koubilai khan. La brochure suggérait que chaque famille russe
ait le droit d'acheter une famille chinoise : 400 roubles pour
un adulte du sexe masculin, 100 roubles pour l'enfant, autant
pour le vieillard; demi-tarif pour les esclaves du sexe féminin.
Assurés sur les Chinois d'un droit de vie et de mort, les Russes
pourront donc, une fois amorti le prix d'achat, racheter une
autre famille à peau jaune, ainsi de suite jusqu'au dépeu-
plement de l'Empire du Milieu, et non sans profit, on s'en doute,
pour l'agriculture tsariste.

Bref, quand Rouchiov et Mao exposent leur conflit en termes
de racisme, ce ne peut être qu'à contre-temps, à contre-sens.
Les Russes évoquent à tort les invasions mongoles, et les Chinois
à tort une brochure inspirée par la guerre russo-japonaise, par
l'esprit de Guillaume II. « Vous autres Chinois, autant dire
Mongols, vous avez déjà déferlé à travers l'Eurasie; déjà vous
nous avez réduits en esclavage. Or voici que vous affirmez,
derechef, que le vent d'Est prime sur le vent d'Ouest. Nous
aimons nos proverbes. Non pas celui-ci; qui du reste est chinois;
autant dire mongol. » En s'insultant, en se calomniant, pour
offrir au capitalisme le spectacle pour lui délicieux d'une haine
apparemment inexpiable, l'Union soviétique et la Chine de
Mao grattent d'anciennes blessures, mal encore cicatrisées. Ils
ravivent des peurs tapies, assoupies, aggravant ainsi un conflit
d'importance, mais foncièrement territorial et tel qu'une
analyse marxiste pourrait aisément le réduire à ses justes
proportions.

II. *Les tsars colonisateurs étaient-ils léninistes?*

Si les Chinois ne sont ni des Mongols, ni des Tatars-Mandchous, comment se peut-il faire que, parmi les revendications
territoriales que Mao formule contre l'Union soviétique,

certaines concernent des zones contestées au temps de la dynastie mandchoue? Faut-il admettre qu'en dépit de leur ressentiment contre une famille étrangère qui les gouverna de 1644 à 1911, les Chinois considèrent que les empereurs tatars-mandchous, enchinoisé comme ils le furent bientôt (K'ang-hi en particulier, le Louis XIV de la Chine comme l'appelaient les jésuites), régnaient au même titre, et aussi légitimement, que les empereurs de la dynastie précédente, celle des Mings? Probablement, aucun Chinois d'aujourd'hui ne contestera que, durant un siècle et demi au moins : de 1644 à l'abdication de K'ien-long (1796), les Mandchous ont contribué à la grandeur et à la gloire de la Chine. Plusieurs des plus beaux romans chinois, ceux notamment que Mao Tsö-tong aime à citer, furent mis au point à cette époque. Et qui donc en effet, sinon K'ang-hi, tenta de freiner la ruée russe en direction de la Mandchourie?

Alors que la gauche française, ivre de mots, dissertait savamment sur le trotskisme ou non de Mao Tsö-tong, et analysait « dialectiquement » le conflit « idéologique » russo-chinois, que ne se renseignait-elle sur le sens d'une carte publiée en 1954, dans une *Histoire de la Chine moderne?* Dix-neuf régions, je dis bien dix-neuf, s'y trouvaient marquées aux frontières comme injustement arrachées à l'empire chinois. Dix-neuf Alsace-Lorraine.

Dix ans par conséquent avant le plus violent de la crise, un connaisseur des choses chinoises devait savoir que le président Mao n'accepte pas le statut territorial imposé à son pays, durant le XIXᵉ siècle, par l'impérialisme de l'homme blanc. Il devait savoir, du même coup, que plusieurs de ces Alsace-Lorraine avaient été conquises par la Russie tsariste.

Que les Russes aient eu vent de cette revendication, et dès 1954, il faudrait être plus niais que de raison pour le nier. Ils avaient une ambassade en Chine, que je sache, et des conseillers culturels. Du reste, en 1957, lorsque je passai par Irkoutsk, où l'on nous montra le monument élevé à la gloire des conquérants russes de la Sibérie, je fis observer à notre guide, qui appartenait à l'Intourist, que ce mémorial dressé aux portes de la Chine me semblait au moins maladroit. On nous assura qu'il serait bientôt supprimé. Soit. Les Russes pouvaient-ils s'imaginer qu'il leur suffirait d'effacer ce signal avancé de leur impérialisme ancien pour faire oublier aux Chinois que, dès le XVIIᵉ siècle, un traité avait réglé le statut territorial du bassin de l'Amour?

Ne serait-ce que pour mettre fin aux incursions des Tatars qui avaient incendié Moscou en 1521, qui récidivèrent un demi-siècle plus tard, avant de ravager l'Ukraine, les Russes furent enclins à s'enfoncer dans l'Asie centrale et orientale. En 1651, ils atteignirent la région de l'Amour, et y bâtirent une place forte : Albazin. Cette région relevait alors de la suzeraineté chinoise. L'empereur K'ang-hi était d'autant plus attaché à ce pays qu'outre sa richesse en fourrures de toutes sortes, il était peuplé de Toungouses, proches parents des Mandchous. La Russie se crut bientôt assez puissante pour nommer là un gouverneur, comme s'il se fût agi d'une colonie. Conseillé par ses jésuites, qui lui avaient fondu d'excellents canons, K'ang-hi attaqua la forteresse avec deux cents pièces d'artillerie. Albazin tomba. Une fois repartis les Chinois, les Cosaques, avec lesquels le tsar s'était allié en 1654 et qui lui avaient entre-temps donné du fil à retordre, édifièrent au même endroit une seconde place forte. De nouveau K'ang-hi l'assiégea et, cette fois encore, victorieusement. On négocia. Ce fut le traité de Nertchinsk. Nertchinsk avait été fondée par les tsars en 1654 au cours de cette poussée qui, depuis le début du XVIIᵉ siècle, les enfonçait en Asie (Omsk en 1604, Iénisséisk en 1615), et leur permettait de parvenir au Pacifique dès avant la fin du siècle. Ou je ne m'y connais pas ou c'est ce qu'on appelle, en français, une entreprise coloniale. A Nertchinsk, elle fut bloquée. K'ang-hi consentait au tsar des avantages commerciaux, mais celui-ci renonçait à la forteresse d'Albazin, ainsi qu'au bassin de l'Amour, y compris les affluents du nord. La Mandchourie se trouvait ainsi à l'abri.

Or, pour peu que vous examiniez la carte de 1954, vous

constatez que le secteur n° 17 et le secteur n° 18, ceux qui forment ce que les Chinois appellent le *Grand Nord-Est*, correspond exactement aux régions que les Russes, par le traité de Nertchinsk, s'interdisaient d'occuper. Les commentaires en chinois précisent que la région n° 17, qui couvre le nord et le nord-ouest de l'Amour, fut annexée par la Russie des tsars en 1858, cependant que la région n° 18, qui comprend les territoires situés à l'est du même fleuve, dut être cédée en 1860, par le traité de Pékin, au tsar Alexandre II. Poussant plus loin encore l'indiscrétion, si je déchiffre le commentaire chinois de la zone n° 1, au nord-ouest de la Chine et aux confins de l'Union soviétique, cette région que la carte de 1954 appelle le *Grand Nord-Ouest*, je découvre, au cas où je l'ignorerais, qu'elle fut annexée par les Russes en 1864.

Notez les dates, je vous prie : Nertchinsk, 1689. Pierre le Grand s'assure le pouvoir en Russie. A Pékin, règne K'ang-hi. Deux Etats souverains traitent donc d'égal à égal. En revanche, les trois traités que contestent les Chinois datent de 1858, de 1860 et de 1864; d'une époque où la Chine, mal gouvernée depuis l'abdication de K'ien-long, soumise à la pression anglaise depuis l'ambassade de Maccartney (1793), a dû subir l'ignoble guerre de l'opium, une des plus sales guerres qui jamais furent déclenchées, et qui n'avait pour fin que de contraindre les Chinois à se droguer, tant et si bien que le trésor de Sa Gracieuse et si pieuse Majesté la reine Victoria regorgeât d'espèces trébuchantes. Le temps n'est plus où l'empereur K'ien-long écrivait au roi d'Angleterre : « Obéissez en tremblant. » Ecrasée dans la guerre de l'opium, la Chine avait dû signer à Nankin, en 1842, le premier des traités qu'à juste titre on appelle *inégaux* parce que c'étaient, tout bonnement, des instruments diplomatiques destinés à répartir entre les vieux impérialismes de l'Occident et le jeune impérialisme américain le territoire et les ressources de l'empire chinois. Sous un prétexte fallacieux, les Anglais unis aux Français bombarderont Canton une quinzaine d'années après le traité de Nankin, humilieront une fois de plus la Chine au traité de

T'ien-tsin (1858), où commence pour de bon la colonisation. Abrités derrière leurs pasteurs et leurs curés, toutes les bourgeoisies se ruent à la curée. Traité sino-américain, traité germano-chinois de 1861, traité sino-danois de juillet 1863, traité sino-espagnol d'octobre 1864, traité sino-italien d'octobre 1866. Chacun d'eux comporte une clause pieuse. Article 29 du traité sino-américain de T'ien-tsin : « Quiconque, soit citoyen des Etats-Unis, soit Chinois converti, enseigne paisiblement ou pratique les principes du christianisme, n'en sera jamais empêché ni ne sera molesté pour cette raison. » Article 10 du traité germano-chinois : « Ceux qui suivent et enseignent la religion chrétienne jouiront en Chine d'une pleine et entière protection pour leur personne, leur propriété et l'exercice de leur culte. » Et ainsi de suite, dans chacun de ces « traités ». C'est alors que la Chine, bafouée, humiliée doit signer avec le tsar les traités de 1858, 1860 et 1864. Trois traités comme les autres : « inégaux ». Or qui donc a plus violemment dénoncé les traités inégaux que le Parti communiste? Alors que, l'Angleterre exceptée, qui garde provisoirement la colonie de sa couronne, Hong Kong, les nations signataires de traités inégaux ont restitué aux Chinois les ports, les concessions et autres privilèges qu'elles avaient extorqués après la guerre de l'opium, l'Union soviétique continue à régir des territoires obtenus sous les tsars lors du pillage de la Chine par l'homme blanc.

Si je raisonne selon Lénine, lequel ne se jugeait nullement solidaire de la politique des Romanov, comment ne jugerais-je pas surprenantes les paroles d'un chef soviétique quand il sacralise des frontières obtenues selon les meilleures méthodes de l'impérialisme colonialiste? Ce faisant, il raisonne comme un pétrolier du Texas, qui n'aime pas beaucoup qu'on lui rappelle que ce territoire fut arraché au Mexique en 1848, en même temps que la Californie et le Nouveau-Mexique. Je conviens que si Lénine ou Staline eussent restitué à Tchang Kaï-chek les territoires contestés, les seuls Japonais en auraient eu l'usage. Aussi longtemps que la Chine demeurait la proie des bourgeoisies blanches ou des militaires japonais, les chefs de l'Union soviétique étaient fondés à garder *en dépôt*, pour les restituer un jour à une Chine socialiste, les territoires que le traité de Nertchinsk attribuait à la Chine et que Nicolas II avait arrachés au XIXe siècle. Aujourd'hui par conséquent que la Chine a fait sa révolution, et qu'elle accorde aux minorités ethniques les mêmes garanties civiques et culturelles que l'Union soviétique, un « léniniste » digne de ce nom tant galvaudé ne peut pas ne pas se poser la question que pose Mao Tsö-tong.

S'il ne se la pose pas, c'est qu'il admet, comme vérité de son évangile, que les Romanov, quand ils colonisèrent toute la Sibérie, toute l'Asie centrale, agissaient en parfaits léninistes, et sans aucune arrière-pensée impérialiste. S'il ne se la pose pas, c'est qu'il avoue que tout ce battage contre les traités « inégaux », c'était bon pour embêter la France, l'Angleterre, l'Allemagne ou les Etats-Unis, mais que les traités « inégaux », quand c'est un tsar qui les signa, deviennent des traités « égaux ».

Invoqueront-ils l'intérêt suprême du socialisme? Comment le pourraient-ils soutenir avec sérieux quand nous constatons que cette querelle juridique et territoriale dresse l'un contre l'autre les deux empires socialistes, et risque de les diviser irrémédiablement, au seul bénéfice du capitalisme? Puisqu'ils n'ont à la bouche que le nom de Vladimir Ilitch, qu'ils se demandent honnêtement si celui-ci aurait joué le jeu de Washington pour le douteux avantage de confisquer des territoires accordés à la Chine indépendante au traité de Nertchinsk, et ravis à une Chine semi-coloniale par l'artifice honteux de traités en effet inégaux. Ou bien les marxistes d'aujourd'hui considèrent que ce qui leur importe, que ce qui importe à l'homme, c'est le succès du socialisme, et alors il leur faut consentir à étudier honnêtement les griefs des Chinois contre les Russes; ou bien, retombés au niveau politique du nationalisme bourgeois, ils tiennent la frontière russo-chinoise, du côté de l'Amour, ou du Sin-kiang, comme une ligne bleue des Vosges, comme un absolu magique, pour le prestige duquel

Moscou doit lâcher sans hésiter quelques bombes thermonu-
cléaires avant que Mao ne puisse les lui rétorquer. Dans une
région du monde où les frontières ethniques, langagières, économiques sont fluides, et contestées parce que contestables,
allons-nous voir les marxistes invoquer sérieusement le caractère « sacré » de ces lignes imaginaires? Qualifié hier de poujadiste, parce que je n'accepte point pour la France le statut
semi-colonial que nous prépare Washington, me voici donc
aujourd'hui maoïste et chinois, parce que désireux avant tout
d'éviter le schisme qui menace le socialisme. Patientez, voulez-
vous, jusqu'à la semaine prochaine. Nous nous demanderons
alors si les empereurs chinois étaient eux aussi léninistes. Puisque les Chinois veulent que nous prenions au sérieux leurs
revendications à propos du bassin de l'Amour, il faudra qu'ils
renoncent à d'autres prétentions touchant d'autres régions fron-
talières.

III. *Les empereurs mandchous étaient-ils marxistes* [1]*?*

S'ils parlaient afin de se faire entendre des Chinois, les diri-
geants soviétiques pourraient en effet leur poser quelques
questions embarrassantes. Sous les injures homériques, j'imagine assez bien cette façon de sous-conversation :

Moscou : Vous revendiquez la zone du Grand Nord-Ouest, ce
qui porterait votre frontière jusqu'au lac Balkach. Il est exact,
comme vous le dites, que le Petit Père tsar s'en désigna propriétaire après la guerre de l'opium; mais s'agit-il de territoires
que vous puissiez qualifier de chinois?

Pékin : Dans la mesure où vous pouvez affirmer que le
Kazakhstan, ou le Tadjikistan, aux noms si parlants, sont russes
(ou plutôt sont devenus soviétiques parce que d'abord ils furent
colonies russes), oui. Après avoir étendu leur empire jusqu'à
Touen-houang, dans le Gobi, nos empereurs Hans, dès avant

---

1. De cet article, qui avait la même longueur que chacun des deux
autres, ne survit que le fragment suivant, publié par *Le Nouvel Observateur*.

l'ère chrétienne, poussèrent par les oasis du Tarim jusqu'au Ferghana et en Sogdiane où ils aménagèrent plusieurs commanderies...

Moscou : Dites franchement : plusieurs protectorats.

Pékin : Va pour « protectorats ». Observez toutefois que nous ne revendiquons pas, tant s'en faut, toutes les commanderies jadis chinoises; et avouez que si la loi du premier occupant peut parfois se contester, la loi du dernier occupant n'est pas toujours plus équitable.

Moscou : Vous parlez d'or. Prenez-y garde, néanmoins : à ce compte-là, de quel droit signalez-vous les îlots n° 16 et n° 11, comme si la Corée, ou le Viêt-nam fussent des lambeaux arrachés à la Chine? En même temps qu'il installait ses protectorats en Sogdiane et au Ferghana, votre empereur Wou-ti des Hans s'asservit le Dai-Viêt, le Tonkin d'hier, où d'autres commanderies, comme vous dites, imposèrent neuf siècles durant la loi chinoise. Etait-il marxiste, votre Wou-ti?

Pékin : Vous avez de la chance que nous ne soyons pas des Mongols! Autrement, et pour être fidèles au principe qui vous fait considérer comme soviétique l'empire colonial usurpé par les tsars, il nous faudrait, cher parti frère, vous réclamer la Géorgie, les rives de la mer Noire jusqu'au Danube, et la région de Kiev.

Moscou : Reste que le fameux éditorial du 8 mars 1963, au *Jen min je pao*, reprend, point par point litigieux, toutes les revendications irrédentistes de la carte publiée en 1954. Ainsi de suite, à n'en jamais finir.

Or quiconque entrevoit ce que fut l'histoire, entre toutes confuse, de l'Asie centrale et orientale, comprend que le schisme russo-chinois a pour causes principales et véritables, d'une part, le passé de l'Eurasie, d'autre part, la persistance, au cœur des deux empires socialistes, de ces sentiments chauvins ou impériaux qui animaient les empires féodaux des Romanov et des Mandchous. A mon retour de Moscou, en décembre 1962, j'annonçai dans un hebdomadaire qu'à mon avis l'événement

de 1963 serait la revendication, par les Chinois, d'une part de
la Sibérie. C'était facile à prévoir. C'était écrit depuis le traité
de Nertchinsk; c'était inscrit sur la carte de 1954.

En confirmant l'an dernier que, fidèles à ce qui fut leur principe de politique étrangère dès 1949, les Chinois étaient disposés à résoudre « pacifiquement » tous les différends suscités
par les traités, y compris les inégaux traités qui seraient, selon
les circonstances, « entérinés, dénoncés, amendés ou négociés
à nouveau », Mao précisait que la politique chinoise serait
toute différente « envers les pays socialistes » et les « pays
capitalistes ». C'était parler en « marxiste ». C'était réitérer que
les Chinois ne sont pas des Mongols, ni les Viêtnamiens des
Chinois; ni non plus les Coréens. Quel dommage qu'en fei-
gnant, par dépit, de se rallier au culte de ce Staline qui contra-
ria tant qu'il put la juste cause, Mao Tsö-tong s'aliène la
sympathie de tous ceux qui, au nom du léninisme, ou plus simplement du socialisme, refusent la terreur et la tyrannie stali-
niennes.

Quelle honte pour le socialisme que le spectacle conster-
nant de divergences tactiques et culturelles qui dégénèrent en
griefs démesurés, dérisoires, inexplicables mais d'autant plus
inexpiables! Et cela, au nom même de ce socialisme qui ne
peut être qu'un leurre, qu'un national-socialisme, s'il n'exige
et n'obtient que tous ceux qui s'en réclament subordonnent
toujours, en cas de conflit, l'intérêt général de la cause à celui
de chaque nation. Entre Chinois et Russes, comme tout pourrait redevenir clair et simple si les régions contestées, contestables, en Asie centrale et orientale, étaient mises en valeur
dans le seul intérêt des deux parties. En cette part du monde
où les frontières n'ont pas beaucoup plus de sens qu'au Sahara
(qu'on se dispute jalousement) faut-il voir se perpétuer deux
ou trois Alsace-Lorraine sino-russes?

Au moment où l'Europe capitaliste elle-même tâtonne et
titube, mais enfin s'efforce vers un Marché commun, vers une
conscience supranationale, quel révoltant paradoxe si les deux
plus grands empires socialistes de la terre refusaient de bâtir

ensemble, dans le Gobi comme dans le Grand Nord-Est, et pourquoi pas dans le Grand Nord, le plus puissant Marché commun qui jamais aurait vu le jour? Oui, plus puissant que l'empire mongol même au temps de sa plus écrasante puissance.

RETOUR DE L'INDE

1963

Un cheval vapeur
vaut mieux qu'une vache sacrée

Tandis qu'au XVIIIᵉ siècle la découverte des pensées et des mœurs de l'Asie inclinait nos philosophes à philosopher plus philosophiquement, presque tous ceux de notre temps qui bricolent dans l'orientalisme n'en tirent que des anti-Descartes, des machines à décerveler : du yoga pour elle au yoga pour lui, sans oublier le yoga pour tous, l'Inde pourvoit de recettes qu'on prétend magiciennes le même genre de lascars chez qui le zen et le tir à l'arc selon cette religion camouflent ingénieusement le nihilisme des nazis. Quand on me parle de « spiritualité », désormais, je sais qu'on en veut à ma peau, ou du moins à ma liberté de penser aux choses sérieuses : le salaire des mineurs, la misère de la Sorbonne.

Faites avec moi le tour de l'Inde : non pas en touriste passionné d'éléphants, de safaris, de maharadjahs, de mangoustes, non; en homme simplement soucieux de voir l'Inde comme elle va. Où la verrez-vous, alors, la fameuse spiritualité? A Calcutta, devant le temple de Kali, autour du billot sur lequel sans répit on sacrifie les victimes exigées par la déesse, et auquel, dans une atmosphère d'abattoir et d'hystérie, une cohue de bigots viennent se barbouiller de sang? Ou serait-ce à l'heure de la prière, dans les temples shivaïstes de Madras, de Madurai?

Je participai à plusieurs de ces cultes : j'y rencontrai les mêmes dévots exactement que dans les églises de Pologne ou

du Mexique : ici, on s'humecte d'eau salée; là, on saupoudre
une statue de Ganesha; ici, on porte la main à son front, à son
ventre, à ses épaules; là, on se tapote le front, les joues, on
soulève les deux paumes au-dessus de la tête en fléchissant,
parfois, les genoux. De la ferveur, du recueillement, oui. Rien
qui ressemble à l'idée que, d'après les « spirituels », je me
forme de leur discipline.

Ai-je donc eu tort de ne point la saluer, la spiritualité, en la
personne de ce pèlerin qui, le long d'une route empoussiérée,
se jetait par terre, s'allongeait à plat ventre, le bras tendu,
plaçait un repère à l'endroit qu'atteignaient ses doigts, se relevait, posait les pieds à l'endroit ainsi marqué, de nouveau
s'allongeait, plaçait son repère pour se relever, se recoucher,
et cela, spirituellement, durant vingt ou mille kilomètres? Mais
si je vénère en cet Indien un spirituel, que de spirituels alors
j'ai vus grimper à genoux la Scala Santa! Quels spirituels, ces
paysans qui descendaient vers Rome depuis leurs Apennins,
en traînant la croix de leur Christ! Une seule fois peut-être...
c'était au vieux Delhi : devant un homme nu, intègrement,
intégralement nu, devant un ascète vêtu de son bol à prières,
les agents de police arrêtaient la circulation, sans que nul
Indien, qu'il fût musulman ou hindou, ni ne scandalisât, ni
même s'étonnât. Peut-être... mais nous eûmes nos Doukhobors,
et, révérence parler, nous avons aujourd'hui nos nudistes végé-
tariens.

Non, je ne puis admirer une vie spirituelle au nom de
laquelle des brahmanes pauvres se laissaient mourir de faim,
durant les famines qui ravagèrent le Bengale, plutôt que de
survivre en acceptant la nourriture irrémédiablement, et dia-
blement souillée que leur offraient les Couacres ou la Croix-
Rouge. Pour moi, qui tiens, selon plusieurs philosophes, que
la morale commence avec l'estomac plein, ou, du moins, bien
lesté (parce que, tout bêtement, selon le proverbe, ventre affamé
n'a point d'oreilles), je me refuse à croire que, pour sauver la

France des périls qui, comme chacun sait, la menacent mortellement : la physique, la chimie, les maths, la sociologie, la pensée critique, il faut que nos concitoyens, en cas peu probable de disette, commencent par se laisser spirituellement mourir de faim.

Mais les ashrams, les gourous? Ce que j'appris touchant l'Ashram de Pondichéry et la Mère qui le gouverne avec pour parastate un ancien polytechnicien m'imposa de m'abstenir : je me méfie des spirituels qui réussissent au temporel. Non, je n'étais pas venu là pour retrouver chez cette Mother Divine, *mutatis mutandis,* le genre même de spiritualité dont aux Etats-Unis Father Divine prodiguait l'insolent spectacle.

Les spirituels de l'Inde, je les fréquente volontiers, les vrais s'entend. Le Toukaram des *Psaumes* [1] que le P. Deleury nous a si bien traduits; le Kabir des *Paroles* dont Mlle Vaudeville nous donna un beau choix : *Le Cabaret de l'amour* [2]. Ils ne m'importent pas moins que Hallaj, ou Jean de la Croix, et pour les mêmes raisons : parce que ce ne sont point des avocats du vague à l'esprit; parce qu'ils refusent toutes les orthodoxies, tous les clergés, tous les docteurs de toutes les Lois dont chacune se dit la seule; parce qu'ils affirment que l'Etre est inconnaissable et ne se peut signifier que par la théologie apophatique, la prudence de la philosophie critique, le scrupule des athées, ou le centième nom d'Allah.

Mais les gourous, les swamis? Mais Ramakrishna? En voilà un du moins qui échappe aux religions, les transcende en philosophie syncrétique! Eh bien, parlons un peu de ceux qui se réclament de lui. Je fus accueilli au Centre culturel de la *Ramakrishna Mission,* à Calcutta. Tout le confort, et même du luxe : des chambres les mieux climatisées de toutes celles où je passai; moustiquaires irréprochables. Table sobre, hygiéni-

1. Gallimard.
2. Gallimard.

que. Pelouse entretenue avec une minutie digne de l'Angleterre. Qui veut séjourner dans — et hors de — cette ville à tant d'égards cruelle pour les nerfs d'un voyageur sensible, je lui conseillerai volontiers la Mission. Au réfectoire il connaîtra des commensaux de qualité. Voilà pour la matérielle. La gouvernante de la Mission, une Hollandaise indianisée, qui professe le soufisme, voulut bien m'initier à l'esprit du lieu : amphis de cours et conférences, bibliothèque; enfin, les trois salles de méditation.

Pour les gens de peu de foi, et pour les néophytes, la Mission a bâti une chapelle assez grande, ornée d'images sulpiciennes : un Bouddha, un Krishna, un Sacré-Cœur de Jésus, une absence d'image (en l'honneur de Mahomet) suggèrent les quatre formes de spiritualité auxquelles on se réfère pour s'aider à monter plus haut; l'ascenseur vous conduit en effet vers une salle plus petite, second degré de cette nouvelle *Subida al Monte Carmelo* : un lumignon clignote, qui remplace les images, trop matérielles. Plus haut, l'ascenseur vous dépose près d'une salle exiguë, parfaitement obscure, refuge des âmes fortes, sinon des esprits forts, et conçue de telle façon, me sembla-t-il, que tout froissement, toute parole murmurée s'y amplifient péniblement. Pas moyen de ne pas s'y taire. On déplore, à la Mission, que peu de gens fréquentent les salles de méditation alors qu'on a pris soin de les climatiser!

En revanche, on se réjouit de constater que la grande salle de conférences est toujours pleine quand le swami Ranganathanda monte en scène pour prêcher. Cette année, il traitait des oupanichads. Plus de mille personnes l'attendaient lorsque j'arrivai, soucieux de prendre place. Après avoir joliment modulé le *Aum*, le swami loua longuement la pauvreté; sur quoi, se référant perpétuellement au texte sanscrit de son oupanichad, il la traduisit, puis la commenta, en anglais. Au niveau qui serait pour nous celui du catéchisme de persévérance, il expliqua les rapports de la conscience individuelle, ce rien, avec l'*atman,* ce tout : quelque chose comme le Pascal de deux infinis, en somme. Et vogue la galère sur l'océan des belles images : de même que chacune des vagues diffère de sa voisine par sa couleur, sa forme, sa hauteur et ne compose qu'un moment, un fragile mouvement de l'océan; de même que chaque note frappée sur un tambour, ou grattée sur le *sitar,* n'existe que par et pour la mélodie; ainsi, chétif, anéanti, l'individu dans le tout de l'*atman.*

A ma gauche, un hindouiste suivait l'homélie sur un texte bilingue : je pus constater que le swami se bornait à délayer la traduction. Au bout d'une heure, il leva la séance, pour devenir la proie d'admirateurs et d'admiratrices dont aucune, aucun, n'était pauvre. Enfin, je fus admis à son audience : bureau climatisé, riche bibliothèque (Teilhard de Chardin). Nous parlâmes de politique; le swami gardait la tête froide. Moi, je pensais au désaccord entre son prêche et ses propos, entre son riche costume et son éloge du dénuement; je pensais à Billy Graham.

Ce qui dans la Mission Ramakrishna m'a paru de beaucoup le plus estimable, non, ce n'est point une spiritualité au niveau des éditions Chacornac; mais, tout platement, l'odeur des cuisines où l'on prépare le menu des étudiants pauvres. Après quatre heures de travail en bibliothèque — horaire pointé à l'horloge — chacun de ceux qu'on accueille bénéficie d'un repas de cocagne.

Le secrétaire de l'Institut culturel de cette Mission Ramakrishna, le swami Nityaswarapananda, écrivait en 1962 que, si l'Inde survit à toutes les raisons qu'elle eut de périr, elle a le droit à sa religion, et au fait que, dans « *l'échelle des valeurs nationales, la spiritualité occupe la place la plus haute* ». Or je constate que cette spiritualité favorise des pratiques fondées en astrologie et auprès de quoi nos usages analogues font figure voltairienne. Un seul exemple, que je puis garantir : un enfant va naître; la spiritualité calcule un horoscope; l'heure est désastreuse. Que faire? D'abord essayer toutes sortes d'artifices, à faire rougir une sage-femme, pour empêcher

l'enfant de sortir au moment malencontreux; l'imprudent, malgré tout, met le nez dehors, ou peut-être le siège. Il n'importe.
Seule importe l'heure de la présentation : celle du malheur.
Que faire? La spiritualité exige qu'on refourre dans son four-
reau le malvenu et qu'on l'y maintienne jusqu'à l'heure faste.
Voilà qui est fait. A la bonne heure! L'enfant maudit meurt
étouffé; la mère aussi. L'astrologue triomphe, et avec lui la
spiritualité : *je vous l'avais bien dit, que l'heure ne valait
rien.* Je n'oublie point notre Christ de Montfavet et les quelques idiots qui ne veulent pas voir de médecins. Quand même,
il nous reste fort à faire.

Autre chose : un de mes amis demandait un jour à quelque
spirituel tout ce qu'il y a de spiritualisant : « *Ces taudis,
là-bas, de l'autre côté de la rue, et tous ces misérables qui
campent sur les trottoirs de Calcutta, ça ne vous gêne pas dans
vos sublimes exercices? — Là-bas, mais ce sont nos domestiques. Quant à la misère, je m'arrange pour ne pas la voir.* »
Que signifie, je vous prie, une spiritualité qui prend si légèrement son parti d'une abjection qu'elle encourage, et peut-être
propage?

Il n'y a pas plus de spiritualité à Delhi qu'à Paris, à Bombay
qu'à Marseille, à Trivandrum qu'à Saint-Trop'. Et tant mieux :
partout, dans l'Inde, j'ai vu des paysans qui triment dans les
rizières, des pousses qui s'essoufflent à trotter par quarante à
l'ombre (ils gagnent quelques roupies, eux du moins, et s'ils
meurent jeunes, ils mangent durant leur vie); dans les hôtels,
j'ai subi ces larbins qui vous tendent des mains aussi nombreuses que celles des dieux locaux. L'Indien a beau vivre une
vie plus dévote que le Français, il reste soumis aux soucis
ordinaires de tous les travailleurs, s'il travaille; à l'angoisse
de tous les chômeurs, s'il chôme; presque partout, à une misère
telle que toute notion de spiritualité, pardonnez-moi, devient
dérisoire.

Pensez simplement à ceci : pour nous, la spiritualité de

l'Inde, ça comporte, en particulier, les techniques du *Kama
soutra*. Mais lorsque vous voyez ces pauvresses qui passent leur
vie entière à pétrir des gâteaux de bouse de vache et que
vous imaginez l'odeur de ces pauvres mains... lorsque vous
relisez le chapitre trois de Vatsyayana : « *On fait avec les
ongles huit marques, par égratignures ou pression : la sonore,
la demi-lune, le cercle, le trait de l'ongle ou la griffe du tigre,
la patte de paon, le saut du lièvre, la feuille de lotus bleu* », et
que vous voyez les ongles de ces pauvres mains... allons, avouez
que la spiritualité de l'Inde ne concerne pas les Indiens, et
que le *Kama soutra* lui-même est là-bas impraticable.

Cela, ce fut ma première découverte. La seconde m'a troublé
davantage encore : avant de visiter l'Inde, je pensais qu'entre
le temps de l'artisanat et l'ère de l'automation en régime socialiste et libéral, la condition ouvrière c'était toujours le bagne.
Qu'elle fût chinoise ou russe, française ou yanquie, l'usine me
paraissait le comble de l'aliénation. J'en avais visité quelques-
unes, un peu partout, et j'avais lu, notamment, les notes de
Simone Weil sur sa vie d'ouvrière. Désormais, je sais qu'il
existe un pays, l'Inde, où l'usine c'est le paradis, et, qui plus
est, la spiritualité (ou du moins le seul moyen d'accéder à la
vie du corps et, partant, de l'esprit). Alors que la durée
moyenne de la vie ne dépasse pas vingt-huit ou trente ans pour
l'ensemble de la population, il a suffi d'une ville comme
Jamshedpur, construite pourtant autour des cheminées et des
crassiers d'une aciérie Tata, pour qu'en un demi-siècle on
prolongeât de dix ou douze ans cette moyenne fatidique.

Quand vous m'aurez protesté que la dynastie des Tata, si elle
multiplie les écoles, les services hospitaliers, les maisons
ouvrières, les parcs de repos, c'est par intérêt bien compris;
quand vous m'objecterez que, dans les usines d'aviation, si l'on
maintient une pression atmosphérique qui empêche les poussières de pénétrer jusqu'aux ateliers, ce n'est pas pour encourager l'ouvrier à devenir sybarite, mais parce que les

poussières les plus ténues pourraient léser la surface minutieusement polie des pièces les plus délicates, je répondrai que
l'ouvrier en profite, et tant mieux. J'ai beau détester le bruit,
haïr l'odeur de l'essence et vivre plus volontiers dans un
hameau qu'à Paris, les villages de l'Inde me rendaient malade
rien qu'à les traverser (je ne parle pas des quelques ensembles
modèles, si rares encore) ; dans le tintamarre des usines, dans
ces halles immenses, mais propres, où des hommes accomplissent
une tâche monotone, mais efficace et précise, je voyais se préparer une tout autre vie de l'esprit que celle qui consiste à
réciter les védas (et à l'envers, pourquoi pas?).

Non, ce n'est pas par hasard si quelques-uns des hommes
avec qui j'eus les conversations les plus vives, soit en politique,
soit en philosophie, travaillaient comme cadres supérieurs dans
les usines. L'un d'eux m'offrit une étude qu'il avait écrite sur
l'œuvre politique de Kautilya, pour discuter le machiavélisme
ou non de ce penseur. Très bonne, ma foi! Par bonheur pour
l'Inde, ceux qui la dirigent actuellement sont bien moins naïfs
que nous touchant la spiritualité. Au cours de l'audience que
m'accorda le président de la République (qui est aussi le philosophe de son pays), j'eus la surprise et le plaisir de l'entendre
citer, à propos de *Chakountala*, les vers précisément de Gœthe
que, pour présenter cette pièce à la radio, j'avais moi-même
choisis quelques semaines plus tôt. Gœthe, cet imbécile au
jugement de nos spirituels, ce « souffleur de pestilence » pour
nos Claudel, on ne rougit pas de lui dans l'Inde, et tant mieux.
Quant au Premier ministre, il ne cesse de répéter à son peuple,
et tant mieux, qu'il lui faut des écoles, encore des écoles, et
toujours des écoles, des savants, encore des savants, et toujours
des savants, des techniciens, encore des techniciens, et toujours
des techniciens.

Durant mon séjour à Bombay, en mars, M. Nehru inaugura
plusieurs instituts, notamment le *Central Training Institute for
Instructors,* à Kurla, et je pus prendre connaissance des discours

qu'il prononça : il y blâma ceux qui, en pleine révolution industrielle, ne veulent pas tenir compte des bouleversements qui en résultent pour tout le monde : « *Ces bouleversements sont inévitables*, déclara-t-il, *nous les avons choisis; et nous ne pouvons nous tenir à l'écart.* » Lui le pandit, lui le lettré, il n'hésita pas à suggérer que, l'Inde étant aujourd'hui ce qu'elle est, il importe avant tout d'y former d'habiles techniciens, dût la conception traditionnelle de la culture désintéressée en pâtir.

En tout autre pays, je contesterais ce propos, car la recherche fondamentale et la culture générale sont, à longue échéance, plus utiles que la seule technique; mais, dans les circonstances actuelles, M. Nehru a raison. Car les seules promesses que j'ai vues là-bas d'une vie de l'esprit, c'est à l'usine et aux écoles d'apprentissage, derrière les tours, les fraiseuses, où des visages ouverts et beaux (comme le sont presque tous ceux des Indiens qui mangent à leur faim) découvrent qu'un cheval-vapeur peut valoir mieux qu'une vache sacrée pour le perfectionnement du cœur et de l'esprit.

Car enfin, puisque, veut-elle résoudre l'effrayante question des vaches sacrées (tuberculeuses ou non), la spiritualité traditionnelle ne peut proposer et ne propose qu'un remède : la ceinture de chasteté; puisque, pour améliorer la ration des meurt-de-faim, la spiritualité suggère surtout de jouer un peu de musique aux plants de riz — ce qui hâtera la croissance des grains — (Mozart ne donne-t-il pas du lait aux vaches profanes?), c'est aux agronomes, aux techniciens, à tous les rationaux exécrés par nos fadas fanas de l'Inde que je confierais, moi aussi, l'avenir là-bas de l'esprit.

On s'imagine chez nous que l'Inde reste un pays d'éléphants précieusement caparaçonnés dans un palais de maharadjah. J'ai fait le tour de la République indienne, et j'y vis, en tout, deux éléphants : au Zou. Les spirituels de l'Inde jouent chez nous, sur un autre plan, le rôle des éléphants. Eh bien, l'Inde vraie, ne vous déplaise, c'est un pays peuplé de corbeaux : au nord, au sud, en ville, à la campagne, dans les collines et sur les plages, ils règnent, souverains. L'Inde vraie, ne vous déplaise, c'est des centaines de millions de ventres-creux qui se foutent à bon droit de la spiritualité, et qui ne deviendront des hommes tout à fait que lorsque les swamis céderont le pas aux O.S.1, et les gourous aux O.S.2.

France-Observateur, *30 mai 1963.*

RETOUR DU JAPON

1964

A quand notre Meiji?

Les Français s'extasient volontiers sur la métamorphose du Japon après 1868, sur le Meiji. Nous en coucluons modestement qu'il a suffi aux Japonais d'emprunter nos sciences, d'importer nos techniques, de calquer nos mœurs, pour se classer au premier rang. L'idée ne nous viendrait pas d'aller voir du côté de Tokyo ce que nous aurions profit à connaître, emprunter, admirer. Je ne parle, cela s'entend, ni du *zen*, ni du *sukiyaki*, ni même du *judo* ou du *karaté*, dont nous raffolons. Je pense plutôt à Murasaki et à Basho, à Zéami et à Saikaku, à Chikamatsu et à Ikku, à l'architecture en bois la plus belle qui soit, à ces châteaux forts qui joignent à la vertu des forteresses le charme des pagodes les plus ailées. Le Japon? cent beautés qui n'attendent que nous : mille « occasions à profiter de suite ». Hélas, lorsque Claude Maître, Serge Elisseeff et quelques autres tentèrent, en 1924, de révéler à nos concitoyens la culture japonaise, la revue qu'ils fondèrent, *Japon et Extrême-Orient*, ne dura qu'un an et douze numéros. Elle ne trouva point de lecteurs.

« Y a-t-il des gens cultivés à Tokyo? » demandait l'autre mois un de nos concitoyens qui, apparemment, se croyait cultivé. Or, en dépit de l'occupation américaine et des efforts de Washington pour proroger en protectorat politique et culturel (dont le *japanglais* nous manifeste l'efficace) le trop fameux proconsulat de MacArthur, la littérature et les arts de la France bénéficient là-bas, depuis vingt ans surtout, d'un préjugé si favorable qu'une statue grecque sans bras et de marbre, parce qu'elle arrive de Paris près Pontoise, fait courir Tokyo presque aussi tumultueusement que Françoise Sagan ou Brigitte Bardot.

De Montaigne à Sartre et de Racine à Proust, tous nos écrivains sont traduits et discutés. Les étudiants de Tokyo disposent des *Iles*, l'essai de Jean Grenier, en édition scolaire. Les professeurs du Japon écrivent aussi bien sur Mallarmé que sur l'art roman du Poitou; ils composent des thèses sur Proust. Au sortir d'une librairie japonaise, le Français qui fait retour sur soi et qui compte sur ses doigts ce qu'il a pu lire en sa langue, parmi les œuvres du Japon, comment n'aurait-il pas honte? Les *Chansons de Narayama,* un livre d'Osaragi, deux ou trois romans d'Osamu Dazai, de Tanizaki, de Yukio Mishima, de Yasunari Kawaba, de Kohyo Ozaki, quelques autres encore. En fait de classiques : *Kokoro,* les *Traités* de Zéami sur le nô, *Cinq amoureuses,* de Saikaku, les *Contes de pluie et de lune,* un cinquième à peine du *Genji.* Et si je compare les tirages, quelle humiliation, quelle déroute! Nous ne lisons rien.

Cette situation ne peut se prolonger sans péril. J'ai perçu là-bas quelques signes d'agacement, précurseurs d'une irritation, d'un dépit bien compréhensibles. Car les Japonais savent que Chikamatsu vaut n'importe lequel de nos dramaturges; que nous n'avons pas fait beaucoup mieux que leur *Genji*; que les *Notes de chevet* et le *Tzurezuregusa* ne sont pas indignes de Montaigne. Ils savent également que nous ne savons pas leur langue et dédaignons de l'étudier. Sans doute, le nombre des élèves inscrits au cours de japonais que propose l'Ecole des langues orientales a-t-il augmenté de beaucoup durant ces dernières années. En chiffres absolus, c'est peu. Alors que plusieurs centaines de Japonais enseignent en faculté notre langue et notre civilisation, nous ne disposons en France que d'une chaire, à la Sorbonne.

Etonnez-vous que nous n'ayons formé ni traducteurs assez nombreux ni critiques habiles en lettres japonaises!

Si nous voulons profiter de tout ce que le Japon recèle d'œuvres belles, qui enrichiraient notre idée de la poésie, du théâtre ou du conte, il nous faut, sans plus tergiverser, former notre jeunesse au japonais. Lorsque je rentrai de Chine, en 1957, j'ai demandé ici même, et obtenu, la création d'un enseignement du chinois dans quelques lycées pilotes. Le résultat passa nos espérances, et même nos souhaits. L'an dernier, au théâtre de l'Alliance française, des élèves du lycée de Montgeron, tous volontaires pour cette langue censément diaboliquement difficile, récitaient en chinois tous les numéros du programme : présentation de photographies, scènes de comédie.

Eh bien, il est grand temps d'inculquer à nos écoliers une langue plus difficile sans doute : le japonais. Les professeurs japonais ne manqueront pas qui, boursiers en France, accepteront de divertir à cet effet une part de leur activité. Ils me l'ont promis. Il faudra également créer dans nos facultés quelques chaires de langue et de civilisation japonaises. Il faudra enfin organiser à Paris un institut qui se vouerait à l'étude des relations culturelles entre l'Europe et l'Asie extrême : Chine et Japon. Outre des enseignants, cet institut formerait les traducteurs et les journalistes spécialisés qui nous manquent.

Comme à Tokyo, me disait quelqu'un qui se donne le plaisir et la peine d'étudier la langue japonaise, il est temps, grand temps, pour la France de faire son Meiji. A ce prix, à ce prix seulement, elle pourra tirer parti et profit de sa nouvelle politique en Asie. La reconnaissance de la Chine, notre effort pour neutraliser le Sud-Est asiatique nous ont valu un accès de sympathie, que notre indifférence au japonais risquerait de compromettre.

Alors, à quand notre Meiji?

Le Monde, 25 juin 1964.

Shirano Benjuro et le Nô

I. *Une journée de nô*

Depuis trente-cinq ans, je tournais autour du nô sans y
jamais pouvoir entrer; certes, je ne fus jamais aussi fermé à
ce genre que celui qui, lisant en anglais « the nô play theory »,
sua sang et eau pour accoucher d'une « théorie du non-diver-
tissement »; mais enfin le nô, qui me fascinait comme en ce
temps-là tout ce qui m'aidait à me délivrer d'une culture, l'occidentale, dont je ne connaissais alors que le dogmatisme et la
sanie, le nô, il me fallait en convenir, me repoussait ou me
refusait. J'en admirais l'idée, la théorie — ce que du moins
j'en apercevais; impossible pourtant d'aimer honnêtement ce
que je connaissais en fait de nô; j'avais en vain déchiffré
tout ce qu'on pouvait alors découvrir dans nos librairies, sinon
nos bibliothèques : le *Livre des Nô*, dans la collection Piazza,
les *Cinq Nô* que Noël Péri avait publiés chez Bossard. Autant
apprendre par cœur un livret d'opéra et s'imaginer qu'on
entend *Ariane à Naxos*.

Eussé-je alors assisté à une représentation, je doute qu'elle
m'eût touché. Par zèle je le crains pour un marxisme que je
comprenais mal, peut-être aussi par rancœur roturière, je
méprisais vers ce temps-là les spectacles où je croyais déceler
des œuvres de classe, et je condamnais l'opéra : pour me per-

suader d'entendre Wagner, Louis Laloy, qui m'enseignait alors
la poésie chinoise, dut non seulement m'offrir des places gra-
tuites mais surtout me séduire en me prouvant qu'il existait
aussi des opéras pékinois.

Or je viens d'entrer dans la danse : j'essaierai de dire comme.

Entre-temps, j'avais pu voir à Paris ce qu'on y présentait en
guise de nô. Comme l'écrivit à ce propos M. Sieffert, qui s'y
connaît plus qu'un peu : « les plus honnêtes avouaient qu'ils
n'avaient rien compris, ou qu'ils s'étaient ennuyés ». Les autres
vaticinaient sur l'ésotérisme du genre. Tout récemment encore,
et non sans avoir au préalable instruit l'auditoire par un exposé,
et non sans l'avoir séduit par quelques propos de Jean-Louis
Barrault qui arriva en scène avec les *Traités* de Zéami, le
Théâtre de France présenta un acteur de nô; mais seul. Une
fois encore, je dus constater que la lenteur du jeu, la nature
de la diction, la mimique — aussi savante, aussi réglée, aussi
épurée sinon plus que celle des *mudras* dans les danses de
l'Inde — déconcertaient les spectateurs les plus favorablement
prévenus.

Lorsque j'assistai à ce résultat mutilé, mutilant, j'avais enfin
pu lire les ouvrages essentiels sur le nô : le volume de Noël
Péri, publié à Tokyo en 1944, les traductions et les travaux
du général Renondeau; plusieurs fois — et chaque fois avec
plus d'admiration — j'avais relu les *Traités* de Zéami Motokiyo
ainsi que la *journée de nô,* dont M. Sieffert illustra ce volume.
Tout assuré que je fusse que rien n'existe d'aussi fort et d'aussi
subtil, d'aussi juste et d'aussi beau sur le théâtre, la danse,
le métier de l'acteur (du moins à ma connaissance) et tout
prêt à conclure que le nô ne pouvait pas être inégal à l'image
qu'en proposait ce Zéami, j'étais plus désireux d'aimer que
conquis. Pour un peu, j'allais approuver ceux qui soutiennent
qu'en un siècle où, pour réussir à la télé, il faut savoir plaire
à cent cinquante (ou cinq cents) millions de spectateurs, cet
art de cour, ce spectacle aristocratique n'a plus rien du tout

à nous enseigner. Par bonheur je me rappelai que, dans les mêmes milieux, j'avais ouï dire la même chose de l'opéra pékinois, et que partout en Chine j'avais découvert que le peuple, le vrai, celui des travailleurs, apprécie l'Opéra, qu'il préfère, ah! combien! aux pièces à l'occidentale, avec leurs mécaniques réalistes-bourgeoises, ou plutôt socialistes (là aussi, l'envers vaut l'endroit). Après avoir vilipendé ce spectacle comme féodal et réactionnaire, le gouvernement communiste avait enfin pris son parti de l'évidence, et désormais encourageait un art aussi peu réaliste mais aussi beau que possible, et dût-on ajouter aux livrets une touche socialisante, ou féministe.

Eh bien, il a suffi d'une journée de nô, une vraie, pour me convertir. Non pas que je croie devoir cette révélation, ou cette ouverture, au tremblement de terre qui célébra le premier nô du dimanche 5 avril 1964. Sans doute, ce séisme contribuait à me mettre dans le ton, s'il est vrai, comme l'écrivent les géographes, que « les tremblements de terre sont un élément habituel du milieu physique japonais ». Le même géographe se demande s'ils exercent une action sur la géographie humaine; tout ce dont je puis témoigner, c'est qu'à la minute où tout bascula sensiblement, aucun des bourgeois ou des intellectuels qui formaient l'auditoire ne lâcha le livret qu'il avait en main; tout bougeait, mais nul ne bougea. La seule qualité de ces livrets, sous la couverture desquels des oiseaux d'or s'essorent sur fond noir, dispose l'esprit à la beauté; les livrets de format réduit n'ont droit qu'à des oiseaux noirs sur fond grège, mais ce sont les mêmes oiseaux et, à l'intérieur, les mêmes illustrations, la même élégante calligraphie.

Plutôt qu'un drame lyrique — définition du nô selon ce Noël Péri en qui les Japonais admirent un des meilleurs juges et connaisseurs de leur théâtre — si le nô était un spectacle, une danse — ce que suggère M. Sieffert — à quoi bon baisser de temps à autre le nez vers un livret, au risque de perdre un geste ? Danse on dirait immobile (en cela et non pas seulement en cela bien différente de l'*odori* des *geishas* et *maikos*)

le *mai* des acteurs de nô n'est donc pas tout, n'est donc plus
l'essentiel ? Ou bien si les spectateurs vérifient dans la marge
supérieure que l'acteur en scène respecte scrupuleusement les
gestes ? Danse on dirait immobile (en cela et non pas seulement
des nô est archaïque, et archaïsante la diction elle-même), le
livret tient lieu de ces projections qui, dans les théâtres traditionnels de la Chine, inscrivent à droite ou à gauche de la
scène, parfois à droite et à gauche, le texte des parties chantées
dont la langue littéraire et la diction élaborée risqueraient de
ne plus passer. Quant à ceux qui connaissent le texte des nô
qu'on leur joue, comme ils ne vont pas au théâtre pour tuer
le temps, apparemment, mais pour participer à ce qui leur
tient lieu d'action : à une *évocation,* ils trouvent naturel de se
raviver la mémoire en suivant le texte écrit. Sous prétexte
que les amateurs apportent souvent à l'Opéra leur partition,
ou au concert, condamnerons-nous les symphonies et l'opéra ?

Le texte importe en effet autant au moins dans le nô que la
danse; j'allais bientôt en faire l'expérience. Les amateurs qui
m'avaient choisi et préparé cette journée (un Japonais qui vient
de publier une étude sur *Paul Claudel et le nô,* un Français
qui se voue à l'étude et de la langue et de la culture japonaises)
avaient cherché à me fournir autant que faire se pouvait l'équivalent du livret aux oiseaux d'or.

Pour le premier des nô, *Kantan,* je disposais de la traduction
anglaise que produisit Arthur Waley. Faute de traduction, on
m'avait préparé au second, *La Double Shizuka,* par un résumé
fort précis de quelques pages, scène par scène. Je suivais le
texte de *Kurama Tengu,* le troisième, dans l'édition de Gaston
Renondeau, la page de gauche fournissant une transcription
romanisée du japonais, cependant que celle de droite proposait
une traduction.

Grâce à Waley, rien ne m'échappa du sens de *Kantan.*
L'histoire, que je connaissais, illustrait une fois de plus, grâce
au thème de l'oreiller magique, l'impermanence d'ici-bas. Tout
n'est qu'un rêve, et foin de la puissance! Le plus souvent,
je parvenais à savoir à peu près si ce que je lisais en anglais

correspondait en gros à ce qui se déclamait sur la scène. Je
perdis quand même le fil à plus d'une fâcheuse reprise, et
jamais je ne me sentis assuré de lire une phrase d'anglais au
moment précis où l'acteur, le chœur, en modulaient l'original.
Diverses raisons d'admirer me sollicitaient, me divisaient, mais
un obstacle (quel ? en moi ? hors de moi ?) m'interdisait de
rassembler en émotion complète et cohérente paroles, danse
et chant, costumes et masques, flûte et tambours. Quant aux
cris des musiciens! Je me rappelais ce qu'en écrit M. Sieffert :
« Ce sont ces cris qui surprennent le plus le spectateur non
prévenu. Les comparaisons les plus saugrenues et les plus
irrespectueuses, tirées du règne animal, lui viennent irrésis-
tiblement à l'esprit. Le symbolisme qu'exprime cette musique
est certes plus difficile à admettre que celui de la danse, mais
l'on ne peut goûter pleinement le nô tant que l'on résiste à
l'envoûtement qu'elle provoque. »

Le *kyogen* de rigueur vint à point me soulager, et me prouver que l'alternance du tragique et du désopilant répond à un
besoin qui, mieux gouverné qu'à notre *Grand Guignol,* produit le théâtre grec ou japonais.

Deux nobles, chemin faisant, rencontrent un paysan auquel
ils commandent cavalièrement de porter leurs épées. Pour un
manant, que faire d'autre qu'obéir, puis dégainer contre les
impudents, les imprudents ? Quand il les tient à sa merci, le
cul-terreux exige que les beaux messieurs lui remettent aussi
leur *katana,* ce poignard-épée dont les hommes d'honneur se
servent pour le *seppuku* (que nous préférons appeler *hara-
kiri*). Poussant à l'extrême son avantage, comment va-t-il se
revancher, le misérable, de tant d'humiliations et de sa pauvreté ? Quelle agonie va-t-il leur infliger ? « Si vous voulez
la vie sauve, imitez le coq! » On assiste alors à un ballet de
volailles. En voyant les nobles en pareille posture, si le paysan
rigole! Tout désormais lui semblant permis : « Déshabillez-
vous! » Les seigneurs apparaissent en sous-vêtements. L'autre
jubile : « Avec vos sous-vêtements, vous ressemblez comme
qui dirait à des chiens blancs. Imitez-moi les deux chiens

blancs! » Les nobles obtempèrent, et dansent agréablement. Le
revanchard enjoint enfin à ses victimes de mimer pour lui les
acrobates de la cour, ce qui nous vaut un dernier numéro, non
moins farcesque, aussi sobrement réglé que les deux autres.

Oui, décidément, le kyogen est utile à la journée de nô;
indispensable. Mais où donc ici la grossièreté ? La discrétion
des danses et du jeu tempérait la liberté du thème. Je m'amu-
sais sans remords. Ravigoté par une collation d'entracte, je me
sentais gaillard pour écouter le second nô.

Du seul fait de sa singularité, celui-là m'alléchait : unique
dans tout le répertoire japonais, il met en scène une double
apparition de fantôme. Nul autre nô n'introduit deux personnages au même masque, au même costume de *shite* (le
shite, c'est le protagoniste; le *waki*, « celui du côté », n'ayant
d'ordinaire pour fonction que d'introduire par sa vision le
shite, mot à mot : *celui qui agit, l'acteur,* par conséquent, le
seul *acteur* au sens précis du mot).

L'histoire se rapporte aux amours du jeune et valeureux
guerrier Yoshitsuné avec Shizuka la danseuse. Persécuté par
son frère aîné Minamoto no Yoritomo — le fondateur du sho-
gounat de Kamakura — Yoshitsuné se réfugie dans les montagnes de Yoshino, où il doit se séparer de sa belle maîtresse
et s'enfuir plus avant vers le nord. Il se suicidera en se jetant
dans la Koromogawa. Le *waki* de ce nô est un moine du temple
de Yoshino, qui enjoint aux servantes d'aller cueillir des
fleurs, prémices du printemps, sur les bords de la Natsumi-
gawa (les nô sont réglés selon la marche des saisons, et nous
sommes au début d'avril). La servante célèbre les bords heureux où la fonte des neiges laisse apparaître enfin le réseau
des sentiers. Une villageoise s'approche : c'est le *mae-jite,* le
shite de la première partie. Elle exige qu'on prie pour elle au
temple, mais refuse de révéler son nom, et menace d'apparaître
si les prêtres contestent la relation de la servante. Tandis
qu'elle rend compte de ce qu'elle a vu, la voici soudain possédée d'un esprit dont le prêtre ne peut forcer l'identité. Une
allusion du chœur la découvre néanmoins : c'est celui de

Shizuka, la villageoise de tout à l'heure. Le *waki* promet de
réciter les prières qu'on a requises, à condition néanmoins que
Shizuka consente à danser une fois encore : les costumes dont
elle se parait jadis ne sont-ils pas déposés dans le trésor du
temple ?

Possédée par l'esprit de Shizuka et revêtue des atours de la
belle, la servante se met à danser. Sous un masque et un costume identiques, survient alors le vrai fantôme de Shizuka.
Les deux *shite* miment ensemble la fuite de Yoshitsuné, la
séparation des amants sous les cerisiers en fleur. En quelques
mouvements de manche ou d'éventail, les deux sosies composent une danse immobile, ou si peu s'en faut. J'ai beau
m'appliquer, suivre sur mon rôlet, me pincer le menton, la
paume des mains, je me sens qui dodeline; à ma droite, un
Japonais s'endort tout à fait sur le déjeuner qu'il achève de
mastiquer. Suis-je victime du nô, ou de la digestion ? Durant
ce spectacle qu'on m'a dit exceptionnel (d'autant plus atta-
chant que les pièces de femmes seraient les plus représen-
tatives du genre), je ne saurai que m'endormir! Barbare!
Dans mon engourdissement, un détail s'insinue, m'obsède :
sous les petits masques du *mae-jite* et du *nochi-jite*, les fré-
missements des bajoues et de la gorge durant les modulations.
A quoi bon avoir appris que ces masques sont taillés si petits
à beau dessein, pour désincarner à la fois le *shite*, et l'exalter
par rapport au *waki* ? D'un nô parmi les plus beaux, n'est-il
pas dérisoire que tout ce qui me touche, ce soit un tremblo-
tement de la chair ? A moins que, précisément, je ne sois
victime des circonstances : mon résumé conte fort bien l'histoire, mais je ne sais jamais au juste où l'on en est, ni ce que
signifient les gestes, les modulations, les chocs des paumes
contre la peau des tambours. Le plaisir du nô dépendrait-il
à ce point des paroles ?

Lorsque la flûte introduit le troisième nô, je suis résigné
à ne jamais goûter un spectacle que mon idée du beau m'impose d'admirer...

Kurama Tengu s'inspire d'un épisode de la lutte des Taira

contre les Minamoto, ou des Minamoto contre les Taira. Il
s'agit donc, en un sens, d'une pièce qui relate un événement
du monde réel; et comme, au début, le *shite* ne porte pas de
masque, comme les personnages sont nombreux puisqu'on
peut compter jusqu'à six suivants et compagnons, j'ai le sentiment, qui me rassure, d'assister à quelque chose qui ressemble
au *kabuki*. Mais c'est aussi une pièce de démon, puisque le
shite, qui joue sans masque son rôle de *mae-jite*, découvre
ensuite sa vérité : un masque de génie véhément qui protégera
le rejeton de la famille décimée. Or, très vite, je me sens tout
différent de celui qui jusqu'alors luttait contre l'assouplis-
sement. Sur la page de gauche, dans la transcription du général
Renondeau, je lis le texte japonais, et du coup je m'aperçois
que j'accompagne sans peine aucune la diction du *shite* et
celle du chœur; pas une syllabe ne m'échappe. La vision
marginale me permet de suivre le sens sur la page de droite.
Comme les jaunes d'œufs, l'huile, le filet de vinaigre ou la
pointe de moutarde prennent soudain en mayonnaise, le nô
venait de *prendre* en moi : les gestes du *shite*, les modulations
de sa voix travaillée, les gestes de sa danse, la flûte, les tambours, tout enfin se répondait, se correspondait, se complétait,
s'organisait en une lumineuse et parfaite unité, dont le liant
m'était fourni, sans conteste, par les paroles. Jusqu'à l'uni-
formité apparente du vocalisme, si troublante pour moi, qui
s'éclairait : je découvrais que la récitation archaïsante alourdit
en *o* les nombreux *a* du texte.

Quand on m'aura démontré que cette lenteur de la diction
moderne, grâce à quoi, ou par la faute de quoi, je pouvais
entrer dans le jeu, corrompt le mouvement du nô, beaucoup
plus rapide jadis, si l'on en croit les savants qui se rensei-
gnèrent sur le temps qu'on mettait à jouer les pièces du
vivant de Zéami, que m'importe si, capable de suivre syllabe
à syllabe le sens et le son d'une phrase, j'ai su fondre en une
seule intense joie les bribes du plaisir — éparses, dissociées
— que jusqu'alors j'éprouvais quand j'éprouvais quelque
chose ? Sans doute ai-je manqué les effets obtenus par l'em-

ploi des *mots-pivots*, ou des *mots-oreillers* qui, dans le nô
comme en poésie, jouent un rôle ingénieux, déterminant; sans
doute je ne saurais m'aventurer à justifier chacun des cris que
profèrent les tambours (du moins ai-je senti cette fois qu'ils
font partie d'un ensemble qui s'impose comme tel). Au reste,
lorsque nous entendons Aristophane, Plaute ou Shakespeare
en version française, bien des jeux du poète avec ses mots
nous demeurent interdits. Refusons-nous pour autant le reste
du spectacle ? Bien que, ce dimanche-là, je n'eusse pas encore
goûté, comme je fis plus tard à loisir, grâce à la générosité
de M. Tajima-Hiroshi, les enregistrements de la flûte de nô,
je pus apprécier, dans *Kurama Tengu*, la valeur de certaines
inflexions de la flûte traversière (mais le *hishigi*, ce moment
vrillant qui annonce un fantôme, je ne l'entendrai vraiment
que sur la bande enregistrée).

Une vérité m'est enfin évidente : je n'ai apprécié le nô que
grâce au texte; d'où j'incline à conclure que, dans l'état
présent du genre et de sa mise en scène, ce spectacle, issu de
la danse, compose désormais quelque chose comme ce *drame
lyrique* dont parle Noël Péri : le temps n'est plus où les
acteurs de *dengaku*, assis pour réciter, se levaient afin de
danser en silence : la parole n'est plus séparée de la danse.
Quelque puriste m'objecterait sans doute que, subissant un
fauteuil, je n'ai pu jouir correctement du nô, lequel ne se
peut apprécier que les jambes croisées sur un coussin, au
niveau du sol. Il se peut, mais Zéami en ses *Traités* distingue
trois moyens pour le nô de s'imposer au spectateur : par la
vue, par l'ouïe ou par l'esprit. Il me semble avoir vérifié
le bien-fondé du distinguo.

II. *De Cyrano à Shirano*

Pour celui qui vient de recevoir en plein cœur, en plein
esprit, la révélation du nô, et qui admire qu'avec un seul

acteur, le *shite* — *protagoniste* et même seul *agoniste*, au sens
du mot dans la dramaturgie grecque — les Japonais aient su
élaborer un spectacle aussi beau, c'est peu dire : aussi riche,
aussi foisonnant, quelle chance complémentaire, quelle chance
fatale, d'assister quelques jours plus tard à la représentation
de *Cyrano de Bergerac* en traduction japonaise.

Cela se passait au théâtre Nissei, le 18 avril 1964; j'y étais
convié par l'un des deux traducteurs, l'ancien doyen de la
faculté des Lettres à l'université de Tokyo, auteur d'un savant
essai sur Mallarmé et traducteur de ce poète, M. Suzuki Shintaro. Voilà déjà qui donnait à réfléchir : trouverait-on en
France un érudit, un lettré, pour donner à Edmond Rostand
autant de soin qu'à la *Prose pour des Esseintes* ? Je ne connais
pas l'autre traducteur, M. Tatsuno Yukata, mais je ne serais
pas surpris d'apprendre qu'il a rendu en japonais John Donne,
ou peut-être Stefan George, à moins que ce ne soit Ungaretti.

Ne supposez surtout pas que le traducteur de *Cyrano* a pu
s'adonner pour une raison à ce travail et pour des raisons
d'un tout autre ordre se vouer aux poèmes de Mallarmé : ce
que je sais du doyen Suzuki me garantit qu'il a du goût. Celui
comme moi qui l'a vu, agenouillé devant le tokonoma chez
l'écrivain Osaragi, pour palper en connaisseur une écritoire
ancienne, une précieuse céramique, comprend d'emblée qu'un
Japonais puisse d'un même élan aimer le nô et *Cyrano,* porter
en ville le béret basque et le soir, chez soi, chausser les hautes
getas de bois.

Entre le jeu hiératique du *shite* et la gasconnade bondis-
sante, les Japonais savent très bien se répartir. Désormais,
tout Edoko se sent mi-parti occidental, mi-parti oriental :
selon les circonstances, les heures du jour, costume, langage,
mœurs, tout en lui sera plutôt nipponisant, ou américanisant.
La femme qui trottine deux pas derrière son mari, sur les
trottoirs de Ginza, vers cinq heures, vêtue d'un kimono avec
l'*obi*, vous la rencontrerez trois heures plus tard en robe du
soir dans un dîner, incarnant aussi, non sans déchirements
intimes à l'occasion, cette synthèse de l'Asie et de l'Europe

selon le cas, ou de l'Asie et des Etats-Unis, que les seuls Japonais jusqu'ici essaient de réussir.

Je n'ai jamais vu *Cyrano* en français. En juillet, j'ai manqué l'émission télévisée où deux jeunes aveugles avaient joué, m'assure-t-on, la ballade du premier acte, et mimé jusqu'aux passes du duel :

> *Prince, demande à Dieu pardon !*
> *Je quarte du pied, j'escarmouche,*
> *Je coupe, je feinte...*
> (se fendant)
> *Hé ! là donc,*
> (Le vicomte chancelle, Cyrano salue.)
> *A la fin de l'envoi, je touche.*

Je n'ai pu voir non plus Paul-Emile Deiber dans ce rôle de Cyrano qui représenterait « la même dépense physique qu'un match de tennis disputé en cinq sets ». Je reste donc tout plein de mon *Cyrano* nipponisé. Non, je ne crois pas que la seule curiosité, que le seul piquant de l'affaire, m'aient tenu attentif d'un bout à l'autre de la représentation; d'une représentation dont tout le détail m'échappait parce que le texte m'était sorti de la mémoire depuis le temps où, potaches, nous nous jetions au nez quelques bribes du monologue sur le nez. Et ce n'est pas non plus le talent des traducteurs qui pouvait me tenir en alerte. La traduction était belle, je n'en doute pas, et le rythme de sept plus cinq syllabes, caractéristique de la poésie japonaise, servait à merveille celui de notre alexandrin; mais, sourd au japonais, je n'en percevais mie, ni goutte. De sorte qu'à plus d'une fâcheuse reprise, je me sentis aussi démuni, aussi perdu, que dans le nô de *La Double Shizuka* : capable au plus de suivre vaguement l'action, incapable d'associer avec un geste, une inflexion de la voix, tel ou tel mot de l'auteur, tel ou tel mot d'auteur.

Qu'est-ce alors qui pouvait me tenir éveillé ?

Durant les quatre premiers actes, le grouillement des personnages, les mouvements des figurants m'imposaient de m'interroger sur le nô, sur l'apparente contradiction, sur l'évidente incompatibilité entre l'un et l'autre spectacle. La seule explication que je pusse me proposer, c'est que les Japonais appréciaient dans cette pièce leur dépaysement, de l'exotisme, et qu'ils allaient à *Cyrano* pour la raison même qui fait les Français se ruer vers le nô quand par hasard il leur est offert à Paris.

En conversant à l'entracte avec M. Suzuki Shintaro, j'appris toutefois que *Cyrano* était là-bas un divertissement coutumier; que sa traduction fut maintes fois montée, et de façon différente (cette fois-ci, d'une façon qui lui donnait particulière, évidente satisfaction). Certains des Japonais qui applaudissaient la nouvelle mise en scène avaient sans doute assisté quatre ans plus tôt aux représentations données au Kabukiza par M. Matsuura Takeo. Non, les Japonais n'allaient point à *Cyrano* comme au nô mes compatriotes. Il fallait trouver autre chose.

Je n'aurais sûrement pas trouvé tout seul.

Par chance pour la littérature comparée, M. Suzuki avait invité quelques Nippons et quelques barbares, dont je fus, à dîner le soir en compagnie de trois des acteurs, dont Onoé Shoroku, qui jouait Cyrano, et l'actrice de cinéma Kuga Yashiko, qui incarnait Roxane. Assis que j'étais entre eux deux, je hasardai bientôt (non, pas si tôt que cela, un peu tard, plutôt) la question qui m'embarrassait, m'obsédait : « Pourquoi diable aimez-vous à ce point *Cyrano*, vous autres Japonais ? »

« Pour deux raisons au moins, répondait Onoé Shoroku, et dont chacune suffirait à expliquer cette connivence. Parce que, d'abord, l'idéal de générosité, d'honneur, de sacrifice, de valeur militaire, celui de Cyrano, c'est exactement celui de notre *bushido*, c'est la voie même de nos guerriers; parce qu'ensuite, de toutes les pièces françaises que nous connaissons, le *Cyrano* de Rostand est celle assurément dont le ton se rapproche le plus de notre *kabuki*. Le premier acte de *Cyrano*, en particulier, évoque pour nous, invinciblement, *Sukeroku*; quant au cinquième acte de Rostand, c'est l'expression même du sacrifice selon le *bushido*. »

Passe encore pour la première raison et pour le dernier acte. Voilà qui me confirmait dans un sentiment que je commençais à former, et auquel je ne m'attendais pas, moi qui en restais à Stoetzel, à sa *Jeunesse sans chrysanthème ni sabre* (mais soudain je me rappelais que Stoetzel considère que, si récente qu'elle soit, son enquête doit dater) : en vérité, plus d'un Japonais libéral parle de virilité en des termes qui me suggéraient que cette notion n'est pas en eux oblitérée : la sexualité des Yanquis a pu imposer le baiser sur la bouche et sur l'écran, elle n'a pas encore convaincu les Japonais que, dans un couple, c'est l'homme, toujours, qui lave la vaisselle, et la femme toujours qui porte la culotte.

Bien que les occupants aient d'abord interdit le judo et l'escrime, parce que ces techniques risquent de compromettre la grande paix proclamée sur Nagasaki et sur Hiroshima, confirmée par les *gadgets* incendiaires qui tuèrent à Tokyo plus de trois cent mille civils, j'avais observé, à Osaka notamment, juste en face du château féodal reconstruit, l'enthousiasme avec lequel étudiants et étudiantes maniaient à nouveau l'épée de bambou, et, joyeusement, férocement, exaltaient leurs cris en portant une vive attaque. Entre l'aérodrome et la ville de Sendai, j'avais même croisé une manifestation comme il s'en organisait alors un peu partout, où l'on réclamait l'abrogation de l'article de la Constitution par lequel les Américains interdirent au Japon de jamais déclarer la guerre. Sur le renouveau de la virilité japonaise, sexuelle et autre, j'avais même appris un certain nombre de détails à propos desquels on me demanda le secret. « Parole d'honneur ? — Parole d'honneur! »

Cyrano répondrait donc, en un sens, à ce besoin de virilité, au goût de l'escrime et du *Kriegspiel*. Il se peut. Du point de vue de la dramaturgie, quel intérêt ?

Bien plus émoustillante pour moi, et pour vous j'espère, l'autre raison : ces affinités qu'on allègue entre notre jeune

Cyrano et leur vieux *kabuki* (moins vieux que le nô, sans
doute, mais plus vieux que *Cyrano*).

Au Français qui ne connaît du *kabuki* que les caricatures
pénibles qu'on lui proposa sous ce nom, l'idée de l'acteur Onoé
Shoroku paraîtra singulière au moins; celui-là déjà comprendrait mieux qui, à défaut du texte de *Sukeroku*, connaîtrait
deux ou trois des meilleurs ouvrages sur ce genre littéraire.
A défaut du travail de Serge Elisseeff et de Iakovleeff sur *Le
Théâtre japonais* (*kabuki*), qu'on ne peut maintenant consulter
qu'en bibliothèque car il est hélas et depuis longtemps épuisé,
rabattez-vous sur deux volumes en anglais : le précis de
Miyake Shutaro, *Kabuki Drama* (initiation destinée au touriste de bonne volonté), et *The Kabuki Handbook*, de Aubrey
S. Halford et Giovanna M. Halford [1], œuvre de deux auteurs
qui, deux années durant, allèrent deux fois par mois au *kabuki*
du matin au soir, selon la règle de ce jeu dramatique, lequel
se joue comme le nô à journée pleine. Dans ce manuel, on
trouve d'une part cent pages de notes sur les acteurs, les rôles,
les costumes, les accessoires, la mise en scène, le *hanamichi*,
ce « chemin fleuri », cette passerelle surélevée, à gauche de
la salle, par laquelle certains personnages entrent en scène en
se mêlant de fort près au public (ce qui me permit une fois
d'admirer la démarche stylisée d'un ivrogne), d'autre part le
résumé de deux cents parmi les plus fameuses pièces du
kabuki.

En comparant à *Sukeroku* le premier acte de *Cyrano*, Onoé
Shoroku faisait à Rostand beaucoup d'honneur puisque, s'il
subsiste plusieurs centaines de pièces de *kabuki*, les plus
renommées sont rassemblées dans un recueil privilégié, le
Kabuki Juhachiban, lequel, comme l'indique son titre, contient
à l'origine dix-huit pièces jouées par une dynastie entre toutes
célèbre, celle des Ichikawa, acteurs qui s'illustrèrent durant
neuf générations. Or, sept des dix-huit pièces du *Juhachiban*

1. Respectivement : Tokyo, Japan Travel Bureau, 9ᵉ édition, 1963;
Charles E. Tuttle Company, Rutland, Vermont et Tokyo, 3ᵉ édition, 1961.

se jouent encore, notamment *Sukeroku Yukari no Edo-Zakura* (quelque chose comme *L'Amour de Sukeroku, galant de Edo*) qui passe pour une des deux plus accomplies; la seule qui parfois lui dispute la précellence étant cet autre *Juhachiban : Shibaraku* (*Attends un instant*). Plus d'un critique japonais estime du reste et publie que, de toutes les pièces de *kabuki*, c'est *Sukeroku* la plus divertissante à la fois et la plus réussie du point de vue de la construction, du dialogue et de la musique. En comparant à *Sukeroku Cyrano*, Onoé Shoroku égalait donc cette comédie héroïque — boudée par les Français qui se piquent de goût — à l'un des deux chefs-d'œuvre les plus vantés du répertoire de *kabuki*.

Encore que j'aie eu le temps et l'occasion d'aller au Kabu-kiza où je vis notamment *Migawari Zazen* — que je conseille à tous nos zainistes professionnels, car il s'agit de la plaisante satire d'un homme qui, pour se donner du bon temps avec une courtisane, feint d'entrer chez soi en *zazen*, d'où série de quiproquos farcesques — et le neuvième acte, souvent joué séparément, de *Kanadehon Chushingura*, dont le sujet reprend le thème des quarante-sept ronins, je n'ai pu, en ce séjour d'un seul mois, assister à *Sukeroku*. Que faire, sinon relire *Cyrano*, et les deux résumés dont je dispose de *Sukeroku* — celui de Mikaye, un peu succinct, celui des Halford, très étoffé. Avouons d'emblée que j'ai relu tambour battant la comédie larmoyante ou héroïque de Rostand. Avec un peu d'agace-ment, oui, aux mots par trop d'auteur; avec un peu d'irritation — mais j'en ai une peur rétrospective, à tel point que Rostand m'emportera dans son histoire — à la pensée de celui qui fut Cyrano, de celui que fut Cyrano, et de ce qu'elle devient ici. Reste que j'ai relu d'un élan ces cinq actes, comme il vous arrive, convenez-en, de faire avec *Les Trois Mousquetaires*, ou *Quatre-vingt-treize*. Moi qui, devant une part si abondante, et si abondamment glosée de notre littérature à la mode, m'endors d'ennui, aussi étranger à ces magmas qu'au texte pour moi impénétrable de *La Double Shizuka*, j'étais piqué, fouaillé, parfois même à deux cils d'une larme à l'œil. Quitte alors à me traiter d'idiot. Heureusement j'ai sauvegardé en moi cet idiot qui sait crier son dégoût devant la danse des dieux précolombiens selon le père Claudel, ou pleurer avec Margot sur les malheurs de la Dame aux Camélias.

Devant ce *Cyrano*-là, je me retrouvais aussi neuf que voilà vingt-cinq ans devant Anatole France, que j'avais aimé spontanément à vingt ans, mais que la terreur gidienne et surréaliste m'avaient ensuite et pour dix ans rendu pis que coupable, bien pis : suspect. (Méfiance d'autant plus déplorable que j'appris beaucoup plus tard que, passant devant une vitrine du boulevard Raspail où l'on affichait agressivement *Un cadavre* après la mort de France, André Gide entra pour prier le libraire d'ôter bien vite ce factum et, sur la surprise marquée par le vendeur, pour convenir que ce n'était pas rien, Anatole France : s'il avait offusqué, vivant, la petite bande de la *nrf,* il fallait à sa mort lui rendre tout son dû.) Devant ce *Cyrano*-là, je me demandais si nous ne saurions pas reconnaître un jour celles des qualités qui *ne* firent *pas* le succès de cette pièce.

Cyrano, lui du moins, a plusieurs traits qui me bottent. Ce bretteur ne s'escrime que pour affirmer la liberté de son jugement, et pour confirmer les hésitations de son cœur. Après tant de larves sans volonté, sans honneur, sans passions, sans caractère, comment ne pas reconnaître en Cyrano un demi-frère :

LE BRET

Il attaque les faux nobles, les faux dévots,
Les faux braves, les plagiaires, — tout le monde.
. . . .

LE DUC

Ne le plaignez pas trop : il a vécu sans pactes,
Libre dans sa pensée autant que dans ses actes.
. . . .

CYRANO

Que je pactise ?
Jamais, jamais ! — Ah! te voilà, toi la Sottise!
— Je sais bien qu'à la fin vous me mettrez à bas;
N'importe : je me bats! je me bats! je me bats!

A nos amorphes, englués dans leur petite schizoïdie de culture, ou paranoïa rentable, dans leur veulerie, leur impuissance, leurs lâchetés et leur lâcheté, assurément je préférerai toujours le héros, Antigone ou Cyrano, qui refuse de pactiser, qui choisit de mourir pour quelque chose comme sa liberté. Rimbaud, tenez, vous le vénérez, vous l'adorez parce que durant un an ou deux, à l'âge des fugues, il pensa *merde à Dieu!* et grogna contre sa daromphe, mais ce Cyrano-là, qui jusqu'à sa mort refuse de pactiser, vous le traitez de très haut, de votre Très-Haut. Celui qui ridiculisait à seize ans les bourgeois, bourgeois de désir à trente-deux et qui ne *sait plus parler*, en effet, sinon de thalaris, et qui ne sait plus conjuguer le verbe *devoir* qu'au sens comptable du mot, vous le déifiez, mais le Cyrano de Rostand, assassiné dans son âge mûr parce qu'on redoute en lui l'homme libre et qui affecte de faire gras le vendredi, vous ne voulez plus en ouïr parler. Bizarre, non ?

Ou si par hasard Cyrano n'était pour vous qu'un fanfaron venteux ? Il est vrai qu'un mot m'alerta cet avril, à Tokyo, dans une recension que publia dans le *Japan Times* un M. Yamamoto Yuki, lequel recensait le *Cyrano* que je venais de voir : *swashbuckling*. Oui, ce monsieur parlait de Cyrano avec condescendance, comme d'un personnage « swashbuckling and romantic ». Romantique (ou romanesque) et fanfaron (ou matamore). Si le Cyrano de Rostand n'était qu'une réplique de Matamore de *L'Illusion comique*, alors oui, nous serions, je serais, moi du moins, victime d'une illusion comique manigancée par Edmond Rostand. Mais vous savez que non, et que M. Yamamoto Yuki se trompe tout à fait. Si fanfaronnade il y a dans le jeu de Cyrano, c'est jeu, c'est surtout feinte d'escrimeur. Ces grands coups de gueule, ces plus grands coups

d'épée ne sont que leurre, et destinés à tromper autrui sur les
nerfs fragiles du héros, son tempérament de poète et d'amant
transi. Or il m'advint de voir le même adjectif, « swashbuckling », qualifiant au Japon Sukeroku, héros du *kabuki* auquel
Onoé Shoroku compare notre *Cyrano*; c'est l'erreur complémentaire, car ces grands coups d'épée et ces plus grands coups
de gueule de Sukeroku contre le samouraï Ikyu au quartier
des courtisanes ont pour seule fin de démasquer en cet Ikyu
le criminel à juste titre soupçonné, et dont Sukeroku doit tirer
avec son frère une juste et complète vengeance. Comme Sukeroku, donc, je consens que Cyrano joue au matamore; mais
reconnaissez que dans l'un et l'autre cas c'est pour faire triompher l'honneur et l'amour d'un seul coup. Comme Sukeroku,
Cyrano serait une façon d'*otokodate,* un roturier chevale-
resque, comme il en existe au Japon un certain nombre à
partir du XVIIᵉ et du XVIIIᵉ siècle quand s'affirmera une bourgeoisie négociante, puissante par l'argent, et qui supportait
mal le mépris des hommes d'armes. Né dans un milieu de
samouraïs, l'*otokodate* japonais renonce traditionnellement à
ses privilèges pour s'instituer le défenseur des humbles et le
champion du droit contre une caste militaire déchue de son
ancienne aristocratie de fait. L'*otokodate* sera toujours poète
et musicien, ce qu'affiche la flûte dont Sukeroku charme les
courtisanes. Il organise une bande de partisans; bref, de cadets
de Gascogne.

> *Ce sont des cadets de Gascogne!*
> *Parlant blason, lambel, bastogne,*
> *Tous plus nobles que des filous.*

En vrai cadet de Gascogne japonais, Sukeroku fait donc
cocus tous les jaloux de la belle, *sa* belle Agemaki, adulée
au Miuraya, l'une des plus glorieuses maisons du Naka-no-Cho,
le quartier réservé d'Edo. Et tout de même que ce Sukeroku
joue son rôle, doit le jouer, en style que les Japonais appellent
aragoto, c'est-à-dire quelque chose comme « à la dure », et

« à l'épate », ce que les critiques de langue anglaise essaient
de rendre par leur *swashbuckling*, Cyrano force un peu, doit
forcer, doit s'afficher afin de cacher son discret, son secret
amour. Enfin, tout de même que Cyrano se résume en son
dernier mot et en son panache blanc d'Henri IV, ainsi son
homologue japonais Sukeroku arbore — équivalent symbolique — un bandeau de tête rouge vif, mais d'une teinture
extrêmement coûteuse que les seuls shogouns jusqu'alors
avaient pu se permettre. Habile à tous les exercices du corps
et de l'esprit, toujours enclin à chercher noise aux nobles
avachis, qu'est-ce en vérité que le Sukeroku du *kabuki* sinon
la version japonaise du Cyrano de la « comédie héroïque » ?

(Ces deux variétés d'un héros qui incarne la révolte du
cœur et de l'esprit contre les conventions sociales et la noblesse
qui n'est qu'héritée ou bretteuse, force m'est de constater
qu'elles se manifestent quand le tiers état essaie de s'imposer,
ce tiers état qui fera chez nous sa révolution en 1789, au
Japon en 1868.)

Onoé Shoroku avait raison. Rien d'étonnant, puisque, s'il
accepte de jouer parfois dans les pièces européennes, c'est
avant tout un acteur de *kabuki*, et l'un des plus grands aujour-
d'hui. Dès 1926, une troupe japonaise (Shinkokugeki) avait
monté une adaptation de *Cyrano* en *kabuki* : décors, personnages, costumes, état civil, tout s'était à merveille nipponisé.
Cela s'intitulait *Shirano Benjuro*, et cela fit pleurer. Aujour-
d'hui encore, Shimada Shoga joue le rôle de Shirano Benjuro. En 1931, un autre acteur de *kabuki*, Sadanji II, incarna
notre héros cependant que l'*onnagata* Shocho jouait le rôle de
Roxane. En confiant à un homme le rôle de Roxane, selon la
tradition de l'*onnagata*, les Japonais montraient qu'ils ne se
bornent point à traduire une pièce, mais qu'ils l'adoptaient
vraiment, la faisaient leur.

Quand on sait d'autre part que les spectacles de *kabuki*
reprennent parfois, en les adaptant à un public plus populaire,
certains sujets traités dans les nôs, on comprend à quel point
la sympathie des Japonais pour *Shirano Benjuro*, et même

pour son cousin *Cyrano de Bergerac*, suggère quelque façon
de ténébreuse et profonde unité entre le nô et Cyrano.
Laquelle, je n'en sais fichtre rien pour l'instant, mais je sais
qu'un critique japonais, très hostile à la représentation de
Cyrano que je vis, hostile au point de conseiller au théâtre
Nissei de monter une autre pièce, plus « audacieuse », consta-
tait mélancoliquement : « Le personnage de Cyrano s'adapte
très facilement à Onoé Shoroku, au ton du *kabuki*, et non
moins facilement au goût du public japonais. »

Voilà qui m'a paru digne de mémoire, au retour d'un voyage
qui, d'un seul effet, m'a donné le nô et rendu *Cyrano*.

Le Japon à la croisée de son chemin

En octobre 1968, le Japon célébra chétivement, et comme honteusement, ce qui fut sa « révolution culturelle », ce profond chamboulement des mœurs inauguré en 1868. Présageant la visite un peu insistante de Perry dans les eaux japonaises, que les marchands portugais et les missionnaires catholiques aient préparé le terrain, c'est évident. Que la guerre de l'opium et ses conséquences pour l'empire chinois aient invité plus d'un Japonais à révérer l'artillerie, les canonnières, et ceux-là en particulier qui avaient si intelligemment conclu qu'on choisît de les décapiter, nul historien ne le contestera. Encore fallut-il qu'un empereur prît sur soi de restaurer son pouvoir et d'ouvrir ses îles à la séduction de l'Europe, aux exigences de l'Amérique. Le résultat on le connaît : la Russie rossée, la Corée soumise, la Chine occupée, la Mandchourie conquise, la flotte américaine ruinée à Pearl Harbor; la bombe atomique enfin, sur les civils d'Hiroshima et de Nagasaki. Sous prétexte que l'ère nouvelle, le Meiji (1868-1912), laissa en Asie, au Japon même, d'horribles cicatrices, l'opinion bouda les fêtes et voulut se désolidariser d'un idéal qui avait entraîné ce pays vers l'orgueil chauvin, le fascisme, le militarisme, combien d'autres -ismes! Il est vrai; mais aussi que depuis lors Yukawa recevait le prix Nobel de physique, et qu'au moment où l'on essayait de raviver l'esprit du Meiji, Kawabata obtenait le premier prix Nobel de littérature décerné à un Japonais.

Au moment où tant de Nippons renient leur héritage et ne pensent plus qu'à renchérir sur les Etats-Unis, hâtons-nous de dire pourquoi nous souhaitons qu'ils jugent leur passé, proche ou lointain, avec plus d'équité.

Au sommet d'une tour de guet à Kyoto, on lit cette inscription : « Au faîte de sa guérite, le moine guerrier contemple le silence amical de la lune; ou s'il guette les feux d'un bivouac hostile ? »

Voilà bien les deux tendances, les deux tentations du Japon.

Tokyo est une ville dure, énorme, à certains égards inhumaine, où les bandes de voyous prospèrent, énergiquement organisées; bien qu'on arrête chaque année des milliers de marlous, le trafic des fillettes écrème le pays; si les Américains ont voulu briser les *zaibatsu*, ces empires industriels de l'ère Meiji, pour les remplacer par des *keiretsu*, groupements familiaux moins puissants, les hommes d'affaires japonais restent acquis aux valeurs yankies; leur résistent-ils, c'est égoïstement et non point par esprit de justice ou de philanthropie. Bref, le Japon est déjà la troisième puisance industrielle de la planète (en grande partie parce que, du fait de son traité avec les Etats-Unis, ce peuple industrieux n'a pas le droit de gaspiller en flottes de guerre, en avions de combat, en bombes atomiques, son patrimoine intellectuel, industriel et financier). Mais les Japonais ont subi en 1945 un choc beaucoup plus rude que même les Français pendant l'occupation hitlérienne. Ils se sont interrogés sur leurs idées, leurs idéaux. Certains écrivains, comme Tanizaki, essaient de justifier les valeurs anciennes; d'autres, comme Osamu Dazai, qui à trenteneuf ans se suicide (1948), choisiront de mourir par dégoût de l'argent-roi, parce qu'ils se sentent des « aristocrates » et refusent une civilisation du rendement : tous ces mastodontes massifs, ces banques, ces temples du capitalisme juste en face du parc et du palais impérial!

Mais le Japon, c'est aussi un pays où l'on se déchaussait

avant d'entrer à l'hôtel, au restaurant, chez soi; alors que nous trouvons tout naturel d'introduire chez nous, chez nos amis, la boue, les crottes de chien qui adhèrent à nos semelles!

Pour moi, je ne me résigne point à voir périr les valeurs du Japon.

Quand on me demande si la civilisation japonaise m'apporta quelque chose, il m'arrive par jeu de répondre : « Comment donc! C'est au Japon que j'appris à me laver proprement; et c'est dans un hôtel traditionnel de Kyoto qu'une servante m'enseigna comment disposer sur le cintre un pantalon de sorte que, même alourdi de clefs, de porte-monnaie, il ne glisse pas, et par son propre poids bien plutôt se repasse tout seul. » Or il arriva qu'une jeune Japonaise déjeunant à la maison, ma femme lui demanda s'il était bien vrai que ses compatriotes disposassent leur pantalon comme désormais je le fais chaque soir. De beau visage et de bon cœur, elle rit : « Moi? je ne sais pas! je n'ai jamais rien vu de tel au Japon. » Or voici le piquant de l'histoire : ce fut grâce au père de cette jeune femme, le professeur et l'écrivain Inoué Kyûichirô, traducteur de Proust, durant le voyage qu'il m'offrit au Japon, d'auberge en hôtel et en restaurant strictement traditionnels, que j'appris (non sans quelques maladresses) à me laver, à plier mon pantalon! S'agirait-il une fois encore d'un conflit de génération?

Nulle part autant qu'au Japon je n'ai vu les classes d'âge mieux tranchées par les mœurs. Dans les trains, j'eus le loisir d'observer ces clivages, d'y réfléchir. Les personnes les plus âgées (disons celles qui avaient vécu leur jeunesse avant la guerre de 1939, les septuagénaires et sexagénaires) pratiquaient encore les rites anciens de politesse. Le kimono orné de l'*obi*, les pieds chaussés de *zoris* par-dessus le *tabi* (ces chaussettes noires ou blanches qui laissent libres les gros orteils), les femmes, venait-on les saluer dans une gare, procédaient avec leur mari aux salutations réitérées qui cassent le buste, et plaquent les mains sur les cuisses. Partis les visiteurs, les gens de cette classe d'âge reprenaient leur attitude discrète, réservée,

un peu froide. Ceux qui auraient pu être leurs fils, les quadragénaires, me surprirent; hérissés de cigares et d'appareillages
photographiques, vêtus à l'américaine, jouant à l'homme
d'affaires yanqui, plus bruyants, beaucoup plus, que leurs aînés,
s'étalant sur leurs fauteuils, posant parfois sans demander la
permission les pieds sur l'appui-tête du passager qui se trouvait
devant eux. Très américain, cela; encore que nos postillons
connussent le truc, au relais, pour se reposer les jambes après
la longue étape. Ceux de vingt ans, les jeunes mariés notamment (ce devait être une période faste car j'en vis beaucoup,
un peu partout, en voyages de noces), tranchaient sur les
anciens et les quadragénaires : plus guère de retenue dans leurs
attitudes. Certains se vautraient. Parfois même ils usaient de
la liberté qu'on prend aux Etats-Unis dans les wagons de dernière classe, les *coaches*, où l'on se caresse en public. A quelques mètres de ces kimonos compassés, quand je vis une main
de femme remonter sous le pantalon d'un jeune homme de
la cheville jusqu'au genou et au-delà, avouerai-je mon
désarroi?

Jeunesse désormais sans chrysanthème ni sabre? On l'a dit
— Oui et non. A Kyoto, dans un cercle d'étudiants, j'assistai
à de vifs assauts hurleurs qui me renvoyaient au passé.
Comme au Hongrois, le sabre importe au Japonais. Et comment me boucher les oreilles pour ne pas apprendre que l'auteur des *Chansons de Narayama*, traduites chez nous par Ber-
nard Frank, était mis au ban de son pays pour avoir parlé
sans respect de la famille dont le *mon*, l'insigne, est le chrysanthème à seize pétales. Donc le sabre et le chrysanthème,
où Ruth Benedict avait reconnu les deux symboles du Japon,
y gardent quelque virulence ou quelque charme. Je me rappelle en quels termes le professeur de poésie classique du
prince impérial me transmit quelques-unes des cigarettes
qu'avait daigné lui offrir son auguste disciple.

Moi je suis de la classe d'âge de ces femmes qui portent
encore le kimono et chaussent les *getas* qu'ai-je enfant connu
du Japon? Des timbres-poste, où l'ignorance des miens me

laissait découvrir un soleil, puisque le Japon s'appelait le pays du *Soleil levant,* alors qu'il s'agissait du chrysanthème impérial. Une monnaie, le *yen,* dont je lisais le nom en chiffres « arabes » sur les vignettes où la plupart des caractères me troublaient, mais où j'avais appris à déchiffrer deux idéogrammes (dont je saurais plus tard qu'ils se prononçaient l'un *jö* et l'autre *pen,* d'où *japan, japon, jipango, cipangu*). Jusqu'à mes vingt ans, ce fut tout.

Au moment où je commençais à étudier du chinois, ce qui incite quelques sinologues à mépriser les Japonais, peuple à leurs yeux d'imitateurs, j'eus alors ma crise de japoniaiserie. Je vivais à Normale dans une turne où j'agaçais un de mes plus chers amis — barrésien et même maurrassien — en garnissant d'estampes d'Hokusai le coin de mur qui me revenait. Un peu plus tard, je m'entichai des *Chansons de geisha,* des *Haikai de Kikakou,* publié vers 1925 par les éditions Crès. Dans la traduction d'Okakura Kakuzo, le *Livre du thé* devint un de mes bréviaires. L'une des raisons que je me donnai d'admirer Thibaudet, quand je le connus en 1934-1935 : il faisait cas du *Roman de Genji,* qu'à travers l'insuffisante et fragmentaire version de Kikou Yamata il avait su deviner. Entiché de japoniaiseries au point de trouver à Foujita autant de génie qu'il a sûrement de talent.

C'est alors (1936) que Jean Paulhan me confia, pour que j'en rendisse compte dans *La Nouvelle Revue française,* présentés et traduits par Georges Bonneau, sept volumes de la collection Yoshino sur la poésie japonaise. En traductions juxtapaginaires, je découvrais le tanka, le dodoitsu, Basho, Issa, les chansons de vingt-six syllabes, les chansons de forme libre et une dizaine de poètes alors contemporains. Non pas qu'alors j'aie bien compris le *haiku.* Quand je relis maintenant les épreuves corrigées de l'article que finalement Paulhan ne publia point, je lui sais gré de son tact. Mais allez donc jouir en traduction d'un *haiku,* et surtout sans un commentaire qui en élucide les images, les symboles, le vocalisme, les correspondances. Plus tard, bien plus tard, à Hiroshima, au cours d'un dîner à la japonaise, je comprendrais un peu moins mal.

C'est à Chicago, en 1937, que je découvris pour de bon le Japon, au magasin Yamanaka : les *zoris* de feutre, les *netsukés* d'ivoire, et surtout, surtout, l'art floral. Quand je compris que l'*Ikebana* (l'art floral) formulait à sa guise les relations entre le ciel, la terre et l'homme selon la pensée chinoise, et comme j'ignorais alors qu'il existait un subtil art chinois des bouquets, ce fut le coup de foudre! Le plan Tanaka, l'invasion de la Mandchourie, l'attaque de Changhai, l'incendie de la Commercial Press, enfin tout ce que je détestais prenait un autre sens : comment se pouvait-il faire que le peuple qui se conduisait si atrocement, si bêtement, sur la terre ferme d'Asie, créât des bouquets comme ceux des écoles de Ohara, Heikwa, Mishogo-ryu et Saga-ryu?

Que d'heures, que de jours je passai, comblé, à interroger le choix des fleurs, les courbes qu'on leur imposait. Plus tard je recevrais de savants traités en japonais qui m'élucideraient la géométrie cachée sous cette apparence ingénue; beaucoup plus tard, je découvrirais les bouquets de maître Teshigahara Sofu, et je rêverais de publier chez nous, somptueusement illustré, un grand traité japonais du bouquet. Je n'y parvins point, et je vois maintenant cet art un peu partout galvaudé, avec le *zen*, le *tir à l'arc*, passant à la vulgarité avant même la vulgarisation. Regrettons à cette occasion que l'influence de Fernand Léger soit si lourde sur celle de certains bouquets du XXe siècle, si voyante celle de Jean Cocteau, qu'elle offusque le Japon sous l'esprit de nos « années folles ». Je ne vais quand même pas pour autant contester les joies que je dois à cet art floral.

Depuis 1937, donc, depuis Chicago, je ne l'ai plus jamais perdu de vue l'art japonais. Si j'ai proposé aux éditions Gallimard une collection des classiques de l'Asie extrême, outre que c'était absolument nécessaire en ce siècle, j'y voyais une façon de rendre à la Chine et au Japon un peu de ce qu'ils m'avaient prodigué depuis 1929.

Or malgré quelques *nôs* publiés jadis par Bossard, des bribes du *Roman de Genji,* le public français n'était pas trop gâté. S'il reste encore privé du plus illustre des romans japonais, celui de *Genji*, il peut lire désormais, outre quelques ouvrages de bons écrivains du XX⁰ siècle, comme Tanizaki, Mishima, Kawabata, Dazai, Osaragi (l'un de ceux qu'on lit le plus là-bas), diverses traductions des classiques : les *Contes de pluie et de lune* d'Akinari, le *Pauvre cœur des hommes* de Soseki, les *Cinq amoureuses* de Saikaku, *Rashomon et autres contes* d'Akutagawa, les *Notes de chevet* de Sei Shônagon, les *Heures oisives* de Kenkô, les *Histoires qui sont maintenant du passé*, enfin les *Traités secrets de Zéami sur le nô*, suivis *d'une Journée de nô*.

Comme on a pu voir à Paris, ces dernières années, quelques aperçus de *nô*, un spectacle (imparfait) de *kabuki*; plus récemment, au Théâtre de France, un très bon ensemble de *bunraku*, ce théâtre de marionnettes, tout se passe comme si, en cette année où le Japon célèbre son *Meiji*, la France, à son tour, s'ouvre enfin au Japon : exauçant le vœu que je formais dans *Le Monde* en 1964, *A quand notre Meiji?*, notre ministère de l'Education nationale créa pour l'année scolaire 1967-1968 un enseignement de japonais dans quelques lycées pilotes.

Lorsque nos enfants se mettront enfin sérieusement au japonais, il ne faudrait pas que cette langue ait disparu, remplacée par le japanglais. Or, bien que ce peuple soit aussi fier de soi que le nôtre, aussi cocardier, je le vois tristement s'abandonner au jargon japanglais avec une fureur suicidaire plus véhémente s'il se peut que la nôtre. En quelques heures, après mon arrivée au Japon, je notai les mots suivants, parmi beaucoup d'autres : *jam, lemon, tabel-solt, napkin, miluk* (*milk*), *cheese, butter, tabel-cloth, fork, spoon, hi-lite, BG* (*biji* pour *business girl*), *elevator, cashia* (*cashier*), *salarimane* (*salary man*), *da-ya* (*diagram*), *curtain, King Size, meniu* (*menu*), *hand-bag, vistacar* (*nos cityramas!*), *kamela* (*camera*), *bil* (*building*), *apar* (*apartment : HLM*), *spido* (*speed*), *purin* (*pudding*), *slotomachine* (*slot machine* ou *machine à sous*), etc.

Répondant, correspondant à mon *Parlez-vous franglais?*, on publiait à Tokyo en 1964 un livre sur le japanglais. Espérons

par conséquent que la langue japonaise survivra. Elle a très
habilement assimilé un énorme apport chinois. Pourquoi ne
digérerait-elle pas cet afflux de mots yanquis? Par bonheur
pour cette langue, elle s'est fortifiée derrière deux syllabaires :
les *hira kana* qui notent les mots de souche, et les *kata kana*,
qui signalent visuellement les emprunts étrangers; elle pourra
donc naturaliser phonétiquement, si seulement elle le veut,
les vestiges de l'occupation militaire et de la présence politique
de son vainqueur. De plus, il arrive que la langue japonaise
adapte heureusement, grâce à la morphologie, des emprunts
tout récents, parfaitement japonais de forme : le mot *saboru*
dérive des deux premières syllabes de *sabotage* par la vertu
de la désinence verbale *-ru*.

Quand ils auront appris au lycée du japonais, et lu quelques
romans dans le texte avant de partir pour Tokyo, nos enfants
éviteront peut-être les gaffes qu'en dépit de mon attention,
de mes scrupules, je commis là-bas plusieurs fois.

Rien ne nous aide mieux à comprendre un pays, un peuple,
que notre vergogne après un bel impair. Moi qui, bien entendu,
n'avais jamais tendu la main dans l'Inde à qui que ce soit,
pourquoi faut-il qu'à l'Institut français de Pondichéry, à cause
hélas de son nom, j'aie cru que la politesse m'imposait de
serrer à la française la main de quelques savants *pandits?*
Malheur sur moi! Par délicatesse à mon égard, ils acceptèrent de se souiller, je le sus un peu trop tard. Oui, que n'avais-
je continué à mimer le geste de la prière chrétienne, mains
jointes devant le sternum, en présence de chacune de ces
victimes, en seraient-ils bénéficiaires, de la caste?

A Tokyo, ce fut moins grave. Reste que, deux fois, au restaurant, la servante me courut après : j'avais omis de me
déchausser. Les millions de *kamis* du Japon savent pourtant
que j'étais devenu expert en l'exercice, et plein de bonne
volonté; mais allez résister sans faillir à cinquante ans de
barbarie!

Ainsi, dans un bon hôtel où l'on vit à la japonaise, j'eus
la grossièreté de me savonner dans mon bain; si accoutumés

sommes-nous à notre crasse! L'eau de bain ne sert là-bas que pour le rinçage et l'étuvage. Une autre fois encore, et dans un autre hôtel, je sus ne pas me savonner, mais j'ouvris la bonde en sortant de la baignoire : vigilante et discrète comme toutes celles que je connus au Japon, la servante s'aperçut à temps d'une maladresse qui, le feu continuant de chauffer sous le bain pour le maintenir à la bonne température, aurait mis à mal l'installation. Mais le pis ce fut du côté de Sendai, dans les jardins d'un temple délabré. Une Japonaise voulait me photographier tandis que je regardais une statue (on se photographie beaucoup là-bas : on se photographie photographiant ceux qui photographient ceux qui photographient). Or la tête, les épaules, les bras de cette statue ruineuse étaient couverts de cailloux que prestement je balayai de la main pour qu'il ne fût pas dit que des Japonais indiscrets salissaient l'image de quelque divinité. Hélas, ces cailloux étaient autant de signes infimes, mais fervents, de piété.

Je me revanchai à la villa impériale de Katsura. Par l'ouverture qui donne sur la terrasse du clair de lune, les touristes qui restaient debout ne pouvaient voir que le sol, le tronc des arbres. En compagnie d'un Français qui, depuis quelque temps vivait à la japonaise, quand je m'assis sur les nattes, tout le paysage s'ordonna, parfaitement encadré (cadré diraient le photographe, le cinéaste) dans le rectangle de la façade. Du premier plan aux lointains, chaque masse de végétation prenait sa forme, ses proportions par rapport à l'ensemble. Quelques perles blanches illustraient le plan d'eau : les têtes de plusieurs tortues. Les autres visiteurs nous regardaient de haut (je le dis au propre et au figuré) comme des excentriques, des maniaques de l'exotisme. Or, qui n'a point vu ainsi ces jardins n'en a rien vu, car ils furent élaborés pour combler l'œil de gens qui vivaient assis ou à genoux sur les nattes.

Même quand on oublie d'ôter ses souliers pour entrer au restaurant, même si on ne sait pas le japonais, on découvre que l'Empire du Soleil levant s'est donné une cuisine qu'il serait scandaleux de laisser disparaître au profit des *hot dogs*

ou des *hamburgers*. Une de mes surprises au Japon, je l'avoue,
ce fut l'art de la table : contrairement à ce qu'on m'avait
débité en France sur l'âme japonaise, j'observai très vite qu'en
effet, tendu, engoncé, quand on déjeune autour d'une table
de salle à manger, sitôt que le Japonais se trouve agenouillé
devant une table basse de salon particulier dans un vrai restaurant de chez lui, les servantes aidant, ainsi que la bière et
le saké, une atmosphère d'intimité s'installe très vite, voire
d'indiscrétion chaleureuse, tout au long d'un succulent repas
qui n'a jamais rien à voir avec l'uniforme et fade *sukiyaki*
des restaurants simili-japonais de Chicago ou de Paris. Ne
seraient-ce que ces potages transparents et intenses! Quant
aux variétés de poissons crus (*sachimi*) ; quant au poisson des
profondeurs d'un certain lac, quand on le grille au feu de bois,
très très lentement, très très doucement, dans un certain restaurant; quant aux plats de *tempura* (du latin *tempora*, le
temps où les catholiques japonais devaient manger du poisson)
dont les saveurs ferventes et variées alternent si bien de
bouchée en bouchée, que le palais n'a point l'occasion de
jamais se saturer, ni les papilles gustatives de s'émousser, ils
composent à mon goût une des cuisines les plus intelligentes
du monde et la plus poétiquement disposée sur la table, quand
faire se veut. J'ajouterai qu'en trois semaines de séjour, fes-
toyant matin et soir (sans oublier tous ces petits déjeuners qui
valent tout un de nos repas), j'ai perdu trois bonnes livres :
rien de gras en effet; point de fromage ni de sauce
épaississante.

Si le souci du moderne et du nouveau invitait le Japon à
gâcher sa cuisine, à échanger contre nos maîtres d'hôtel, chefs
de rang et garçons, ces serveuses à la fois présentes et invi-
sibles, prévenantes et discrètes, quelle perte pour un art futur
de vivre!

Mais le (ou : la) coca-cola fait là-bas aussi des victimes, et
l'on n'y a que trop de goût pour les cafés « à la française » ou si
vous commandez en japonais le « barman » traduit : « *and
one iced water, one* ». Ah! nous pouvons être fiers de nous,

puisque nous fournissons à Tokyo comme à Buenos Aires le
nom des boîtes de nuit : *Arsène Lupin* par exemple où l'un
de mes compagnons, un Japonais, s'envoya une bouteille de
bordeaux rouge, plus facile à y obtenir que du saké; le *Rat
mort,* où des hôtesses comme on dit poliment, des entraîneuses
en bas nylon et deux pièces prêt-à-porter, me faisaient regretter
le rituel de la *maiko* et de la *geisha.* J'entrai même au *Café
Giraud,* sans fenêtre sur l'extérieur, réfugié derrière des murs
où végète, symbolique, presque dérisoire en ce lieu, un petit
jardin quand même. C'est un « café-chanson » comme on dit.
Vous y boirez du Ricard, du Pernod, tous nos brûle-gueule.
Y fréquente un peuple d'étudiants, de *vitelloni* et de japan-
glaisants. Aux murs, des portraits de Brassens, Philippe Clay,
Juliette Gréco. On y avale des pousse-au-crime, on y mange
des *choucrimes* (des *choux* à la *cream*).

Mais quoi, quel pays d'aujourd'hui n'est pas un tissu de
contrastes? Tokyo se partage donc encore entre le *sumo,* d'une
part, où rivalisent les huileux champions de lutte quasi nus,
avec leur chignon rituel, et qui, après la parade, avant l'assaut,
se rincent la bouche et se lavent les mains; de l'autre, le
base-ball, dont la télévision diffuse chaque soir les parties. Les
gosses un peu partout s'adonnent à ce jeu. On en voit qui,
les mains vides, miment les passes dans la rue. Si le *sumo*
illustre le passé du Japon, le *base-ball* en présage peut-être
l'avenir. Dommage! Tokyo, c'est encore, aux grands magasins
Mitsukoshi, des touristes américaines béates, béantes d'admiration devant *Tennyo Magokoro.* Haute de 10,91 m, large de
4,39 m, posée sur un hexagone dont chaque côté mesure 2,12 m,
bariolée de couleurs chimiques, décorée d'or et de platine, la
« déesse de la sincérité » affiche la laideur criarde, insolente,
surhumaine, divine en effet, du veau d'or éternel : l'argent-roi.
Rien que pour considérer dans toute sa hideur cette statue,
Tokyo vaudrait le voyage. Mais cette ville a d'autres vertus :
ce musée privé, par exemple, où nous n'étions que quatre visiteurs : deux Japonais, deux Français devant les laques les plus
accomplis que j'aie vus; la collection d'objets d'art populaire

(et parfois érotique) que compose René de Berval en sa maison
paisible, entourée d'un jardin que gardent plusieurs bouddhas;
une promenade au bord de la Sumida sous les cerisiers en
fleur; le sanctuaire du Meiji avec ses quatre-vingts variétés
d'iris aux noms plus beaux les uns que les autres : *mer des
quatre-orients*, la *demoiselle, couleur de l'eau des glycines, une
beauté ivre, ciel brouillé du soir*, etc. Au-dessus de nous, dans
le cerisier des montagnes, puissant, noble, dont les fleurs
blanches sortent en même temps que les feuilles, le chant du
o-naga (*toi la longue*), l'oiseau de Tokyo. Et mon ami Inoué
Kyuichiro qui se penche sur la source de *Kiomasa*, si pure
sur les galets d'un bleu sombre. Il parle des bambous nains
(*sasa*), des bambous de l'ours (*kuma-sasa*), de l'eau qui chante
sur une pierre avant de tomber un peu plus bas. L'eau est
« ronde » dit-il; c'est le mot japonais pour la qualifier. Avec
une louche de bois qui ressemble aux cassottes qu'on fabrique
encore en Charente, il « puise l'eau du printemps ». Cela se
dit, je l'apprends, « lier l'eau » (*musubu*). A côté de nous, une
cabane au toit de chaume, parfaitement inscrite dans le
paysage. Deux amoureux assis se tiennent par le bras; pour
cette nouveauté inimaginable jadis et naguère, c'est encore
au français qu'emprunta le japonais (sur notre *avec*, il a
fabriqué un *abec* : le *couple d'amoureux*). J'étais heureux de
me dire que mon ami, qui échappa au bombardement de
Hiroshima, qui fut officier d'occupation en Indochine, qui
enseigne maintenant à l'Université de Tokyo, qui révéla aux
Japonais Marcel Proust et qui propose à ses étudiants une édition annotée des *Iles* de Jean Grenier (preuve d'un goût parfait), parle si délicatement de l'eau qui passe à travers les
feuilles mortes, sensation pour laquelle le japonais, si riche en
mots onomatopéiques, dispose de *seseramu* (la même onomatopée que dans notre *susurre*!) Lui, dont on me révèle qu'il
composa en japonais des pages parfaites sur la France, et l'Ile-
de-France; lui qui garde la démarche de ceux qui portèrent
longtemps le *zori*, ou le *geta*; lui qui, non content d'avoir
traduit Proust, voudrait le retraduire, consacrer un ouvrage à

Nerval, et quatre ou cinq autres essais à notre littérature,
comme tout Japonais cultivé, c'est un esprit divisé, un cœur
déchiré (parfois et par endroits). Ne le sommes-nous point,
nous autres, si nous méritons de vivre, entre les exigences de
la justice et celles de la vérité, ou de la liberté? Lorsque nous
faisions des emplettes dans le quartier de Ginza, cet homme
qui chérit son épouse n'était nullement scandalisé parce que,
conformément aux mœurs de son pays, elle trottinait en
kimono quelques pas derrière nous. Ne lui demandez pas au
nom du Meiji, de condamner ces mœurs, de vivre à l'américaine! Quand je me présentai à lui pour le voyage que nous
allions faire ensemble, et qui fut pour moi la plus précieuse
initiation à la vie de son pays, il refusa brusquement, presque
brutalement, mon bagage. Une valise? A quoi bon? La brosse
à dents, le savon dentifrice, le rasoir, le kimono, tout enfin
ce qui permet de bien vivre, je le trouverais dans tous les
hôtels, à la porte desquels parfois on voit encore les tas de sel
comme au vieux temps, pour les buffles du cortège impérial.
Comme les personnages du *Hizakurige,* nous partîmes donc,
chemineaux sans préjugés. Lui le cosmopolite et familier de
Paris, qui connaît beaucoup mieux que moi certains secteurs
de notre littérature, je le sentais d'autant plus désireux de
m'initier gravement à *sa* cuisine, à *ses* mœurs, à *ses* estampes,
à *ses* sculptures. En épiant avec moi les touristes américains à
qui l'on faisait le coup de la *geisha party* (du bidon), comme
il s'amusait; mais qu'il était beau de le voir écouter un prêtre
shintoïste modulant un *norito,* ou jouir des mousses au jardin
qui leur est consacré! Ce n'est pas lui qui dénigrerait son
artisanat japonais, ou qui accepterait d'immoler le *nô,* le
kabuki, le *kyogen* et le *bunraku* au cinéma de violence et de
pornographie qui fleurit dans le Japon modernisé. Ce n'est
pas lui qui se félicitera de voir mourir le dernier conteur populaire, qui déplorerait la nudité des murs, des nattes et ces
portes de la maison japonaise : coulissantes, dépourvues de
serrure, elles interdisent pourtant la privauté.
Sous prétexte que la politique du Meiji s'acheva par une

défaite, allons-nous accepter que le Japon renonce au meilleur
de ce qu'il fut? Dans un pays qui eut la délicatesse de conce-
voir le *tokonoma,* de n'y accrocher qu'une œuvre d'art en
harmonie avec le bouquet adjoint, afin de ne pas disperser
l'attention du visiteur, allons-nous voir partout se généraliser
ce dont je souffris trop souvent à Nara ou Kyoto : en rangs
par dix, au pas cadencé, des régiments de lycéens, de lycéennes
en uniforme, que des haut-parleurs braillards renseignent sur
ce qu'il faut avoir vu. Il est vrai qu'à Paris, lors de l'exposition
Vermeer, j'entendis un gardien faire circuler quelques malotrus qui s'attardaient dix secondes de trop devant la *Vue de
Delft :* « Au suivant, messieurs-dames! » Le Japon va-t-il
déchoir jusqu'à notre niveau? Lui qui fut l'ami de l'ombre,
prostituera-t-il ses temples au son des bastringues, des statues
à la lumière des projecteurs? En cette année du Meiji, je ne
peux accepter que, plus Chinois que Mao Tsö-tong, les Japonais
jettent aux orties leur ancien art de vivre, un des rares qui,
pour autant qu'il subsiste, me semble digne de l'homme.

En 1964, l'année même où je découvrais Nara, Kyoto,
M. Maurice Pinguet publiait dans *France-Asie* une exquise
Digression sur l'art du Japon : la preuve est désormais admi-
nistrée qu'un Français peut assimiler le plus secret de cet
art de vivre, en parler aussi justement que Tanizaki lui-même.
Alors, va-t-on nous arracher de la bouche le riz de vie, le
poisson cru? Sous prétexte que les Américains ne l'ont point
inventé, va-t-on nous priver de ce luxe partout offert, ce luxe
à deux sous, mais raffiné : la serviette chaude pour éponger
les mains, le visage? Et la boule de farine de riz trempée dans
le miel que, descendant de la tour de guet, je savourai à
Kyoto, le *dango,* mets rustique entre tous, va-t-il céder le
pas devant la saloperie *ready-made?* Aux *kamis* ne plaise!

« En écrivant ces lignes, disait M. Pinguet, je tiens à la main
une coupe à saké (*sakazuki*) que Tsuji Seimei m'a donnée il y
a quelques mois. C'est ce petit objet, après tant d'autres œuvres,
que j'aimerais interroger sur l'art du Japon. Ce grès pétrifié
l'an dernier par le feu n'a plus d'âge, ni ancien, ni moderne,

on le sent prêt à traverser l'avenir et capable de rassembler en lui le passé. »

Oui, et fût-elle à jamais vide, dans une coupe de saké de cette qualité (j'admirai chez M. Pinguet des céramiques de ce genre) il y a de quoi s'enivrer d'une beauté que, non décidément, je n'accepte pas que rabaissent, renient, vouent à la mort les amateurs nippons de prospective, de rendement, de japanglais.

Moi aussi, pour vivre, j'ai besoin du Japon.

Japanalia

En 1937, Y. Kagami B. A. (Cantab.) et Lewis W. Bush publiaient à Tokyo *Japanalia, Reference Book to Things Japanese*. Les mœurs ont évolué depuis lors, et certains se demandent ce qui restera du Japon si les Etats-Unis y restent partout présents une ou deux décennies encore. Depuis mon séjour là-bas, en 1964, l'Europe et l'Amérique s'insinuent ou s'imposent de plus en plus insolemment. En consignant ces quelques notes, j'ai voulu témoigner pour ce que je souhaite qui subsiste d'un art de vivre quand même, et de ce qui subsiste, quand même, d'un art de vivre.

SANCTUAIRE MEIJI

Cette année où le Japon célèbre son Meiji (1868-1968), je me revois le 4 avril 1964 au sanctuaire rebâti après le bombardement de Tokyo. Avant d'entrer, on se purifie les mains et la bouche. A droite, un poème de Sa Majesté : « S'empresser lentement, et ne jamais s'enfoncer dans le chemin torve »; un autre, à gauche, de l'impératrice : « Soyez comme devant le miroir sans nuage qu'on voit chaque matin. » A la porte, le *mon*, blason de l'empereur : fleur de chrysanthème à seize pétales, et celui de l'impératrice : feuille de *pawlonia imperialis*. Posées, harmonieuses, deux jeunes filles passent : corsage blanc, longue jupe orange, cheveux dans le dos (l'une plus bas que les fesses) : des *mikos* qui desservent le temple. Deux ou trois ans avant leur mariage, elles participeront aux rites, sauf durant leurs menstrues. Nous lançons la pièce rituelle; j'observe. Les hommes de plus de trente-cinq ans ôtent leur manteau, se découvrent, se bandent au garde-à-vous, frappent dans leurs mains ou les tiennent jointes, index relevés, très longuement. Ceux de vingt ou vingt-cinq ans : « Alors, on jette une pièce? », sans plus. A petits cris joyeux, des collégiennes tressées jouent au rite. Des lycéens de quinze ans ne savent même plus, ou ne veulent plus savoir qu'il convient de se découvrir; nul ne leur fait sauter la casquette noire. Quelques paysans, presque tous en costume européen, mais un bambin avec les bas blancs de fête : « Pour que tu deviennes grand », murmure la mère.

Un hélicoptère nous survole. A la sortie du sanctuaire, quelle surprise! Sur des piliers de béton, une autoroute surélevée sous laquelle gronde la ligne de Yamaté (jaune celle des omnibus, orange pour les trains express, ou si ma mémoire me trahit?) ; à l'arrière-plan, une « clinique pour névrosés par cure de sommeil » (*nous guérissons les névroses*). Près de cette officine, des « mansions » à l'occidentale. Une institution privée, qui annonce qu'elle prépare aux concours d'entrée des universités. Une grande salle d'entraînement pour le *karaté*. A droite, sur l'immeuble du parti communiste, le drapeau rouge. A la porte même du sanctuaire, la camionnette du journal communiste qui paraît le dimanche, et deux camions du *Coca-cola*. A côté de ces voitures, qui le croirait?, un panneau avec quelques caractères chinois : « Site réservé au sanctuaire du Meiji. »

Drapeau communiste et *Coca-cola*, voilà bien les deux forces qui se disputent aujourd'hui le Japon. Au temps des shoguns, quand on punissait de mort quiconque prétendait quitter l'archipel, comme c'était simple!

Peuple déchiré. Au dîner, un de mes collègues japonais me confie que le *nô* ne lui dit rien; il le regrette, mais l'avoue; il ne goûte pas non plus la musique japonaise; celle de l'Europe, au contraire, le satisfait. Or j'aime le *nô*, et dans la musique

du Japon, ce qu'il refuse. Il s'est formé à Tokyo. Tokyo, c'est
cela sans doute : le poids écrasant de notre Veau d'or, que
symbolisent ces blocs épais, coffres-forts de dix étages partout
massifs. Certains réussissent à concilier en soi les deux cultures :
tel ce professeur de français à la faculté, qui joue de la flûte
dans les journées de *nô*; tel autre n'a jamais mis les pieds au
sanctuaire Meiji, ni non plus au Café Giraud, le Saint-Germain
de Tokyo, mais enseigne le français à l'épouse du prince héri-
tier (dans le manuel qu'il emploie, on célèbre la modération
des formes de l'hexagone et l'on admire que nul de nos fleuves
ne dépasse mille kilomètres. *Mille kilomètres!* Au Japon, c'est
inconcevable pour un fleuve!)

Croient-ils encore, ces prêtres shintoïstes que j'entendis à
Kyoto, Isé, moduler des *noritos?* En tout cas, les horoscopes
fâcheux sont noués aux branches des arbres, selon les rites, et
non point jetés à terre (d'où la tentation de conclure que les
Japonais y croient encore) ; mais les horoscopes favorables sont
accrochés eux aussi, bigoudis dans une chevelure défaite, et,
dès lors, comment croire qu'on y croie? Le nombre des pro-
phètes et fondateurs de religions n'est pas moins surprenant
ici qu'aux Etats-Unis et en France. Ce besoin d'avoir réponse
à tout, si vulgairement éprouvé par la plupart des hommes,
ne donnera-t-il pas à la secte Sôkagakkai, qui pue le nazisme,
une force demain redoutable (elle compterait déjà douze millions d'adeptes) ?

TANUKI

Selon Kagami et Bush, le blaireau Tanuki n'est que l'un des
quelques animaux exerçant des pouvoirs surnaturels ou ma-
giques. On le représente avec un ventre énorme, de pierre ou
de terre cuite, et le prétend capable de vous ensorceler.

Cela s'écrivait aux beaux jours de plan Tanaka, et des généraux, des amiraux partout. On était moral en diable (dirai-je :
en Tanuki?).

Tanuki valait mieux que cette notice édifiante. A son flanc,
il porte la bouteille de saké ainsi que le carnet d'emprunts de
ceux qui se ruinent à boire. Il orne donc l'entrée de nombreux
restaurants. Blaireau de bon augure en l'espèce, et bon vivant,
si l'on en juge, non point au volume de son ventre, mais à
la surface de ses couilles, dont ne parlaient point les scribes
officieux des généraux du bon vieux temps. Atteintes comme
d'un éléphantiasis, mais épanouies de santé, leur surface est de
huit jôs. Sachant qu'un jô représente six pieds sur trois, nous
arrivons à l'estimable superficie de douze mètres carrés pour
les bourses de Tanuki: celle même de la chambre où nous
couchons Inoué Kyûichirô et moi-même, fort à notre aise.

Les enfants niais, on menace de les enfermer dans les couilles
de Tanuki; chez Inoué Kyûichirô, un valet apparemment digne
d'y être confiné eut grand peur.

Le plus expressif des Tanukis que j'ai vus se trouvait près
d'un sanctuaire des Cent Jizôs à *Kiyo-mizu-dera,* ou Temple de
l'eau claire, à Kyoto. Ces Jizôs, ou Jizôbosatsus, portent une
bavette (*yodare-kake* me disait-on; de : *yodare,* bave, et *kakeru,*
mettre) rouge, blanche, le plus souvent, ou bariolée. Ils sont
censés protéger les petits enfants. En effet, un enfant mort
n'entre pas aussitôt dans la Terre Pure; parvenu au bord de la
Sanzu no kawa, veut-il atteindre l'autre rive, la bénie, il doit
empiler d'abord l'un sur l'autre cent tout petits cailloux. Que
la pile s'écroule avant le centième, l'enfant tombe dans la
rivière, ou quelque Jizô peut-être le sauvera.

Ceux des Japonais qui ont environ mon âge s'entraînaient
encore, tout gosses, à entasser l'un sur l'autre le plus grand
nombre possible de menus cailloux afin de franchir, le cas
échéant, la *Sanzu no kawa.* Aux funérailles des bambins, les
vieilles, sur une musique endeuillée, chantaient en sonnant
la clochette :

> *L'enfant pleure en entassant un*
> *L'enfant pleure en entassant deux*
> *L'enfant pleure en entassant trois*

L'enfant pleure en se souvenant de sa mère chérie
L'enfant pleure en se souvenant de son père chéri.

KAMAKURA (I)

Visité le temple Engaku-ji qui appartient à la secte *zen Rinzai*. Maison mère, noviciat et maison de retraite, les moines y vivent en famille. Avisant un crâne bosselé, quelque Japonais européanisé, et l'un de mes amis, lui demande si c'est un effet des coups de bâton de son maître. Rire du moinillon, qui nous montre le « bâton » en question : une vraie *batte d'Arlequin*. On s'en sert durant la méditation. Ce mois-ci, le *zazen* va durer six jours, de trois heures du matin à dix heures du soir. S'il n'y a pas assez de tension, le maître frappe l'épaule du moine. Que la tension devienne excessive, il frappe encore.

Sur les piliers d'un autre temple dont j'ai oublié le nom, quelques affiches collées par des guildes de compagnonnage. Ce seront les dernières. Comme au Mexique les ex-voto peints dans les églises, et si recherchés par André Breton ou Benjamin Péret, les collectionneurs les arrachent, se les arrachent.

Enfin, le temple des nonnes : l'un des seuls dans tout le Japon où jadis, pour échapper à la tyrannie maritale, une femme pouvait se réfugier. Au bout d'un an, on convoquait l'époux; la femme obtenait de divorcer et de rentrer impunie dans le siècle. Institution libératrice, qui joua un peu le rôle du droit d'asile dans nos églises.

Mieux encore qu'en Haute-Egypte Deir el Bahari, chacun de ces temples est inscrit dans le paysage; car là-bas c'est le désert; ici, tous les charmes d'une végétation savamment naturalisée, humanisée.

KAMAKURA (II)

En 1962, les éditions Albin Michel publiaient, en version de Kikou Yamata, le texte français du roman qui, aussitôt après la dernière guerre, valut à Osaragi Jirô un succès de presse et de vente : *Retour au pays*.

Avec plusieurs collègues japonais et français, je fus accueilli dans sa maison de Kamakura, tout près des rumeurs de Tokyo, mais, grâce à la montagne qui leur fait écran, si loin d'elles. Je me souviendrai du 6 avril. Non pas tant pour la beauté du site, ni même pour le *tokonoma* devant lequel à mon tour je caressai une ou deux céramiques cependant qu'Osaragi montrait au doyen Suzuki Shintarô un catalogue des trésors nationaux (l'un de ces vases y figure avec sa cote : douze millions de yens; on me le montre; peu s'en faut que, de peur, je ne lâche l'objet).

Non. A cause du *kôdô*, le jeu des parfums. Au temps de la capitale de Heian, quand Murasaki Shikibu composait le *Roman de Genji*, que Sei Shônagon consignait ses *Notes de chevet*, on en connaissait et pratiquait, me dit-on, deux cent soixante-dix variantes. Les accessoires à eux seuls représentent un ensemble de raffinement dont nous avons perdu le sens : qu'il s'agisse des jetons, des petits chevaux qui avancent sur le chemin de la victoire, des bourses dont la fermeture est formée d'une ficelle nouée en forme de fleurs dont chacune répond au mois durant lequel on joue, c'est à qui sera le plus exquis.

A défaut d'un jour de pluie, le *kôdô* se célèbre par une journée humide, faute de quoi l'air trop sec impose à la maîtresse de cérémonie de choisir des parfums aux écarts trop marqués.

Sur les vingt-cinq parfums rassemblés pour la fête, on en tire cinq au sort; discrètement on les chauffe dans autant de cassolettes qu'on fait respirer aux invités agenouillés autour de la salle. Il s'agit de déceler analogies ou dissemblances selon ce critère, de joindre ou non par des barres horizontales les cinq traits verticaux qui représentent les cinq parfums. Comme ceci :

Chaque dispositif possible porte le nom d'un chapitre du *Roman de Genji*, et le nom suggère une correspondance.

Le contraire exactement de la « débandade de parfums » à quoi rêvait la sauvagerie de Rimbaud. Ce sont autant de nuances discrètes savamment organisées par rapport à d'autres. Le vainqueur (celui qui réussit à identifier le plus grand nombre de rapports justes) reçoit une charte calligraphiée. Moi qui me piquais d'avoir un nez, me voilà détrompé : j'obtiens la note 1 sur 5. Par politesse apparemment, le maître de maison s'est contenté d'un zéro. Il fume beaucoup, et boit également bien, c'est vrai : ce qui ne doit pas affiner la sensibilité olfactives; mais deux Japonaises ont obtenu, *ex-æquo,* la note par faite. Quand elle nous confie : « Depuis que nous avons restauré la tradition du *kôdô,* nous n'achetons plus de parfums parisiens : ils nous semblent trop appuyés », comment ne pas approuver la maîtresse des parfums?

Une fois de plus, j'ai observé que, contrairement à la légende, rien de plus chaleureux qu'un banquet japonais (lors même que le menu comme aujourd'hui sera chinois : ailerons de requins, nids de salanganes, etc.). Au bout de deux heures, on plaisante; toute franchise est de rigueur; pour un peu, l'un des invités dirait à l'hôte : « Pas trop fameux, vos romans, bien qu'ils vous rapportent gros! »

J'ai connu quelques milliardaires. Le faste m'ennuie, l'ostentation me glace. *Faste,* ici, ne convient pas. *Luxe,* oui. Pure et fraîche après une longue marche, la gorgée d'eau puisée à la main dans le torrent, voilà un genre de *luxe* contre quoi ne prévaudra aucune rasade de malvoisie dans un hanap surchargé de pierreries. Si les accessoires du *kôdô* sont ici précieux, les cassolettes ne doivent pas coûter cher, ni les parfums qu'on y chauffe. Quel noble jeu de pauvre pourrait alors devenir le *kôdô!* Moins coûteux que le tabac, moins nocif et autrement exaltant!

BOUDDHISME (I)

Si j'en crois le pilier du grand Bouddha, je suis damné.

Si j'en crois les empreintes des pieds du Bouddha, je suis sauvé.

Un *tanka* me répond: « De l'égarement au nirvana, cette vie n'est qu'un repos. Il pleut souvent, il vente souvent. Cela n'a pas d'importance. »

BOUDDHISME (II)

Devant le Bouddha de Kamakura, dont Osaragi Jirô nous fit le soir ouvrir l'enceinte, quelqu'un rappelle un poème (d'autant plus célèbre qu'irrévérencieux) d'une femme:

> *A Kamakura*
> *Il y a un grand Bouddha.*
> *Mais Çakyamouni, quel joli garçon!*
> *Ah! les bosquets dans les nuits d'été...*

LES MOTS FONT L'AMOUR

Durant l'occupation de la Mandchourie, quand un officier japonais commandait un marasquin: « maraschino! » c'était pour la serveuse une indication, et même une invitation, car *maraschino* évoque pour un Japonais : *mara*, le membre viril, et *suki* agréable, à votre goût. La paix revenue, le marasquin ne se vend plus guère; catastrophe pour les importateurs.

Quand un étudiant japonais étudie le français, il rit en découvrant l'expression puérile *faire dodo*. Elle suscite en lui l'expression *faire bobo*, laquelle évoque le *con* de la femme (avec un ton très vulgaire). Impossible de dire à un Japonais : *j'ai bobo*.

Baccalauréat ne le réjouit pas moins : *baka*, pour lui, veut dire idiot; un baccalauréat devient donc un *lauréat idiot*.

Dédié à ceux qui cherchent encore le langage premier de l'homme, et la valeur universelle des phonèmes.

Un *abec*, au Japon, est un couple d'amoureux (*avec!*) ; un *voliumo*, une poitrine abondante (*volume*, à l'américaine) ; vaut-il mieux fournir l'*abec*, ou le *voliumo*?

MAIKO

C'est au chignon que l'on reconnaît la pucelle. Les *maikos*, futures *geishas*, sont initiées par un vieillard expert que choisit la maîtresse de maison; il paie très cher ce privilège de faire changer le chignon de la *maiko*. La cérémonie de la première nuit s'appelle *fudé-oroshi, le premier usage du pinceau*. Où la littérature va-t-elle se fourrer?

DU JAPANGLAIS AU RACISME

Dès mon arrivée, on m'a remis un livre dont tout le monde parle, et qui traite de la contamination du japonais par l'américain. De fait, au bout de quelques heures, puis de quelques jours, je serai terrifié par le nombre des mots yanquis dont la durée de l'occupation corrompt le japonais et les Japonais. Un Japonais que j'aime et admire m'ouvre son esprit : il hait les occupants, lesquels, à coups de dollars, achètent tout : savants, menuisiers, maçons, et imposent à la jeunesse japonaise une conduite d'échec. Qu'aurait dit mon interlocuteur si je lui avais révélé que, durant la guerre, aux Etats-Unis, je lisais avec haut-le-cœur les sornettes des journaux contre ces singes sous-humains (*subhuman apes*) : les Japonais, dont on ridiculisait la petite taille : « Comment un peuple de nains pourrait-il l'emporter sur nos troufions bourrés de vitamines et de viandes rouges? (le poulet étant réservé aux civils : *Be pat riotic, eat chicken twice a day*). Non sans difficulté, mon ami me révèle que mon *Blason d'un corps*, qu'on traduisit au Japon, n'a pu être commercialisé normalement, car j'y célèbre la réussite charnelle d'une mulâtresse et d'un blanc. Or, dans l'état où l'occupation réduit les hommes au Japon, cette seule idée devenait intolérable. Trop de Japonaises avaient couché avec des nègres. Du japanglais au racisme, tout l'éventail de ce qui nous attend. (Le français n'est pas mieux traité ici que chez nous l'anglais par les franglaisants : en une seule journée, je relève *Mari* (pour *Marie*) ; *Maison de Poupé, français gâteaux*, le plus joli : JOILE (pour jolie). Du moins leurs *flippers* s'appellent-ils *pachinko*, terme qu'on m'assure être en japonais une onomatopée ; (l'Enfer, pour moi, quand j'y fus jouer, ce cliquetis clinquant).

HAIKU

Alors qu'en ma jeunesse je me toquai du *haiku*, comme en France un peu tout le monde, jamais je n'eus chez nous envie d'écrire quelque chose qui s'inspirât de ce genre entre tous rigoureux. Comment se fait-il que chaque site japonais m'ait dicté une brève image d'où j'imagine qu'un indigène aurait su, aurait dû, élaborer un *haiku* (verset de dix-sept syllabes distribuées selon le système 5+7+5) ? Etat de grâce, la poésie serait-elle aussi état de lieu?

Voici quelques épaves de cette « expérience poétique » :

SHIMA KANKÔ HOTEL

Dans l'île de Kashiko-jima nous nous promenons près de parcs où l'on cultive des huîtres perlières :

> *Sur la secrète irisation des perles,*
> *Un arc-en-ciel voyant : le mazout.*

Quel froid pluvieux, ce petit matin-là, sur le pont de l'Isuzu, à Isé! Or le nom de cette rivière est transcrit par des caractères signifiant *cinquante grelots* :

SUR LE PONT DE L'ISUZU

Pont courbé sous la pluie grêle :
Les cinquante grelots grelottent.

Au MONT DU CRAPAUD, près des élevages d'huîtres.

Quand dix mille crapauds célèbrent la montagne,
Il suffit d'un crapaud pour dénigrer la perle.

(Un *mot-oreiller*, à la japonaise : les deux sens de *crapaud*.)

En visitant le SAIHÔ-JI OU KOKEDERA, *Le Temple des mousses*, à Kyoto; fameux aussi pour ses biches.

{ *Le cri grinçant* }
{ *L'appel crissant* } *du bélier de bambou*
Effarouche toutes les biches.

(Encore un mot-oreiller qui s'impose : *bélier*; ce *bélier* qui fait monter l'eau nécessaire aux mousses du jardin.)

HIGASHI-YAMA

Femme couchée sous le duvet des nuages :
Higashi-yama, ou bien Ixtaccihuatl?

(Même image au Mexique et au Japon. « L'espace retrouvé »?)

MATSUSHIMA (I)

Matsushima, l'un des sites parfaits du Japon, naguère encore. Hélas, un hélicoptère écarlate rompt le silence. On fait ce qu'on peut pour l'effacer :

> *Entre les pins d'îles naguère fortunées,*
> *Rutilante, assourdissante : la libellule.*

Mais le moyen d'effacer les cheminées, ici, là-bas, qui crachent leurs poisons?

MATSUSHIMA (II)

> *De partout pointées au cœur de la baie,*
> *Innombrables, les trois cheminées de la centrale.*

Au HOKKE-JI de Nara, devant YOKOBUE, statue raffinée, modelée avec les lettres d'amour d'une femme qui fut victime des intrigues et des conventions à la cour de Heian.

YOKOBUE

> *Crâne chauve de la nonnain :*
> *Visage de papier mâché.*

A propos d'un charmant objet de l'érotique populaire :

LA DEMOISELLE AU CHAMPIGNON (I)

> *Ammanite phalloïde comme d'Hiroshima,*
> *Qui te rend si suave aux mains de la demoiselle?*

C'est raté!

LA DEMOISELLE AU CHAMPIGNON (II)

Aux doigts menus de la fillette
Comme il gonfle, jabot de colombe amoureuse!

Ça ne vaut guère mieux!

LA DEMOISELLE AU CHAMPIGNON (III)

Tendrement cramponnée à son ombrelle rose,
Elle sourit à la prochaine giboulée, la demoiselle.

Cette fois, il me semble que ça va.

KIMONO ET TALON AIGUILLE

Cette « élégante » en kimono avec *obi*, quand elle pénètre devant moi dans un grand hôtel du centre, ses talons aiguilles me choquent comme un couac. Comme les baguettes de bambou qu'on me propose dans un restaurant de Tokyo, qui prétend fournir de la cuisine française.

Pourtant cette statue du VIIIᵉ siècle, avec un corps en bois de Kamakura (espèce d'Orphée noir, dirait-on), comme il est troublant d'aprendre qu'elle fut composée de deux morceaux ajustés à cinq siècles d'écart! Particulièrement beau, le profil gauche impose l'évidence de l'unité plénière. Le restaurateur aurait-il disposé d'un original perdu? Pourquoi ne pourrait-on pas unifier le composite?

Justement, cette exposition de Tokyo sur les *Poils roux* et *Barbares du Sud*, prélude inattendu aux Jeux olympiques, me confirme qu'en ce pays les passages et les contaminations ne datent pas du Meiji. A l'époque Momoyama (1568-1614), nombreuses figures d'Européens en portrait charge. A l'époque suivante, d'Edo (1615-1867), foison de croix et d'anges qu'une mince lame de cuivre dissimule dans la garde d'épée des samouraïs chrétiens. Aodo Denzen, Araki Jogen et Shiba Kôkan peignent déjà des paysages occidentalisants. Dans l'*ukiyoe*, çà et là, des intuitions, des techniques de la peinture européenne.

Et voici, ma parole, un portrait de Mme de Staël! Mais non, peinte par Kikuchi Jôsai, c'est une dame japonaise qui appartient à la collection de M. Tamba Tsuneo. Toque d'un gris léger, corsage vert clair, médaillon, perlouzes.

Mais quoi! lorsque je considère le *Mont Fuji dans la mer*, où le vieillard fou de dessin voit une simple tache d'écume, dont, festonnées vers la base de la montagne sainte et bleue, les neiges éternelles se transmuent en écume brisée sur la crête de vagues elles-mêmes bleues et déchiquetées, comment ne pas revoir en imagination ce tableau d'Altdorfer (Pinacothèque de Munich), où les *moutons* d'une mer qui déferle se métamorphosent sur la grève, s'y accomplissent et, s'y parachèvent en un vrai *mouton* de laine? Toute fusion est donc acceptable et peut devenir belle, pourvu qu'un artiste l'impose. Savoir si le Japon de l'avenir ressemblera plutôt à cette statue composite, au *Mont Fuji dans la mer*, ou au talon aiguille qui abolit le kimono? Mon élégante à kimono n'a pas su m'imposer le talon aiguille.

Le pourra-t-elle jamais? Car le kimono exige le *zori*, lequel est associé à la démarche aux orteils convergents, signe et symbole de la réserve des femmes (à moins qu'elle ne soit commandée par les pans du kimono, qui descendent très bas et se recouvrent; pour marcher à l'occidentale, il faudrait donc, car j'en crois aussi le japonologue sensible qui me suggère cette solution, des efforts excessifs et désordonnés).

A PROPOS
DE LA « RÉVOLUTION CULTURELLE »

1966-1967

La révolution culturelle

I. *Requête contre les ennemis du Président Mao.*

Le 7 mai 1966.

Je, soussigné, Kouo Mo-jo, président de l'*Academia Sinica*, du Comité de la paix, vice-président de l'Assemblée nationale populaire, déclare ce qui suit, en toute sincérité : les révisionnistes, impérialistes et autres capitalistes d'Occident publient dans leurs journaux qu'à plus de soixante-dix ans je veux me rouler dans la boue, recevoir les stigmates de l'huile et du sang. Encore qu'il soit vrai que j'aie publié des poèmes, des drames, des essais, qui représentent un million au moins de caractères, ces calomniateurs insultent le président Mao, insinuent que je ne l'ai pas étudié avec assez de zèle. Enfin, répudiant toute vergogne, ils osent prétendre que notre Parti m'a contraint à me dénoncer, à vouer au feu mon œuvre entier. Croient-ils ainsi nous faire oublier leurs autodafés, les feux nazis de joie où l'on brûlait Marx et Freud? Les révisionnistes de Moscou, qui divulguent, eux aussi, cette fausse nouvelle, veulent-ils se réhabiliter d'avoir condamné Siniavski et Daniel, imposé à *Iounostj* une pénible autocritique et, à Cholokhov, de rabrouer Louis Aragon?

Je conviens qu'en fondant, dès 1922, le groupe *Création* j'étais fort ignorant des sages directives promulguées à Yenan, vingt ans plus tard, par le président Mao. Sous l'influence délétère de l'Europe, je m'abandonnais alors à un romantisme bourgeois, à un subjectivisme idéaliste dont mon *Chien céleste*, qui remonte à 1920, offre un exemple achevé :

> *C'est moi, le Chien céleste*
> *La lune, je l'engloutis,*
> *Le soleil, je l'engloutis,*
> *Toutes les étoiles, je les engloutis,*
> *J'engloutis l'univers entier.*

Ma seule excuse est d'avoir compris que ce narcissisme whitmanien était condamné à mort :

> *Je suis moi.*
> *Mon moi explosera.*

Mon moi idéaliste explosa si fortement qu'en 1925 je me rapprochai du mouvement prolétarien pour fonder ensuite, à Chang-hai, la *Ligue des écrivains chinois de gauche*. J'eus tort, sans doute, car ce fut en 1930, douze ans avant les directives de Yenan.

Je conviens également qu'en traduisant le *Faust* d'un grand bourgeois allemand et le roman d'un aristocrate russe : *La Guerre et la Paix,* sans compter, pis encore, l'œuvre d'un Américain : Upton Sinclair, j'ai contribué à introduire dans les lettres chinoises un virus réactionnaire, insidieusement impérialiste, en tout cas peu prolétarien. C'est Marx, évidemment, que j'aurais dû traduire, et les traités de Jdanov sur le beau. A cet égard, je ne vaux pas mieux que Lou Siun [1], gourmand traducteur d'œuvres occidentales.

Mais quand les ennemis de notre patrie communiste s'aven-

---

1. Lou Siun, le plus admiré des écrivains chinois, depuis 1949. On peut lire en français l'*Histoire de A. Q.* et les *Contes anciens à notre manière.*

turent à écrire que je n'ai pas appris les leçons du président Mao, leur mauvaise foi crève les yeux, y compris ceux du *Chien céleste.* Dès 1950, dans les douze pages de mon rapport sur la création de la nouvelle littérature chinoise, n'ai-je pas cité huit fois le président Mao, son livre sur la démocratie nouvelle, ses irréprochables principes, sa gouverne éclairée? N'ai-je pas constamment dit que le président Mao disait que...? N'ai-je pas après lui, mais avec lui, plaidé pour une littérature « riche de contenu idéologique » et de « haute qualité morale »? Après lui, mais avec lui, n'ai-je pas prêché qu'il nous faut aller au peuple, le comprendre, mener sa vie, partager ses travaux, afin d'exalter le courage et le zèle des masses?

Or j'observe que révisionnistes, impérialistes et autres barbares d'Occident divulguent leurs calomnies au moment où, prenant à son compte la formule d'un féodal français, nommé Charles Maurras, notre *Drapeau rouge* viole les directives du président Mao en criant : « *Politique d'abord!* » Car la doctrine proclamée à Yenan stipule que « la politique n'est pas l'art ». Sans doute prime-t-elle la science et l'art en ceci qu'elle peut les contraindre et doit les orienter; mais en ceci la science et l'art priment la politique la plus juste : celle du président Mao, que la politique la plus fausse, la plus féodale, la plus impérialiste jamais n'empêcha K'iu Yuan d'écrire ses poèmes, Galilée de scruter le ciel, Wou Tcheng-en de composer *Le Singe pèlerin*, Darwin d'élaborer le transformisme. Hélas! il se trouve en Chine des gens pour murmurer, qui sait même, pour publier, que, tout admirables qu'on les juge, les poèmes du président Mao en langue classique ne sauraient être imités par nos jeunes écrivains. Non seulement ne sauraient l'être. Ne doivent pas l'être.

Quelle fut ma honte, récemment, lorsque je lus les gloses accolées aux vers où notre Guide évoque le mont des Chamanes, le barrage qu'on édifia dans cette région, pour dompter « les nuages et la pluie »! Alors que la beauté du texte, sa force politique résultent des pensers nouveaux nourrissant un vers antique, le glossateur se borne à dire : « D'après un poème de Song Yu une déesse aurait dit en songe au roi Siang de Tchou que, lorsqu'elle sortait, elle se faisait nuage le matin et pluie le soir. » Différente, la vérité, familière à tout lettré : le prince en question s'endormit au mont des Chamanes, dans ma chère province du Sseu-tch'ouan. Une femme très belle lui apparut en songe, se présenta comme la Dame du Mont. Après lui avoir fait l'amour, elle prit congé en déclarant : « *A l'aube, c'est moi qui dispose les nuages du matin; au soir, c'est moi qui convoque la pluie.* » A la suite de quoi, *nuages et pluie* signifia l'acte d'amour. En désignant la *retenue* d'un barrage par l'expression même du dévergondage sensuel, et le peu de *retenue* qui caractérise l'érotomanie féodale ou décadente, le président Mao nous montrait la seule voie juste, le seul *tao* : celui qui, contraire à l'ancien, dévie en énergie socialiste l'excédent d'influx sexuel. En négligeant de commenter *nuages et pluie,* nos critiques désavouent implicitement le poème de notre inspirateur. Qu'un sinologue bourgeois, M. Paul Demiéville, ait mieux compris ce texte que certains membres de notre parti communiste, voilà qui m'impose de demander si, en s'attaquant à ma chétive personne, les ennemis de la Révolution ne visent pas plus haut.

Ils susurrent en effet que je partage mon allégeance; que je ne renie pas Maître K'ong (qu'ils ont enjésuité en Confucius). De fait, comment mépriserais-je les leçons de générosité que m'enseigna le *Louen Yu*? Comment oublier le chapitre *Jou hing* du LI KI : « Partage, distribution, voilà la fleur de l'humanisme »? Si, du reste, je les méprisais, c'est au président de notre République que je serais infidèle, à lui qui, dans le manuel qu'il composa du parfait communiste, n'hésite pas à citer les anciens rois Yao et Chouen, si révérés de Maître K'ong. Désormais, dit-il, chacun de nous peut devenir Yao et Chouen. Infidèle à Maître K'ong, je le serais plus gravement encore au président Mao : quand il eut traversé à la nage le fleuve Bleu, il composa un *ts'eu* [1] pour célébrer cette victoire du communisme; en quels termes?

Le Maître l'a bien dit, sur les bords d'un cours d'eau :
« Allons de l'avant, comme le flot s'écoule! »

Or il est écrit au *Louen Yu* : « Le Maître, qui se trouvait au bord d'une rivière, déclara : Tout passe comme cette eau; rien ne s'arrête, ni jour ni nuit. » Le président Mao sut y déceler un pressentiment du marxisme et de la dialectique.

En prétendant que le régime communiste m'impose de me rouler dans la boue, à soixante-dix ans passés, et de condamner au bûcher mon œuvre entier, les révisionnistes de Moscou, les impérialistes de Washington et les capitalistes européens ne cherchent donc qu'à discréditer, à travers moi, la glorieuse personne du président Mao Tsö-tong. Ces ragots ne tromperont personne en Chine, par bonheur : au fait, pourquoi le président Mao n'assistait-il pas au défilé du Premier Mai?

N'insinue-t-on pas, chez nos ennemis, que Ting Ling et Ai Ts'ing, deux gloires des lettres communistes, subissent aujourd'hui la rude épreuve de l'exil aux frontières? Que Tai Wang-chou le poète — celui qui révélait aux Français, voilà trente ans, l'œuvre de Ting Ling précisément, ou de Tchang Tien-yeh — souffre toujours d'une disgrâce posthume, coupable de subjectivisme baudelairien, de décadentisme symboliste? Que Mao Touen, enfin (non pas : *enfin*; mais enfin...), que Mao Touen, donc, a perdu lui aussi la faveur. Comme si, par définition, tout écrivain fût hérétique! Mais alors, jusqu'où veut-on en venir? Qui veut-on déshonorer? En dépit de mon grand âge, si ma mémoire ne me trahit point, il est un poème, un de ses plus beaux, où le président Mao déplore que Ts'in Che Houang-ti ait manqué d'esprit, que T'ai-tsong des Tangs ait

---

1. *Ts'eu*, poème de prosodie assouplie, et de langue plus familière que celle du vers classique.

péché par défaut de goût littéraire et Gengis Khan en ce qu'il
ne savait que bander son arc contre l'aigle géant :

> *Pour trouver les hommes vraiment grands*
> *Regardons plutôt le présent,*

concluait-il.

Nos Ts'in Che Houang-ti ne veulent-ils pas traiter le président Mao comme jadis un roi cruel fit le poète K'iu Yuan,
celui précisément que je célébrai dans un drame un rien
romantique [1] ?

« Je prends à témoin le Ciel et la Terre, nos anciens rois
et nos ancêtres pour vous dire [...] : ce n'est pas contre moi
que vous avez comploté, c'est contre vous-même et contre
notre Roi, contre notre Royaume et contre la Chine entière. »

En cette heure où le tigre américain de papier nous menace
du feulement de ses bombes, voudrait-on sacrifier en moi celui
qui fut à Paris, en 1949, le président de la délégation chinoise
au Congrès mondial pour la paix? Ce serait, une fois encore,
toucher le président Mao, son poème sur le Kouen-louen. Ne
veut-il pas découper la montagne en trois tronçons?

> *J'en donnerais un à l'Europe*
> *Un à l'Amérique,*
> *Et j'en garderais un pour la Chine!*
> *Monde en paix...*

Un sinologue français m'a dénoncé comme l'une « des plus
grandes figures de la littérature chinoise contemporaine », et
« l'une des gloires » de la Chine communiste. J'en suis peiné,
car ces mots ne conviennent qu'à celui que devait tuer la flèche
qui, par bonheur, m'est restée fichée dans le cœur.

Je présente donc humblement ma requête : que notre Parti

---

1. *K'iu Yuan*, trad. Liang Pai-thin, Gallimard, 1957.

bien-aimé donne à ses ambassadeurs les instructions qui restaurent la vérité. Bœuf du peuple je suis, bœuf du peuple je
veux rester. Voilà mille ans et plus, Han Yu s'avouait vraiment
craintif, vraiment effrayé, après sa requête contre les reliques
du Bouddha. Moi, non. Comme K'iu Yuan mon vieil ami,
« je n'ai pas peur de la mort »; comme Po K'iu-yi, l'ami des
petits sires et des grands travaux qui firent la Chine forte entre
les quatre mers, je conclus, sans me rouler dans la boue, ni
même la poussière :

*Un vieillard de soixante-treize ans peut mourir d'un jour à
l'autre*
*Je jure pourtant que cette voie dangereuse deviendra un libre
passage.*

KOUO MO-JO
[p.c.c. Etiemble]

II. *Kouo Mo-jo, le stigmatisé malgré lui*

Le 7 mai, lorsque j'écrivais pour *Le Nouvel Observateur* une
Requête imaginaire de Kouo Mo-jo *contre les ennemis du président Mao*, je me fondais (comme la presse française et *Le
Monde* du 30 avril) sur une dépêche de l'A.F.P. Celle-ci prétendait citer une palinodie prononcée le 14 avril par le président de l'*Academia Sinica*. Or le texte intégral de ce document
avait paru dans le *Kouang-ming je-pao* du 28 avril. Grâce à
Mme Michelle Loi, traductrice des poèmes de Kouo Mo-jo, je
viens d'en prendre connaissance. Ni elle ni moi n'en sommes
revenus.

Au début de cette confession, le vieux militant et jeune
membre du Parti communiste chinois croit devoir déclarer que
« si l'on s'en tient aux critères d'aujourd'hui, tout ce qu'il
écrivit il faudrait le brûler, à rigoureusement parler, car cela

ne vaut rien »; mais tant s'en faut qu'il s'accuse, comme le
prétendait la dépêche, d'avoir « mal appris la pensée du président Mao ». Ainsi que je l'écrivais, Kouo Mo-jo, dans son
rapport de 1950 sur la création littéraire, cite abondamment
les directives de Yenan et les œuvres théoriques de Mao. Ce
dont il se sent coupable, c'est d'avoir « lu et relu bien des
fois » les textes en question, de les avoir cités en effet, de les
avoir eus à la bouche sans les biens « assimiler » : « or être
marxiste-léniniste de bouche et sur le papier, cela ne mène pas
à grand-chose, cela n'est pas très efficace ». Pour illustrer son
idée, Kouo Mo-jo célèbre alors un roman, *Chansons de Wou-
yang hai* dont il conseille la lecture parce que seul un homme
de troupe pouvait l'écrire. Se référant aux arts plastiques, il
invite ensuite son public à voir *La cour aux fermages*, ensemble
de figurines qui représentent la vie des paysans exploités par
les latifondiaires (et dont la *Littérature chinoise* de février 1966
chante aussi les louanges, à juste titre). Belle occasion pour le
poète d'admirer que la paille de riz et l'argile dont au Sseut-
ch'ouan, son pays natal, on modela ces personnages, composent
un matériau « docile à souhait », bien plus que le jade ou
l'ivoire, et entre tous pertinent : « C'est de la terre qu'on
emploie pour modeler des paysans. »

L'écrivain ne dit pas, mais nous savons que maintes statues
anciennes, qui représentaient les génies ou les saints du
bouddhisme, furent modelées dans un matériau analogue. Nous
qui abusons plutôt des arts « sauvages », des peintres du
dimanche, des sculpteurs du 29 février, de quel droit contes-
terions-nous aux Chinois leur quête de la naïveté, de la fraîcheur? Sans le zouave qui nous donna *Le Guerrier appliqué*,
sans l'artilleur qui rédigea *Ma Pièce*, sans le biffin à qui nous
devons *Le Feu*, où seraient ces trois livres-là? Chez nous aussi
certains livres dépendirent du guerrier ou du soldat qui les
éprouvèrent. (Savoir si nous devons pour autant condamner
toute littérature qui n'est pas le fait du zouave, et dans *Les
Fleurs de Tarbes* des calices empoisonnés de la plus juste
rhétorique? Tout joueur de cornemuse vaut-il fatalement

mieux que l'œuvre entier de Vivaldi, et mieux que Gustav Mahler tout accordéoniste du métro?) Je me permets de douter que le premier soldat venu sache offrir au président de l'*Academia Sinica* des conseils pertinents touchant la théorie si contestée de l'esclavage dans la Chine ancienne. Je ne suis même pas sûr que l'humaniste le plus ouvert de la Chine actuelle aurait profit à se faire l'écolier « des ouvriers, des paysans et des soldats ». A moins qu'il ne vive centenaire et n'obtienne ainsi le temps de changer son génie d'épaule.

Vient alors, en conclusion, le passage essentiel : « Quoique j'aie plus de soixante-dix ans, je ne manque ni de force ni de courage; s'il me faut me rouler dans la terre, j'y consens; s'il faut se tacher d'huile sur tout le corps, j'y consens; devrais-je aller jusqu'à me souiller de sang, au cas où l'impérialisme nous attaquerait, et lancer des grenades contre les impérialistes, à cela encore je consentirais. »

Bien éloigné de « se rouler dans la boue », de s'humilier aux pieds sublimes du président Mao, le vieux savant, le jeune poète choisit trois images qui le montrent disposé à vivre comme un paysan (tout maculé de lœss), comme un ouvrier (tout gluant d'huile), comme un soldat (tout éclaboussé de sang). Cela, sans aucun souci d' « afficher une attitude »; et cela, « du fond du cœur »; cela, conformément aux directives de Yenan.

Où diable l'A.F.P. a-t-elle vu Kouo Mo-jo « se rouler dans la boue »? où diable ces « stigmates » de saint François ou de névrosé? En combinant coupures, montage de textes, contresens on le dirait intentionnels, l'agence officieuse a donc ingénieusement « comploté contre la Chine entière », ainsi que je le suggérais dans mon pastiche; ah! quel dommage que l'ambassade à Paris de la République populaire de Chine n'ait pas « restauré la vérité », comme je l'y conviais! Voilà du moins qui est fait.

III. *Les ancêtres des Gardes rouges*

Je viens de lire les volumes publiés à Paris cette année sur ce conflit sino-russe que j'annonçai en 1957, et plusieurs fois par la suite, chaque fois rabroué par les fidèles du Parti : « Le Parti n'est pas l'Eglise; l'idée nationale est définitivement subordonnée à la lutte de classes », et autres phrases de caté-chisme. Lisez donc *La Rupture Moscou-Pékin,* par Tibor Meray, *La Grande Controverse sino-soviétique,* par Jean Baby, *Chine-U.R.S.S.,* deux tomes de François Fejtö, et *La Chine de Mao,* par K. S. Karol.

Quels que soient les mérites de ces travaux, ils m'acculent pourtant à déplorer que les meilleurs spécialistes de la Chine contemporaine négligent le passé de l'empire chinois, et que les plus savants sinologues se désintéressent de la révolution culturelle (ou, du moins, n'en écrivent guère). C'est pourquoi, remettant à une prochaine chronique l'analyse du schisme, je vous conseille, si vous en avez le loisir, de lire d'ici là les vingt pages que M. Pierre Ryckmans vient de publier dans la *Revue générale belge* (septembre 1966) : « Chine nouvelle ou Chine éternelle? » Elles me semblent irréprochables.

C'est sans doute que M. Ryckmans, qui vécut en Asie des années, et qui est capable d'enseigner en chinois dans une uni-versité d'Extrême-Orient, ne se borne pas à l'actualité : ce jeune sinologue vient de publier, chez un courageux éditeur belge, la première version française du très beau livre de Shen Fu (ou Chen Fou) : « Six récits au fil inconstant des jours [1] ». Où mieux comprendre ce que fut, au XVIIIᵉ, ce qu'était hier

---

1. Larcier, 39, rue des Minimes, Bruxelles; préface d'Y. Hervouet, professeur de langues et littératures chinoises à la faculté des Lettres de Bordeaux. Une autre version, de M. Reclus, a paru depuis lors chez Gallimard, collection « Connaissance de l'Orient ».

encore l'idéal moral, esthétique d'un Chinois intelligent mais pauvre?

Chen Fou et sa femme pensaient que leur pauvreté, qui les condamnait à dépenser « le moins possible », leur commandait de veiller néanmoins à n'utiliser que des objets de bon goût. Si démuni qu'on soit, on peut ensacher quelques feuilles de thé dans une gaze, les déposer au soir tombant dans une corolle de lotus, qui la nuit durant se referma sur le pauvre trésor; au matin, l'épouse constamment aimée ira recueillir le sachet, pour faire infuser un thé d'arôme incomparable. Amateurs de poésie, divisant leur allégeance entre Li Po et Tou Fou, les deux amants-époux ne vivaient que pour soi et pour la beauté. Chen Fou peignait, calligraphiait.

Je me disais que s'ils avaient habité Changhai en août 1966, ils auraient reçu la visite des Gardes rouges. On aurait brûlé leurs rouleaux, leurs manuscrits, dispersé les sachets de gaze, coupables de dispenser une volupté « bourgeoise »; on les aurait tenus debout, pancarte au col, trente-six heures d'affilée. Le lendemain, Yun et Chen Fou auraient demandé au poignard, au poison, un peu de silence et de paix, comme à soixante-neuf ans vient de faire l'auteur de *La Philosophie de Lao Tch'ang*, celui qui, *voilà quarante ans déjà*, fustigeait la bourgeoisie pékinoise : le grand prosateur Lao Che; comme viennent de faire, avec quantité d'autres intellectuels, mon ami Fou Lai et son épouse. Traducteur de Balzac et de Romain Rolland, Fou Lai me révéla les lavis et rouleaux du peintre nonagénaire Wang Pin-hong (l'égal de ce Ts'i Pai-che dont les Gardes rouges viennent de souiller la tombe), après avoir brûlé à Pékin tant de livres pillés dans les librairies d'occasion.

Cela, je croyais que c'était réservé aux sbires de Tchang Kai-chek. Très cher Fou Lai, dont j'écrivais en 1957 : « *Tant de savoir et de goût, tant de culture et de fraîcheur, tant d'enthousiasme et de modération composent un véritable* kiuntseu, *un homme accompli, qui joint à la formation tradition-*

*nelle une expérience du monde entier, et quel sens, quel amour
du beau!* » Trop âgé pour se convertir au président Mao, il
tenta de se réformer, d'oublier son passé de lettré. C'était
difficile. Depuis des mois, la censure lui confisquait les ouvrages
que je lui adressais sur les rosiers. Les yeux fatigués, il se
consolait en jardinant : souci « bourgeois ». Les Gardes rouges
lui rendirent donc visite, brûlèrent ses livres, saccagèrent ses
archives, ses rouleaux de peintures. La nuit d'après,
Fou Lai et son épouse rejoignirent leurs ancêtres.

Heureux Chen Fou, à qui l'empire mandchou demandait
seulement de subir au jour dit la lecture du « Saint Edit » de
K'ang-hi. Justement, M. Ryckmans vient de m'adresser la version qu'il prépare de l'autobiographie rédigée par Kouo Mo-jo.
Comme les autres écoliers de son âge, le futur président de
l'*Academia Sinica* reçut son lot de « fricassée de bambou »
et dut s'agenouiller, puni, devant la « sainte tablette de Maître
Confucius, Premier Maître et Sage Suprême ».

Aujourd'hui, on s'agenouille moralement devant « le président Mao Tsö-tong, notre grand guide, notre grand dirigeant,
notre grand timonier ». Quelle différence? Kouo Mo-jo raconte
comment se passait la récitation du « Saint Edit ». On l'accompagnait de récits moraux illustrant *« les vertus cardinales de
fidélité, piété filiale, chasteté et loyalisme »*; le conteur se pros-
ternait devant un édifice de tables au sommet desquelles, entourée de bougies et d'encens, trônait la tablette du « Saint Edit ».

Après avoir heurté du front les planches de la table, le réci-
tant *« psalmodiait d'une voix traînante une dizaine d'articles
du " Saint Edit " »*.

Désormais, on ne psalmodie point, on crierait plutôt; on
hurlerait les citations du président Mao; mais enfin adaptées
à une civilisation de masse, où chaque adolescent sait lire, qui
ne reconnaît le vieux système chinois, la lecture publique
du « Saint Edit »?

Que les confuses libertés concédées durant la crise des Cent
Fleurs n'aient pu survivre aux circonstances, à la stupide poli-

tique du Pentagone, je le prévoyais dans mon *Nouveau Singe
pèlerin.* Que Mao devienne le prophète d'un nouveau Déca-
logue, ce n'est pas moi qui crierai au scandale, moi qui lui
souhaitais alors d'être un jour le Moïse de l'Asie des moussons.
Après trente-deux ans durant lesquels je n'ai cessé de soutenir sa cause, si pour la première fois je me sens consterné
et, peu s'en faut, désespéré, c'est que ni le suicide de Lao Che,
ni celui de Fou Lai ne hâteront la victoire du socialisme alors
que je vois en quoi ils desservent la Chine et nous imposent
d'évoquer la prise du pouvoir par Ts'in Che Houang-ti. A
propos du livre de Tibor Mende intitulé *Des mandarins à Mao
Tsö-tong,* j'écrivais déjà que si l'on ne pense pas à Ts'in Che
Houang-ti, aux légistes, on ne peut comprendre Mao.

Or le livre vient de paraître, que depuis des années je souhaitais sans l'espérer : *La Formation du légisme* [1], œuvre de
M. Léon Vandermeersch, un des trop rares sinologues qui ne
dédaignent pas de réfléchir sur la Chine actuelle.

Au IIIe siècle avant notre ère, ces légistes s'appliquèrent à
organiser un ordre économique nouveau (industriel et mercantile) ; ils comprirent, comme aussi Mö-tseu, que les confucéens
avaient tort de mépriser le « rendement mesurable », et que
l'insistance sur la piété filiale empêcherait la société en gesta-
tion de prendre forme et consistance.

Mohistes et légistes en déduisirent qu'il fallait dévier l'intérêt
particulier en fièvre communautaire, et même « communiste »
(c'est le mot de M. Vandermeersch).

A cette fin, ils sacrifièrent toutes les libertés privées, les
lettres, les arts, les traditions : livres de médecine, d'agriculture
et de magie exceptés, rien ne trouva grâce devant cette façon
de Garde rouge. Toujours d'accord avec le supérieur, jamais
avec l'inférieur, organisés en communautés grossièrement fra-
ternelles, avec pour idéal le moine-soldat — pacifistes absolus
et militarisés à outrance —, hostiles aux rites funéraires, à toute

---

1. Publications de l'Ecole française d'Extrême-Orient, 1965, v.o. LVI,
dépositaire : Adrien-Maisonneuve, 11, rue Saint-Sulpice.

forme de beauté, puritains comme les fils spirituels de Mao, les disciples de Mö-tseu se piquaient de marcher pieds nus sur le fil d'une épée, d'entrer dans un brasier sur l'ordre de leur chef. De quoi former aujourd'hui les meilleurs Gardes rouges.

Plus « méthodiques et rationalistes », les légistes étaient alors « progressistes »; ils voulaient adapter leur pas à une économie en pleine évolution. Ils soignaient « ce qui naît »; les confucéens, au rebours, tentaient de défendre ce qui restait de bon dans ce qu'ils voyaient mourir. Les légistes se portèrent à des excès tels qu'ils gâchèrent les chances de leur système et que leur esprit critique dégénéra, pour avorter en *déguisement dialectique du dogmatisme*. Quant aux Gardes rouges de tendance mohiste, M. Vandermeersch, qui discerne chez eux des *accents presque hégéliens,* ne se dissimule pas que leur dialectique se borne à du verbalisme.

Héritant d'une Chine aussi morcelée que celle qu'allait unifier Ts'in Che Houang-ti, que le président Mao prenne modèle sur le premier unificateur et centralisateur de la terre chinoise, rien de plus naturel. Qu'en son nom, et peut-être avec son assentiment, on commette des excès dignes de ceux des légistes et des mohistes, la surpopulation menaçante et les menaces explicites du Pentagone lui sont circonstances très atténuantes. Mais qu'il n'oublie pas — on l'en supplie — que les erreurs des « durs » d'alors causèrent la perte d'une cause qui allait elle aussi « dans le sens de l'histoire »!

Ce grand lettré ne peut ignorer ce que sait M. Ryckmans : que, « *sous le gouvernement de ce même Mao Tsö-tong qui avait pourtant fait personnellement étalage de son aversion pour Confucius* », on voit « *se réincarner dans la vie politique une série de concepts et de comportements typiquement confucéens* » — et dans les domaines précisément où la révolution se flatte d'avoir fait table rase. Exemples? « *l'antériorité du Verbe sur l'Action* »; l'idée, fort optimiste, que tout mal est fils de l'ignorance, et qu'il se combat par l'enseignement, se guérit par l'étude; la foi en la Vertu, plus forte que la Technique : « *Ce qui s'accomplit par un effet de la technique est inférieur; ce qui s'accomplit par un effet de la vertu est supérieur* » disait déjà le *Mémorial des Rites*. C'est pourquoi l'homme qu'irradie la Vertu de Mao se rira des radiations atomiques; c'est pourquoi il faut condamner, comme ennemis de la Vertu, ces physiciens, biologistes, écrivains ou chimistes qui entendent créer selon les exigences de leur discipline, plutôt que de se plier à la discipline des Gardes rouges, anges gardiens de la Vertu. « *L'homme accompli n'est point un spécialiste* », disait déjà Confucius. Mao réincarne la Vertu de Yao et de Chouen, les souvenirs mythiques, héros du confucianisme. Condamner ici un *intégrisme marxiste*, comme fit l'autre jour Etienne Borne, c'est oublier que la Révolution culturelle manifeste avant tout, et une fois de plus, la puissance invincible du syncrétisme chinois. Le bouddhisme en fit l'expérience.

Il se pourrait que la seule société moderne de tendance communiste en effet naisse à Pékin; ce sera au mépris des doctrines marxistes, et dans le droit fil de la tradition chinoise : « *La Chine*, écrit K. S. Karol, *c'est l'autre communisme.* » Il a raison et plus même qu'il ne pense : c'est un communisme *tout autre*; ou plutôt c'est *un* communisme, ce que ne fut, ce que sans doute ne sera jamais le régime de Moscou.

Le Nouvel Observateur, *21 décembre 1966.*

RETOUR DES ÉTATS-UNIS

1967-1968

Middle West Revisited

Non, ce n'est pas du franglais. Une allusion, plutôt, et un hommage à deux des livres de sociologie qui, durant les années que je passai aux Etats-Unis, entre 1937 et 1943, m'éclairèrent plus qu'un peu ce pays : *Middletown* et *Middletown Revisited*. Un quart de siècle après avoir quitté pour celle d'Alexandrie l'université de Chicago, j'étais donc invité par l'université voisine d'Illinois, qui célébrait son centenaire; ce qui m'a permis de revoir la ville venteuse — *the windy City* — et la grande plaine à maïs.

Comme je ne passe guère, que je sache, pour un champion des mœurs américaines, de la civilisation qu'un jour je qualifiai de *cocalcoolique*, et comme il m'arriva d'écrire en 1964 ce *Parlez-vous franglais?* qui me valut outre-Atlantique l'honneur d'insultes nombreuses, et même d'être brocardé dans un de ces *comics* comme nous disons inconsciemment pour désigner ces bandes illustrées qui célèbrent surtout des meurtres, des viols, bref les saines distractions d'un monde où l'on s'ennuie (*life must be fun*), je craignais que cette fois encore on ne me lanternât, on ne me refusât le visa. Première surprise : on me l'accorda; pour quinze jours seulement; mais enfin, j'avais le droit de fouler le sol de la plus grande démocratie. En remplissant le formulaire de rigueur, je n'avais pas eu besoin, cette fois, d'affirmer que je n'étais ni fou, ni décidé à assassiner le président des Etats-Unis. Je n'eus même pas à récapituler toutes les adresses où j'avais séjourné durant ces dix dernières années. Progrès par conséquent par rapport à la paperasserie à laquelle je m'étais vainement soumis en 1958. Il me fallut quand même préciser ma position en politique : répéter que je n'ai jamais appartenu au parti communiste, reconnaître que j'avais malheureusement adhéré aux organisations hostiles à Hitler, et au fascisme en général; que j'avais contribué à créer en 1934 le groupe alors minuscule des Amis de Mao Tsö-tong (il y fallait peut-être un peu plus de discernement que pour réciter aujourd'hui par cœur les maximes du *Petit livre rouge*) ; qu'en 1935-1936, jusqu'aux procès de Moscou, j'avais assuré le secrétariat de l'Association internationale des écrivains pour la défense de la culture, dont les patrons s'appelaient Aragon, Ehrenbourg, Chamson, J. R. Bloch et Malraux. J'avais même dû résumer en ces termes mon sentiment à l'égard du Viêt-nam : « De même que j'ai toujours combattu le colonialisme français, notre guerre d'Indochine, les tortures — dès 1934 dans *La Nouvelle Revue française* —, la guerre d'Algérie, toutes entreprises lancées au nom de l'anticommunisme et que pourtant condamnait alors le *State Department,* je condamne aujourd'hui la guerre du Viêt-nam et j'appartiens à tous les comités d'intellectuels français qui soutiennent moralement et financièrement la lutte d'un petit peuple pour son indépendance. J'ai parlé à la Mutualité avec des universitaires américains contre la guerre du Viêt-nam et participé au mouvement du milliard. »

J'ai beau me révolter à la pensée que nous devons demander un visa, nous autres Français, pour entrer aux Etats-Unis, alors que les citoyens de ce pays, agents de la C.I.A. compris, sont dispensés en France de cette humiliation, je dois reconnaître qu'au lieu des brimades variées auxquelles me soumirent en 1958 des employés d'un consulat encore imprégné de maccarthysme — bien que je fusse, alors aussi, l'invité d'une grande université et favorisé, voire honoré, d'une bourse de la Fondation Ford pour un congrès scientifique, à la suite de quoi je choisis d'aller enseigner à l'université de Moscou, qui m'invitait

vers le même temps mais me dispensait du Wassermann —,
l'ambassade, le consulat, les fonctionnaires de l'aérodrome de
débarquement me traitèrent cette fois avec une courtoisie évidente, délibérée. J'ajouterai même qu'ayant informé l'université d'Illinois de l'engagement que j'avais pris de ne pas parler
de la guerre du Viêt-nam — ce qu'on m'avait discrètement
suggéré à Paris — un de mes collègues écrivit au Département
d'Etat, qui répondit le 16 novembre : « Je tiens à vous assurer
qu'il n'est pas question de limiter les sujets sur lesquels le
professeur Etiemble est autorisé à parler durant son séjour
aux Etats-Unis; les Etats-Unis n'imposent aucune restriction
aux propos, tant publics que privés, des étrangers en voyage. »
Les mœurs avaient-elles donc changé depuis dix ans?

Hélas, dans l'avion qui m'emportait vers Chicago, et qui
allait perdre à Montréal les quatre cinquièmes de ses passa-
gers — détail en soi plein d'enseignement, et que confirmera
le voyage de retour : bouderie des Américains à l'égard d'Air
France —, un quotidien américain publié à Paris m'apprenait
qu'un professeur d'Université venait d'être chassé de son poste
aux Etats-Unis pour avoir exprimé en politique et en morale
sexuelle des idées que nous dirions « de gauche » et qu'on
qualifierait là-bas de « liberal ». Ainsi, je me trompais : rien
n'avait changé depuis que mon chef de département, à Chicago,
un nazi, avait voulu me chasser en 1941 parce que depuis juin
1940 j'adhérais à la France libre. Comme j'avais la preuve de
ses agissements, je m'en tirai : il se borna, tel était son droit
strict, absolu, à me refuser toute promotion de rang ou de
salaire. Ainsi, ça continuait : aucune liberté de pensée. Pourtant il y avait eu la grande révolte de Berkeley, et ces Américains qui venaient à Paris travailler sous ma direction, et ces
autres Américains qui me priaient de persévérer dans ma résistance à leur *civilisation*. A la veille de mon départ encore, une
association américaine des Amis de la France m'écrivit, comme
à beaucoup d'autres Français, pour nous demander de combattre l'mpérialisme politique et culturel de Washington. Alors?

Alors... sitôt arrivé à Champaign-Urbana, je compris que

bien des choses avaient quand même changé au Middle West. Dans l'hôtel où m'invitait l'Université, *Illinois Union*, sorte de maison commune pour étudiants et professeurs, je me hâtai de lire — comme je fais toujours quand j'arrive dans une ville étrangère — les affiches et les avis placardés. Je tombais bien : en pleine semaine de lutte contre la conscription : STOP THE DRAFT WEEK. Un des documents affichés, avec le sceau des autorités, disait textuellement : WE ARE THROUGH PROTESTING THE WAR. WE ARE OUT TO STOP IT. « Nous en avons assez de protester contre la guerre. Nous mettons le paquet pour y mettre fin. » C'était signé *The Resistance*, La Résistance, un des mouvements qui dirigeaient cette semaine de lutte.

Deux ou trois jours plus tard, des sous-officiers recruteurs, aux uniformes chamarrés, à la poitrine écrasée sous de vrais régimes de bananes (toutes décorations gagnées au Guatemala ou au Viêt-nam), installèrent dans l'entrée une officine de retape afin de séduire les étudiants à s'engager comme officiers dans ce que nous appelons à l'américaine les *Marines*, c'est-à-dire en principe les fusiliers marins (au vrai, des commandos d'égorgeurs dont un film, passé à la télé française, nous a montré l'atroce dressage). Comme sorties du képi d'un de ces sous-officiers, une table, soudain, et des piles de brochures pacifistes, se dressaient bientôt sous la bannière étoilée des recruteurs : un piquet d'étudiantes et d'étudiants assurant la contre-propagande. Signe d'une tolérance et, pour ces tueurs patentés, d'une patience dont je ne suis pas sûr que les paras de Massu auraient fait preuve, dans des circonstances analogues, durant la guerre d'Algérie.

Toute la semaine donc, celle de mon arrivée, on se battit dans les universités contre la guerre, la « sale guerre » du Viêt-nam. A Nouillorque, Rochester, Cincinnati, Iowa City, on déchira, brûla, ou du moins rendit des fascicules de mobilisation. « DES MAISONS, OUI; DES HOMMES NON! » « DES VILLES PROPRES; PAS DE SALES GUERRES » lisait-on sur leurs banderoles. Les heurts furent parfois violents. A Nouillorque, le 8 décembre, on arrêta plus de cent trente étudiants : les photos divulguées par la presse montrent que la police n'y allait pas de main morte. A l'université de Yale, le même jour, cinq cents manifestants organisèrent une marche sur le bureau de recrutement. Bagarres avec la police : trente arrestations. A l'Université dont j'étais l'invité, les étudiants, devançant les consignes, avaient monté dès le 25 octobre un chahut contre la présence sur leur « campus » de représentants de la Dow Chemical C°, laquelle fabrique le napalm avec quoi on brûle très bien les femmes et les enfants viêtnamiens. Le 8 décembre, certains étudiants détruisirent ou rendirent leur fascicule de mobilisation. Sept de ceux qui s'étaient fait remarquer le 25 octobre furent chassés de l'Université; telle fut alors la réprobation que le conseil de l'Université, devant lequel les coupables furent défendus par le professeur Herbert Semmel, de la faculté de Droit, obtinrent une commutation de peine : ils pourraient continuer leurs études, mais en sursis, et à condition de ne pas récidiver. On assortissait cette clémence d'une menace : quiconque se rendrait coupable du même crime serait à l'avenir « renvoyé sur-le-champ ».

Comparant à l'apathie de mes collègues et à celle des étudiants de Chicago à la veille de Munich, ou durant la guerre de 1939, apathie dont on ne se réveilla que lorsque les Japonais commirent la faute (heureuse pour nous) de détruire la flotte américaine à Pearl Harbor, cette conscience politique, ces manifestations, ces risques délibérément courus, je devais m'avouer et le faisais avec plaisir, que les *eggheads*, les « chers professeurs », étaient devenus des têtes de cochons, des têtes tout simplement (ce qui est un peu ou beaucoup la même chose). Nos collègues américains ne sont nullement indignes de notre Capitant, lequel démissionna de sa chaire pour n'être pas complice des horreurs que nous commettions, ou de ceux qui depuis 1946 ont pris parti contre nos crimes en Indochine, en Algérie.

Hélas, l'ensemble du pays ne suit pas. Dans tout l'Etat d'Illinois, celui pourtant de Chicago, où vivent un million de nègres, on ne signalait que 24 fascicules de mobilisation brûlés ou rendus aux bureaux de recrutement. A lire le *Chicago Tribune* — aussi bête, aussi fasciste que voilà trente ans, du temps de l'incomparable imbécile de colonel MacCormick — ou le *Chicago Daily News* ou même le *Chicago Sun Times*, plus libéral, mais combien dégénéré par rapport au journal auquel j'avais collaboré durant la guerre, de 1940 à 1942, je découvrais que le citoyen du Middle West, s'il ne lit pas le *New York Times*, ne sait *rien*, ni de l'Europe, ni de la Chine, ni du Viêt-nam. Rien. Moins que rien : quelques mensonges, calomnies outrancières, ou ragots dérisoires.

Les universitaires n'ont que plus de mérite à maintenir le jugement droit. Je conviens que le début d'un éditorial reconnaissait que « retrouver Washington après deux mois d'Asie, c'est à peu près comme visiter une république de l'Amérique centrale il y a une trentaine d'années : la capitale est la proie de sordides complots, contre-complots, sous-complots et conspiration à la noix », mais la fin de l'article essayait d'effacer l'image du début : « La nation va beaucoup mieux qu'il ne semble. Prétendre que Washington se comporte en capitale d'une république d'Amérique centrale, c'est ne voir qu'une grossière et déplaisante caricature de la plus puissante et de la plus merveilleuse démocratie de la terre. »

C'est donc sur ce fond de pharisaïsme, traditionnel aux Etats-Unis, qu'il faut considérer cette révolte des milieux universitaires. Pour dompter les rebelles, le général Hershey, qui depuis mon temps, 1941, reste le grand patron de la mobilisation américaine, avait pris en août 1967 une mesure qui privait du sursis certaines catégories d'étudiants; après quoi, à deux reprises, il donna aux bureaux de recrutement l'ordre de mobiliser d'office et immédiatement tous ceux qui manifesteraient contre la guerre. Ce qui lui valut, dans un journal pourtant modéré, un éditorial intitulé METTEZ HERSHEY A LA RETRAITE, car il viole la légalité en se substituant aux tribunaux, lesquels seuls ont le droit de juger un citoyen. *La Résistance* n'est donc pas vaine; fût-ce dans un pays acquis aux délices de la consommation obligatoire, la résistance n'est jamais vaine.

Les excès mêmes de certains étudiants qui, beaucoup plus intensément que voilà trente ans, fument la marihuana (le « pot » en argot) ou qui pour faire le voyage, le « trip » comme ils disent, FLY L.S.D. (dérisoire parodie de FLY T.W.A.), c'est-à-dire s'exposent à la drogue, les excentricités sexuelles d'Allen Ginsberg, ou philosophiques de nombreux fanas du *yoga* et fadas d'un *zen* apprivoisé aux mœurs yanquies, autant de réactions excessives mais compréhensibles contre les valeurs d'un monde qui s'ennuie à mourir (ou à tuer les Viêtnamiens). Quand je pense qu'il y a encore des Français qui se croient de gauche et pour déplorer qu'en nous déliant de l'obligation automatique de servir les grands desseins impériaux du Pentagone, de Gaulle nous prive d'envoyer au Viêt-nam des bataillons de « volontaires » afin de sauver la liberté des nègres qui croupissent dans les ghettos de Chicago, ou que lynchent les brutes de Ku-Klux-Klan!

Aux *beatniks*, aux *hippies*, certes, je préfère les universitaires qui, plutôt que de se contenter du MAKE LOVE DON'T MAKE WAR (Faites l'amour; ne faites pas la guerre, où il faut la mythomanie spiritualiste de M. Arnold Toynbee pour déceler un renouveau du christianisme), organisent un mouvement, analysent la guerre, et la combattent par des raisons; mais dans les maniaques de la drogue eux-mêmes, dans ces *hippies* que les bourgeois de Chicago vont regarder ainsi que je faisais jadis les pandas géants du jardin d'acclimatation, comment refuser de voir une preuve de plus de la révolte contre ce que j'ai toujours affirmé qui est le malheur de cette civilisation : une profonde misère affective et sexuelle? S'ils refusent de « casser du Viêt », ou de se ruiner pour des « gadgets », ce qui est bien, ces révoltés d'inspiration taoïste ont tort de se détruire eux-mêmes, ou du moins de se ruiner la santé en s'adonnant à toutes les folies du siècle; mieux vaut pourtant se suicider au L.S.D. que de tuer des femmes et des enfants viêtnamiens.

Ce que Henry Miller appela si justement le cauchemar climatisé (*airconditioned nightmare*), ce que *Le Monde* appelait en janvier *Le Cauchemar américain*, j'ai pu constater que, dans leur ensemble, ces intellectuels désormais le refusent, et cela, c'est une grande nouvelle, une bonne nouvelle : l'Evangile, en vérité je vous le dis; l'Evangile du seul avenir pour l'homme possible. Car un pays ne peut survivre quand il prétend se fonder sur ces deux postulats : primo : il existe une hiérarchie métaphysique des races humaines, le dernier des gentils étant infiniment plus digne (métaphysiquement) que le premier des juifs, et le dernier des juifs infiniment plus digne (métaphysiquement) que le plus beau, le plus savant, le plus moral des noirs ou des métis (1/256 de *sang* [?] noir et vous êtes là-bas un nègre à jamais); secundo : à l'intérieur de chaque caste raciale, la seule hiérarchie des mérites sera celle de la réussite temporelle calculée en dollars, exclusivement.

Après un siècle qui vit le massacre des Indiens, si courageusement dénoncé par Helen Hunt Jackson dans *A Century of dishonor,* après un siècle de lynchages, celui qui succéda aux massacres de la guerre de Sécession, ce que Fern Marja Eckman appelait en 1966 *The Furious Passage of James Baldwin,* annonce en effet une guerre civile auprès de quoi celle de Sécession ressemblera à notre guerre des boutons selon Louis Pergaud.

Encore qu'on puisse y voir une ruse de tactique électorale en cette année où les Etats-Unis ne pensent qu'à se donner un nouveau président, c'est un fait que Richard M. Nixon, ancien, et qui sait? futur candidat à la Maison Blanche, vient d'affirmer, en plein milieu de la semaine contre la guerre au Viêt-nam, que la « guerre des races » (*the race war*) représente pour les Etats-Unis un péril plus grave, de beaucoup, que celle du Viêt-nam. A son avis, « la survie des Etats-Unis », en tant que nation, il a bien dit *la survie,* dépendra dans l'avenir prochain de cette « guerre civile » entre les nègres et les blancs. En ajoutant, hélas, que les nègres ne se révoltent que par la faute des « promesses extravagantes » qu'on leur aurait faites, en précisant qu'il y a « pis encore que de promettre : c'est de *promettre cela précisément qu'on ne peut pas tenir* », il ôtait aux nègres tout espoir de voir s'améliorer leur statut de parias,

et les acculait à cette lutte sans merci, à cette violence
qu'annonçait James Baldwin, que préparent les adeptes du
« Pouvoir aux nègres » (non sans compter sur la valeur excep-
tionnelle des guérilleros que forme aujourd'hui parmi les
nègres qui s'y battent aux premières lignes, beaucoup plus
nombreux relativement que les blancs, la « sale guerre » du
Viêt-nam). Si vraiment le droit de manger, de se loger, de
travailler, d'aller à l'école, de n'être pas impunément lynché,
ces promesses en effet qu'on fit de temps à autre aux nègres,
sont tenues pour « extravagantes », alors en effet c'en est fait
des Etats-Unis. Avant la fin du siècle, ils seront ravagés par
cette guerre de races. Leurs bombes atomiques ne les sauveront
point car ils ne pourront pas les employer contre leurs propres
villes.

Cela, les universitaires les plus intelligents le pressentent et
le redoutent. Alors que John F. Kennedy les écoutait un peu,
L. B. J., comme on dit là-bas, les méprise, et par principe prend
le contrepied de ce qu'ils pensent. Mon plus cher ami américain me fit lire à Chicago le dernier livre d'un des meilleurs
écrivains actuels, encore très peu connu en France, et que
j'admire depuis trente ans : Edmund Wilson. Aussitôt après
l'assassinat de Kennedy, victime, on commence à le murmurer
un peu partout là-bas, d'un complot auquel les réactionnaires,
les racistes et la police du Texas ne sont peut-être pas tout à fait
étrangers, on entendit ce cri du cœur, du bon cœur : « Qui que
ce soit qu'ait fait le coup, je suis content qu'il ait eu la peau de
ce type qu'aimait les nègres. » Seulement, les nègres sont déjà
vingt-quatre millions; ils peuvent paralyser les Etats-Unis; pour
s'en convaincre, il suffit de remarquer l'évidence, et quelle pression exerce sur la puissance américaine la résistance de dix-
huit millions de Viêt-namiens que des milliers de kilomètres
séparent pourtant de San Francisco, et plusieurs autres milliers
de Washington; dès lors, on entrevoit ce que deviendraient les
Etats-Unis le jour où, certains de ne pouvoir vivre en hommes,
vingt-quatre millions de maudits, de pauvres, s'armeront et
livreront aux riches et aux blancs une guerre sans merci.

Or, en lisant chaque jour la presse à Urbana, je formais des réflexions que devrait être capable d'élaborer tout seul le premier citoyen américain venu, et même le dernier. Le 17 décembre, par exemple, quand les journaux m'apprirent que John Patler avait écopé vingt ans pour avoir tué, par rivalité ambitieuse ou divergence tactique, peu importe, le chef du parti nazi des Etats-Unis, George Lincoln Rockwell, que croyez-vous qu'il ait pensé, le dernier, le plus misérable des nègres? Ceci, assurément : « Tue un nazi, c'est-à-dire un type qui ne pense qu'à châtrer le sale nègre, à le brûler dans un four crématoire, t'es bon pour vingt ans de taule; parce qu'un nazi, on aura beau dire et redire, c'est un blanc, et ça peut toujours servir, ne serait-ce qu'à tuer du nègre. Tue un sale nègre, si t'es blanc, et t'auras les félicitations du jury. » Quand les nègres de Chicago (ils sont un million dont certains, je l'ai vu, roulent en Cadillac ou l'équivalent, mais dont l'immense majorité croupit au ghetto), quand les nègres de Chicago, donc, lurent en même temps que moi un bien bel et bien long article illustré sur le budget que la société américaine, la société soi-disant d'abondance, consacre à l'entretien des animaux favoris des belles madames, que croyez-vous qu'ils ont pensé? Mais j'oublie que cet article, vous ne le connaissez pas. Eh bien, voici : et cela c'était le 7 décembre dans le *Chicago Daily News,* au début de la semaine contre la guerre au Viêt-nam. Je m'y suis fortement instruit. Jusque-là, j'ignorais en effet qu'aux Etats-Unis on dépense bon an mal an quatre milliards de francs lourds en aliments pour chats, chiens, oiseaux et poissons rouges; qu'un chien-chien à sa mémère peut espérer manger à son « lunch » : riz, filet de bœuf, carottes crues, petits pois, avec un rien de cognac pour faire passer la pâtée; qu'on peut choisir dix nuances de vernis à griffes; qu'on coupe des manteaux de vison pour danois; qu'on peut se procurer des colliers d'or massif, des diamants, des faux cils en vrais cheveux d'homme ou de femme pour les femelles desdits danois; qu'il y a un tarif pour les permanentes destinées aux lévriers afghans, des parfums pour bergers allemands, des gardes-chiens, des gardes-chats, des gardes-oiseaux et, mais oui, des gardes-poissons rouges (qu'on paie en moyenne 1 dollar 25 l'heure, six de nos francs) ; que les vétérinaires d'outre-Atlantique encaissent chaque année 750 millions de francs lourds et que l'ardoise des médicaments est en juste proportion; que, s'il leur arrive malgré tout de mourir, à ces animaux de riches et de gosses de riches, ils ont droit à des cercueils ou des urnes de bronze qui vont chercher dans les 3 500 F pièce; que Toodles et Sally, bergers allemands, disposent d'un mausolée de granit dans lequel ils reposent, et qui ne coûta que 60 000 francs lourds.

Les doigts dans le nez, assis sur son tas d'ordures des ghettos qui entourent l'université de Chicago et l'investissent, que vous imaginez-vous qu'il pense, l'adolescent à peau noire qui sera demain un écrivain comme James Baldwin? « C'est pas une vie de chien qu'on mène, nous aut' sales nègues; c'est une vraie vie de sous-chien; le maître d'école il a dit que cette année y a deux cent millions de citoyens aux Etats-Unis, mais papa y compte que là-dessus il faut enlever nous autres, 24 millions de nègues, pas' qu'on n'est pas des citoyens, mais des sous-chiens. » Comme il n'était pas bête, ce sale nègue, il calculait que si l'on dépense dans la plus belle démocratie du monde quatre milliards de dollars par an (vingt milliards de nos francs) pour nourrir, vêtir, parfumer, soigner les chiens et les poissons rouges des madames de la *Gold Coast* (leur XVIᵉ), ça veut dire que, réparti entre les 24 millions de nègues, ça ferait cent-soixante-six dollars par tête de nègue. « Papa y dit toujours que dans le Sud, là-bas, il se crevait toute la journée en plein soleil pour 3 dollars. Cent-soixante-six dollars, divisé par 3, ça fait 55 jours de la paie d'un nègue là-bas dans le Sud. » Et alors, que croyez-vous qu'il va conclure?

Je me suis toujours efforcé de bien nourrir mes amis chats; je me réjouis de penser qu'il y a encore des gens chez nous — comme Simone Jacquemard dans sa grande maison de la Devinière — pour aider à survivre en liberté des renards et des écureuils, des blaireaux et des lapins de garenne; des gens qui dépensent pour ça un peu ou beaucoup de leur argent,

mais quand je vois les quartiers noirs, que je lis les livres
sérieux sur la condition des nègres américains, et que
j'apprends qu'aux Etats-Unis il arrive couramment qu'on lègue
à son chat, à son chien, un capital de cent mille francs, et
parfois de deux millions et demi de francs lourds, et cela
quand, à la porte de ce chien qui peut manger chaque jour
la sole que sur un plat d'argent lui présente un valet de pied
bien stylé, et grassement payé lui-même, des gosses de nègres
fouillent les poubelles pour y chercher des épluchures à gri-
gnoter, je me dis que Nixon a sans doute raison, mais autrement qu'il ne croit, et que, si on ne tient pas aux nègres, et
d'urgence, toutes les promesses qu'on leur fit, plus deux ou
trois autres qu'il faudra bien ajouter un jour, encore plus
« extravagantes », alors oui, ce sera la guerre civile, une guerre
dont nous avons pu entrevoir l'été dernier non pas certes les
premiers, mais de nouveaux signes précurseurs : prodromes qui
devraient faire un peu réfléchir. Mais qui pense à la Maison
Blanche? Johnson est à jamais incapable de cet effort.

« Ce qu'il y a tout de même de bien aux Etats-Unis, me disait
un collègue pince-sans-rire, c'est que, malgré la guerre et les
nègres, nul ne vous force à fréquenter l'église, mais que, d'autre
part, si vous avez envie d'un rendez-vous avec Dieu, vous avez
le choix, un choix à la carte, et tel que vous autres Français
avez peine à l'imaginer. Eh bien, ça pour moi c'est vraiment
la démocratie; c'est l'essentiel de la liberté.» De fait : plus nombreuses dans un pays les églises, plus grande évidemment la
liberté pour les citoyens de penser. Pensons aux régimes totalitaires, qu'ils soient plutôt nazis ou plutôt staliniens; quiconque pense y est hérétique et nul ne peut penser que ce que
pense un tyran dont le propre est justement de ne pas savoir,
ni vouloir penser. Bossuet se moquait des sectes, entre lesquelles de son temps se divisaient les protestants, qu'il appelle
d'un triste jeu de mots ces *insectes*. En lisant à Chicago les
journaux du dimanche, je pensais à lui et je me disais en effet
que la liberté des cultes crève les yeux de l'indifférent. Ceux
qui appartiennent à une secte, en revanche, sont-ils libres de

choisir? A l'université de Chicago, lorsque la présidait Robert
Maynard Hutchins, on disait de cet homme que j'ai toujours
estimé (et pour quelques traits de son action, admiré) qu'il
dirigeait une « université baptiste où des professeurs athées
enseignaient le catholicisme à des juifs ». Il y avait un peu ça,
disons. Moi, j'étais plutôt quelque chose comme un catholique
(de naissance) qui enseignait l'athéisme à des négresses blanches (à des femmes que, du moins, je croyais blanches, jusqu'au jour où un étudiant me détrompait : « Elle, mais c'est
une négresse! »). En ce temps-là, un athée déclaré, aux Etats-
Unis, scandalisait. La fille d'un savant physicien français qui
se trouvait à Chicago durant la guerre s'inscrivit à certain col-
lège. Quand il lui fallut déclarer sa religion, et qu'elle eut
inscrit *néant,* quel événement! Le pasteur voulut voir l'oiseau
rare : « Ainsi donc, vous êtes athée. Comme c'est intéressant.
Alors, vraiment, vous ne croyez pas en Dieu? Figurez-vous
que vous êtes ma *première* athée! Comment peut-on être
athée? » L'étudiante répondit, je suppose assez bien, car elle
vécut en excellents termes avec celui qui venait de découvrir
l'athéisme incarné.

A Nouillorque, à l'Office of War Information, quelle stupeur
nous suscitâmes, André Breton et moi, lorsque nous refusâmes
de prêter un serment de discrétion qui s'achevait sur ces mots :
So help me God! Sans nous être concertés, nous déclarâmes
que cette formule n'ayant pour nous aucun sens, elle ne nous
engageait nullement au secret; que notre parole d'honneur, en
revanche, nou lierait. Après maintes tergiversations, on accepta
nos arguments, mais l'affaire fut chaude.

On n'en est plus là tout à fait, on n'est pas tenu d'assister
aux offices, et plus d'un universitaire professe l'athéisme; je ne
dis pas qu'il l'enseigne; dans certaines institutions, nul n'a le
droit d'enseigner le transformisme [1]. Le diable sait pourtant
qu'il a le choix. Le dimanche de mon départ, j'eus envie d'aller

---

1. En novembre 1968 certains Etats acceptent qu'on parle de cette
hypothèse dans leurs universités.

voir un peu comment ça se passait dans les églises. Après vingt-cinq ans, cela aussi avait sans doute évolué. Seigneur! Une pleine page de publicité! plus variée, beaucoup plus, que le menu de chez Lasserre; plus bariolée que plumage de perroquet; plus exotique que les restaurants de *sukiyaki* ou de *chop-suey* qui vous raccrochent eux aussi. Où aller? Dieu m'invitait, mais sous tant d'avatars, sous tant d'hypostases! A en perdre mes répons d'enfant de chœur! A l'assemblée de Dieu? ou plutôt à l'Assemblée de Dieu, variété *indépendante* (j'ai un faible pour l'indépendance); oui mais à l'intérieur de ces diverses sectes, je pouvais opter entre le Tabernacle du Calvaire, le Temple Beulah et quelques autres. Au fait, je ne connais rien, mais rien, à cette *Maison Baha'i du culte*. Si j'essayais? On m'y propose du Dr Zahri Schoeny sur « Les normes humaines d'aujourd'hui ». J'aimerais lui poser quelques questions, à l'orateur, sur les normes du « troisième degré » au Viêt-nam (nom discret de la torture) et sur celles du lynchage. J'oublie que je suis invité en ce pays. La politesse m'impose de me taire. Tiens, en souvenir du temps où j'enseignais dans une université baptiste, si je tâtais de cette version de la vérité : bigre, hélas, il faudrait d'abord revoir ce qui des simples baptistes sépare les baptistes conservateurs, et ceux-ci de leurs frères nuance G.A.R.B.C., et ceux-ci de la Conférence générale des Baptistes. Subtil, décidément. D'autant plus qu'il y a aussi les baptistes de couleur nationale et d'autres de couleur sudiste! Nom de Dieu! voilà ce qu'il me faut : *Sourds, durs d'oreille. L'Eglise de la Bible du Midwest 3441 North Cicero est spécialement aménagée à votre usage.* J'y entendrai quand même la parole de Dieu. Je coche l'adresse; au moment de commander un taxi, je me dis que je ne suis pas honnête, que ma surdité me fausse peut-être le jugement, que je n'ai pas lu toute la carte. Puisque les bouddhistes m'offrent à la fois du bouddhisme courant et du *zen*, puisque j'ai tempêté en France contre cette manie d'un *zen* abâtardi qui nous arrive des Etats-Unis avec le racisme et le franglais, et puisque le bouddhisme est une des religions athées, si j'allais voir ça? Après les

temples *zen* de Kyoto, ça vaudrait le déplacement. Oui mais je
suis né catholique et voici que des catholiques romains me suggèrent qui l'église Saint-Pierre, qui l'église Saint-Clément, qui
la cathédrale du Saint-Nom, qui la vieille église de Sainte-
Marie. Comment choisir? Ne me sentirais-je pas mieux chez
moi dans l'église catholique libérale de Saint-François : église
catholique libérale! Avez-vous jamais vu ça en Italie, en
Irlande, en Espagne, et même en France? Eglise catholique
libérale... je rêvai longuement là-dessus. Je sortis de mon émerveillement, mon regard s'égara sur quatre églises des Disciples
du Christ. Or en 1937, j'avais logé à Chicago précisément chez
les étudiants en théologie de la secte des Disciples du Christ,
et j'avais été surpris, en cette maison vouée à la foi, du peu de
privauté dont nous disposions, dès qu'il s'agissait de se laver
ou d'aller aux toilettes : sous la porte battante suspendue entre
deux vides, je voyais des mollets velus, le pantalon rayé d'un
pyjama. Quels étranges cantiques chantaient les borborygmes!
Quelle ineffable odeur de sainteté... non! j'avais trop souffert
de cette promiscuité pour me risquer chez les Disciples du
Christ. Ces souvenirs me gâcheraient l'office. Et si j'avais
reconnu dans le pasteur un de mes camarades de toilettes,
comment aurais-je pu respecter en lui un Disciple du Christ?
Alors, les Chrétiens réformés? L'Alliance missionnaire? La
Science chrétienne qui m'alléchait avec un programme *up to
date*, comme nous disons en franglais : « L'univers, homme
compris, évolue-t-il, en vertu de la force atomique? » Moi qui,
non loin de là, dans Chicago, venais de voir le monument élevé
à l'énergie atomique par Henry Moore : un champignon véné-
neux d'acier où l'imagination modèle invinciblement un crâne
aux orbites creuses; oui, les habitants d'Hiroshima et les pê-
cheurs japonais irradiés témoignent aujourd'hui encore que
l'énergie atomique nous fait évoluer, et même fatalement. Au
fond, j'en sais là-dessus bien assez! Inutile de perdre mon temps
chez les adeptes de la Science chrétienne. Mais où, alors, où
donc aller? Dans l'une des Eglises du Christ? Ah! non, il faut
téléphoner pour leur demander les horaires du culte. Ils pour-

raient quand même prendre la peine de les fournir. A l'église
de Dieu en Christ? A quoi bon se déranger; le service est radio-
diffusé sur W.V.O.N. Avec cette *liturgie du souper du Seigneur,*
la cathédrale épiscopalienne séduirait en moi le gourmand,
moins toutefois que l'Eglise de l'Humanisme éthique où l'on
parle aujourd'hui des rapports entre les citoyens, les tribunaux
et les criminels; de plus la crèche y est ouverte. Quel dommage
que je n'aie pas d'enfants à y conduire! Laissons tomber l'Humanisme éthique. C'est pourtant ce qui m'aurait le mieux
convenu. Mieux en tout cas que l'Eglise évangélique libre, ou
la Synagogue traditionnelle, la Synagogue réformée. Pourtant
au numéro 16 de South Clark, à cette synagogue du Loop (à ne
pas louper aurait dit Gaudissart), je sais pour en avoir vu
des photos que les architectes Loebl, Schlossman et Bennet ont
bâti en 1963 sur un espace infime — ça coûte cher le mètre
carré — une synagogue à laquelle, par des artifices ingénieux
de métier, ils ont su donner l'apparence du spacieux. Ça vaudrait la peine, mais je n'aime pas les gens qui s'accrochent à
la tradition : *oportet et haereses esse.* Il faut aussi des hérétiques, dit l'Eglise, ne serait-ce que pour avoir quelque chose
à brûler, quand on veut se réchauffer le cœur. Voyons donc
ce que m'offrent les Luthériens : L.C.A.? ou Synode du
Missouri? Je ne suis pas assez malin, moi, pour me hasarder
là : *I'm not from Missouri* [1]. Méthodistes? Nazaréens? Entre les
deux, mon esprit balance; mais que je suis bête, voilà mon
affaire : l'Eglise « *non-denominational* »; c'est elle parbleu
qu'il me faut! Une église qui ne se réclame d'aucune secte.
L'œcuménisme! Un seul embêtement : comment deviner
laquelle de ces cinq églises est le plus sincèrement, le plus
véridiquement étrangère à tout sectarisme : le Temple de la
Foi? l'Eglise de Dieu? le Pilier de Feu? le Monument de la
Foi? ou le Mouvement du sud-ouest de l'Eglise de Dieu? Pour
sortir de l'anxiété, si je me rabattais sur l'orthodoxie? *It's*

---

1. En américain, *I'm from Missouri* signifie : « Je suis un futé, moi, un
malin; on ne me la fait pas. »

safer, c'est plus sûr, comme les lampes Philips. Diable, c'est
plus compliqué, moins *sûr,* que je ne pensais! De l'Orthodoxie
grecque avec ses quatre églises, de l'Orthodoxie serbe ou de
l'Orthodoxie africaine (qui dépend du patriarchat d'Antioche),
laquelle est la plus orthodoxe? Et puis zut aux sectaires, et
aux non-sectaires. Restent la *Science religieuse* (association de
mots à peu près aussi piquante que Science chrétienne), les
Adventistes du Septième jour, les Spiritualistes apostoliques,
évangéliques, indépendants, les partisans de la Science psy-
chique libérale, les Swedenborgiens, les Unitariens (très sympa-
thiques ceux-ci puisqu'un athée comme Giuseppe Antonio
Borgese, le grand critique italien que je voyais souvent à
Chicago voilà trente ans, y avait pu inscrire ses enfants, pour
leur donner un statut, car en ce temps-là, comme je l'ai dit,
l'athée surprenait encore). En souvenir de Borgese et de sa
jeune femme Elisabeth, fille de Thomas Mann, si j'allais faire
un tour chez les Unitariens? Ils étaient généreux. Donnaient
de l'argent aux victimes du fascisme. Oui, mais comment
choisir entre les onze maisons de la secte? Au moins, le temple
de Vivekananda, où l'on me propose un prêche sur *La sagesse
des oupanichads,* est-il seul à représenter l'hindouisme? Espérons que ce sera moins immoral en tout cas que le commentaire
des oupanichads que j'entendis à Calcutta : vêtu de soie précieuse, un *swami* enseignait la pauvreté à des bourgeois ventrus
non loin de taudis et de trottoirs où l'on ramassait chaque matin
les cadavres de ceux qui crèvent de faim et qui n'avaient pas
besoin, ceux-là, qu'on leur enseignât les mérites d'une pauvreté
que, sans l'avoir apprise, ils savaient par cœur et par corps.

Ah! mais j'y suis, j'y suis enfin! L'Eglise biblique du Bon
Berger; c'est cela, c'est elle que j'attendais! 745 North Paulina
street. N'oubliez pas l'adresse, je vous en conjure : le Révérend
Alexander J. Siczko (Seeley 3-1670, numéro de téléphone à
noter en lettres d'or) présente un *Gospelrama* et garantit que
des miracles se produisent dans son église, ou même s'y produisent, et y sont fabriqués *(are wrought)* ; tous les sièges y
sont gratuits quand même. J'y entendrai de plus une musique

exaltante, j'y verrai une cavalcade historique à sujet biblique.
Pas de veine! le service religieux ne commence qu'à 7 heures
du soir et mon avion m'impose de m'enregistrer dès 15 heures
à l'aérodrome de O'Hara. Moi qui me proposais de prier là
pour le président L. B. J.! Le Bon Berger, j'en suis sûr, aurait
concocté sur commande, sur ma commande, un miracle pour
éclairer la jugeote du mauvais berger qui mène, par les chemins
battus de la guerre civile et de la guerre tout court, son pays
à la ruine. Et les nôtres du même heureux coup.

Dans l'avion de vol AF 031, dont le décollage m'empêcha de
prier pour L. B. J. (encore un méchant tour du général
de Gaulle, qui fit calculer à dessein cet horaire), si je dresse
un bilan de mon séjour, je conclus pourtant que, pour la
première fois peut-être depuis vingt-cinq ans, je pense que les
Etats-Unis méritent quand même d'être sauvés. Vive le Roi
quand même! quoi. En 1942, quand je quittai Chicago, un de
mes collègues, savant orientaliste et à l'Université mon meilleur
ami — mon seul ami dans cette faculté au sens français du
mot —, me confia : « Quoi qu'il en coûte à mon patriotisme
américain, je dois vous avouer que vous êtes la seule personne,
vous le Français, avec qui depuis que j'enseigne ici j'aie pu
avoir de vraies conversations et des rapports humains. » En ce
temps-là, les Etats-Unis me semblaient perdus sans recours.
Cette fois, après quinze jours dans le Middle West, à l'université d'Illinois, j'ai vu des collègues qui sont des individus, des
hommes qui pensent tout seuls, sans souci de plaire au chef de
département; et, parmi les étudiants, beaucoup d'esprits
inquiets, de gens qui doutent de leur pays, bref des gens qu'il
faut sauver du F.B.I., de la C.I.A., de la bombe H et autres
gadgets aussi mortels pour l'esprit. Oui, cette fois, j'ai rencontré des gens pour qui la beauté, la vérité comptent plus que
l'argent ou la promotion. Des *hommes* enfin, comme nous. Ils
sont peu nombreux encore : L. B. J. les méprise et demain les
traquera; mais ils existent, se font entendre, sauvent l'honneur
d'un pays embourbé dans un magma de sang, de sanie, de dollar
vaseux.

Quoi? Eprouverais-je la nostalgie de cette vie que peut là-bas mener l'érudit qui veut travailler? Non, ce n'est pas si simple. Je ne peux plus vivre qu'en deux ou trois pays. Tandis que l'avion m'emporte vers ma Sorbonne (l'une des hontes de la France : machine à décerveler étudiants et professeurs), je rêve au budget de l'Université où j'enseignai : cinq millions de volumes à la bibliothèque d'Urbana; un million et demi à celle de la Sorbonne qui a bien plus de cent ans! De plus, pour trente mille étudiants, *un milliard* de crédits de fonctionnement en 1966-1967. A la faculté des Sciences de la Sorbonne, qui compte elle aussi trente mille étudiants, le budget atteint tout juste 250 millions de nouveaux francs. L'université d'Illinois dépense donc quatre fois plus d'argent par étudiant que la Sorbonne par étudiant *de sciences*, lequel, à cause des labos, des machines, coûte infiniment plus cher qu'un étudiant de lettres ou de droit. La politique des Etats-Unis est ignoble et stupide, mais pour 30 000 étudiants, 250 millions de francs à Paris; à Champaign-Urbana : un milliard! Cela, c'est une autre histoire, dont je parlerai sûrement quelque jour.

Constellation, avril 1968.

A propos d'Edmund Wilson

Pour David Maxwell Weil.

C'est un trait de nos relations culturelles qu'on n'en saurait plus espérer ce que Leibniz appelait encore, à bon droit, la « communication des lumières ». Chaque voyage en pays étranger me le confirme. Je rentre de Chicago et d'Urbana : bien que la bibliothèque de l'Université où j'enseignais soit aux Etats-Unis l'une des plus riches, qu'elle contienne en effet des œuvres d'écrivains français que je cherchais en vain à l'université de Montpellier, la fiche de lecture me prouvait souvent que nul ne les lisait. Ceux-là seuls ont là-bas un public que signalent des prix littéraires, des scandales, quelque mode, à la rigueur une gloire embaumée; mais *Les Iles, Les Vanilliers, La Grande Beuverie* ou le *Mont Analogue, La Jeunesse d'un clerc, La Peau dure* ou *Le Mariage de Moscou,* bien qu'on les ait sous la main, on n'y touche pas.

Nous ne faisons pas mieux : à mon retour des Etats-Unis, en 1945, lorsqu'il m'arrivait de célébrer les premiers écrits de Mary MacCarthy, Saul Bellow, Paul Goodman, que j'avais découverts parmi d'autres dans *Partisan Review,* où je collaborais moi-même, ou cette Anna Arendt, que j'avais connue à Nouillorque, je passais pour un excentrique, soucieux à son ordinaire de faire de l'épate. Aujourd'hui qu'un livre médiocre,

Le Groupe, vaut à Mary MacCarthy d'être enfin connue chez nous, maintenant que Saul Bellow a droit à sa première monographie, celle de M. Dommergues, et qu'Anna Arendt scandalise l'Europe entière avec ses thèses sur Eichmann, je prends tardivement une vaine revanche. Le dernier navet, s'il figure sur une liste de « best sellers », sera quand même traduit demain et célébré, comme d'habitude.

Quand j'observe tel ou tel en France se piquer de nouveauté alors qu'il ne fait qu'imiter une théorie littéraire avec laquelle j'avais sympathisé d'emblée, vers 1938-1940, quand je la découvris chez ceux que John Crowe Ransome rassemblait autour de soi dans *The Kenyon Review*; quand je vois nos augures s'émerveiller de *Linguistics and Literary History* où, voilà vingt ans, le savant et sensible romaniste Leo Spitzer appliquait la vieille méthode française de l'explication de texte, telle que me l'avaient enseignée en khâgne, à Normale, mes meilleurs professeurs, je prends de la nouveauté une idée plutôt neuve! Gerald Antoine nous éclairait naguère les *Cinq grandes odes* d'une façon qui soutient fort bien la comparaison avec l'interprétation que Spitzer propose d'une de ces *Odes*, mais nous ne jurons plus que par Leo Spitzer!

Je ne fus pas beaucoup plus heureux en 1945, quand je parlai à quelques-uns d'Edmund Wilson, vers qui m'avait guidé le mythe de Rimbaud, à cause du chapitre *Axel and Rimbaud* dans *Axel's Castle*. Célèbre aux Etats-Unis dès qu'il parut en 1931, ce livre fut réédité en 1936, en 1950, et depuis lors plus d'une fois si je ne me trompe. Avec les critiques de *The Kenyon Review*, Edmund Wilson m'avait semblé un des esprits les plus justes, les plus ouverts de son pays. Or on ne le connaissait guère en France après la guerre.

Nous avons quelques excuses. Vers 1940, lorsque parut *This is my best*, anthologie de 1 180 pages comprenant quatre-vingt-treize des « plus grands auteurs » américains, ouvrage que *Partisan Review* me demanda de recenser, D. MacDonald me refusa mon papier : je déplorais en effet que, pour choisir les quatre-vingt-treize plus grands auteurs, on eût recours à l'élection (avaient pris part au scrutin les abonnés de l'*Atlantic Monthly*, de *Harper's Magazine*, du *New Yorker*, plus quelques critiques et bibliothécaires) ; je m'aventurais jusqu'à citer Baudelaire : « Un jour ils éliront Dieu au suffrage universel. » De plus, je m'avouais affligé de constater que Carl van Doren, Sinclair Lewis, Stephen Vincent Benêt, Christopher Morley fussent comptés parmi les dix plus grands écrivains des Etats-Unis alors que ni Henry Miller, ni Sydney Hook, ni Karl Jay Schapiro, ni Paul Goodman n'étaient mentionnés dans ce monstrueux « digest ». On me reprochait aussi de ne pas mettre Langston Hughes au premier rang des poètes. Ce fut la fin de mes relations avec *Partisan Review*, que je voyais virer vers un chauvinisme que la guerre n'excusait pas.

C'est dire si, lisant l'autre jour le livre de Fern Marja Eckman : *The Furious Passage of James Baldwin*, je fus ravigoté d'y découvrir qu'en 1959 James Baldwin écrivait dans le *New York Times :* « Chaque fois que je lis Langston Hughes, je suis stupéfait autant que la première fois par l'authenticité de ses dons et consterné du peu qu'il en tire. »

Donc Langston Hughes figurait dans *This is my best*, mais non point Edmund Wilson, ce qui me semble scandaleux. Nos critiques à la page ont vaticiné sur le génie de Fitzgerald, dont Budd Schulberg transpose dans *The Disenchanted* la vie ruinée par l'alcool; or, sinon Edmund Wilson, qui donc aux Etats-Unis imposa l'auteur de *Gatsby le Magnifique* et de quelques autres livres?

Quand nous nous pâmions sur Steinbeck, Dos Passos, que Sartre mettait plus haut que tout, qui donc, dans *The Shores of Light*, sous ce nihilisme, sous cette charge trop véhémente, sut discerner l'inaptitude de Dos Passos à comprendre que, même pauvre, l'homme peut éprouver du plaisir, de l'enthousiasme, et mener une vie probe, courageuse? Au moment où Jean Schlumberger s'inquiétait chez nous d'un courant misérabiliste analogue, il fallait plus de mérite encore aux Etats-Unis, quand on n'était pas un Babbitt, pour prendre le contrepied de la mode qui était aux écrivains *tough,* aux « durs »;

sous les *tough guys*. Edmund Wilson savait discerner des couilles molles, agitant des pantins drolatiques, étrangers à l'humain : ceux de *Tortilla Flat*. Comparez ces personnages à ceux de Chaminadour, à ceux d'Arland, vous comprendrez qu'Edmund Wilson fut singulièrement perspicace : il sentit que le misérabilisme s'accommode aisément de l'ordre le plus injuste. Si les hommes ne sont que larves et pantins, tout ce qu'ils méritent c'est le fouet, l'ordre moral. Voilà pourquoi Céline finit comme nous savons en éructations brenneuses et par demander qu'on châtre tous les nègres. Voilà pourquoi Dos Passos et Steinbeck finissent en célébrant la guerre du Viêtnam sur le même ton que Mgr Spellmann.

Goût de la culture, précision, force et beauté de la langue, complexité de la syntaxe, font à Edmund Wilson beaucoup de tort dans un pays où l'on n'écrit guère qu'en propositions indépendantes et où deux subordonnées conjonctives désorientent le lecteur moyen. Quoiqu'il ait eu la chance d'obtenir, sans l'avoir cherché, que la censure interdise ses *Memoirs of Hecate County*, il a fallu beaucoup de temps pour que les Français découvrent et traduisent ce recueil de nouvelles. Dès 1942, *Ellen Terhune* m'avait charmé dans *Partisan Review* de novembre-décembre. Pourtant, *The Princess with the golden hair* a de quoi retenir l'attention : « *She had got into the habit, in sleeping with Dan — as a gesture of affection and respect — of holding his penis in her hand. She said she couldn't go to sleep unless she did.* » Ainsi donc Edmund Wilson ose écrire que sa petite amie Anna, qui lui a flanqué une chaude-pisse, ne pouvait s'endormir qu'en tenant à pleine main, en signe d'affection et de respect (de respect, vous lisez bien !) le pénis de Dan, son insupportable et plutôt ignoble époux. Ces *Memoirs of Hecate County* composent un des beaux livres d'Edmund Wilson et des lettres américaines d'aujourd'hui. Vous chercheriez en vain cet auteur et ce titre dans l'initiation, pourtant ouverte à tant de courants divers, que nous propose M. Pierre Dommergues : *Ecrivains américains d'aujourd'hui*. Dans le *Dictionnaire* Mazenod des écrivains célèbres, *Memoirs of the Hecate County* est

classé parmi les *essais* d'Edmund Wilson! C'est dire où nous
en sommes à son égard!

Or, en décembre dernier, je séjournais à Chicago chez
mon vieil ami David Maxwell Weil, type rare là-bas d'homme
d'affaires lettré, musicien, jadis chroniqueur de politique
étrangère au *Chicago Journal of Commerce;* Français libres et
Polonais, Allemands, Italiens ou autres, tous ceux que leur
hostilité aux fascismes avaient condamnés à l'exil, se trouvaient chez eux chez lui.

Dans sa bibliothèque, en bonne place, l'œuvre d'Edmund
Wilson, y compris *Europe without Baedeker,* paru en 1966,
que je ne connaissais point. Je profitai de mon escale pour le
lire ce *Paris Revisited.* C'est en 1962-1963 qu'il revint dans
cette ville qu'il avait tant aimée, où sans doute il avait aimé!

Comme j'avais remarqué, durant mon séjour à Urbana,
que les universitaires libéraux et les plus attachés à notre
culture ne savaient plus sur quel pied danser avec, d'une part,
cette guerre du Viêt-nam qui les condamne à condamner leur
pays, de l'autre, cette crise du dollar dont ils inclinaient à
rendre coupable de Gaulle, ses réserves d'or et tous ces dollars
dont il pourrait demander la conversion en métal qu'il faudrait
prélever à Fort Knox, je me demandai ce que penserait de la
France, en son âge avancé, un homme qui se trompe modé-
rément sur l'essentiel.

Il n'a pu supporter *Le Soulier de satin.* Je le comprends :
moi qui aime tant plus d'une pièce de Claudel, je n'ai jamais
pu lire sans dégoût *Le Repos du septième jour,* j'ai sifflé le
pharisaïsme du *Christophe Colomb* et je me suis assommé
à ce mélange de grandiloquence et de vulgarités qui me gâche
les beautés du *Soulier de Satin.* Par délicatesse, passons vite
sur la page féroce qu'il alloue à Simone de Beauvoir, « assom-
mante comme femme, et fort peu séduisante comme écrivain »,

car elle « dit tout sur les femmes, sauf que les hommes les jugent désirables ».

On voit qu'Edmund Wilson ne réagit pas selon des passions déjà politiques ou religieuses : homme de droite et de foi, femme agnostique et de gauche lui déplaisent équitablement. Mais ce sont jugements de valeur. Venons-en aux jugements de réalité.

Edmund Wilson n'est pas le premier Américain, parmi ceux qui nous aiment, à dire son dépit devant une France qui emprunte aux mœurs yanquies cela seulement qu'elles comportent de pis. Le professeur Kolbert nous suppliait naguère de résister à l'américanisation de nos mœurs et de notre langage; récemment, c'était le tour du professeur Earle S. Randall, de Purdue University. Après avoir loué généreusement, trop peut-être, la richesse de notre vie intellectuelle, la prospérité de notre industrie, le bonheur de nos familles riches en machines à laver, il déplorait que notre langue fût *envahie* par un nombre croissant d'américanismes. Le jugement d'Edmund Wilson est beaucoup plus sévère : à son avis, nous n'avons pas la politique culturelle à laquelle nous devrions prétendre. Certes, dans la mise en scène de *Wozzeck* et de *Carmen* à l'Opéra, il voulut y voir un indice du renouveau de cette maison, mais le Louvre qui vire au jaune sous la lessive le déçoit. Quant à l'Olympia! Tout ce qu'on propose c'est « *a jazz orchestra, a spasm of the Twist* » et un certain « Billy Holladay » (*sic*) qui, quand on grattait un peu, se découvrait tout bêtement citoyen français : « *It was fashionable to be American* » en 1962-1963, quand j'écrivais *Parlez-vous franglais?* Tiens! tiens! Edmund Wilson a lu ce livre et ne se croit pas tenu de m'insulter comme fit la presse yanquie, à l'exception du *New Yorker*. Non, ce n'est pas lui qui penserait que le combat d'Audiberti contre le *Nouillorque alahouette tribioune* est condamné à l'échec parce que Shakespeare est le plus grand écrivain de tous les temps, de toutes les nations. Qu'il s'agisse de nos *snack-bars* ou de nos *stripteases*, Edmund Wilson déplore que nous les ayons empruntés à son pays sans même leur avoir donné les apparences d'un nom français. Il me loue, ma parole, de proposer que *vivoir* chez nous remplace le *livinnegue,* ou *livainge,* ou *livine* de nos margoulins; ce n'est pas lui qui me reprocherait de proposer un mot qui ressemble à vivier (il sait le français assez bien Edmund Wilson, pour savoir que notre fumoir, plutôt que le *fumier,* pue le *tabac.* Alors que, sous prétexte qu'il y a des *viviers,* il s'est trouvé deux personnes au moins en France pour m'interdire *vivoir*).

C'est pourtant ce qu'il écrit de la Bibliothèque nationale qui me paraît le plus digne de notre audience. Retrouvant « ce qui passe pour la plus grande bibliothèque de France, on découvre, dit-il, qu'elle est tout aussi démodée, et tout aussi peu satisfaisante que c'était le cas il y a quarante ans ». Ce que disant, Edmund Wilson confirme le sentiment de tous mes collègues américains sans exception. En dépit de ce que fit pour elle Julien Cain, en dépit de la compétence des bibliothécaires, c'est un fait que nos gouvernements n'ont aucune politique du livre, des bibliothèques, et que la Bibliothèque nationale, malgré son fonds ancien, est désormais indigne d'un pays qui prétend n'être pas arriéré; comme celle de la Sorbonne, comme celles des bibliothèques que je connais en province, la Nationale est la bibliothèque d'un pays en voie de sous-développement. C'est un fait. Sans exception tous les universitaires américains qui m'ont parlé de la Nationale (je parle des spécialistes de littérature française) m'ont déclaré qu'ils n'ont aucune raison désormais de venir travailler chez nous, mais qu'il ne faut pas le dire, de peur de leur rendre malaisés les congés de travail ou les années sabbatiques en France. Ne pas le dire ? Manquerait plus que ça! Il y a longtemps que je veux le crier, le hurler. Quand on pense que si on ne travaille ni à la réserve, ni à l'enfer — ce Paradis —, on ne peut entrer l'après-midi à la Nationale sans faire la queue; quand on pense qu'on ne peut emprunter chaque jour que quelques livres, ce qui interdit tout dépouillement de revues; quand on pense que, si l'on doit établir un texte, on ne dispose d'aucun cabinet où s'installer avec une secrétaire ou un collaborateur pour colliger à haute voix les textes et, le cas échéant, les dactylographier; quand on pense que ceux mêmes (dont je fus) qui eurent quelque temps le privilège de travailler dans l'hémicycle devinrent si nombreux que ce n'était plus un privilège : une gêne plutôt; et que, du reste, on m'a retiré ce privilège, ce qui fait que, faute de temps à perdre, je ne mets plus les pieds dans cette maison.

Oui, Edmund Wilson a raison : malgré Julien Cain et ses collaborateurs, malgré la qualité de ses bibliothécaires, la Nationale de 1962 était périmée; si je la compare aux meilleures bibliothèques où j'ai travaillé, un vieux boumerangue à l'ère des fusées à tête thermonucléaire. Tout cela faute d'argent. Puisqu'on a trouvé des milliards pour le bâtiment de l'O.R.T.F., il nous faut les inventer d'urgence pour nous donner une bibliothèque digne de ce nom. J'ai beau n'être ni communiste, ni catholique, ni très adonné à célébrer le capitalisme américain, les seules bibliothèques où j'ai pu travailler vite et bien, ce sont dans la Bibliothèque Lénine, la salle réservée aux membres de l'Académie des sciences et à leurs invités, la bibliothèque des jésuites à Chantilly, l'Université de Chicago. A peine y étais-je nommé, j'obtins une clef qui me donnait accès, sans surveillance, jour et nuit, dimanche et fêtes, à tous les rayonnages. Ce dont je ne me privai guère entre 1937 et 1943; en une journée, je pouvais dépouiller sur place, à l'un des nombreux bureaux disposés un peu partout à cet effet, des dizaines de livres ou de revues!

Quand je pense qu'à la Sorbonne l'Institut de littérature générale et comparée ne possède aucune collection complète d'aucune des principales revues de notre discipline, qu'il ne compte aucun numéro de la plupart d'entre elles, et que le C.N.R.S. nous a coupé récemment les seuls crédits qui nous permettaient la pauvre bibliographie dont nous étions encore pourvus; quand je pense aux collections de revues qui ornent la salle des usuels à l'Université d'Illinois, quand je pense que l'université d'Illinois vient d'accorder un crédit de dix-sept mille dollars par an (quatre-vingt-cinq mille francs) en cinq minutes aux comparatistes pour leur permettre de publier quatre fois par an une revue de littérature comparée et que, depuis des années, je demande en vain qu'on nous abonne à une excellente revue polonaise qui nous coûterait bien cinquante francs (cela, sans égoïsme, car j'en ai le service gratuit, mais elle est indispensable à notre discipline) et que tout membre de l'Académie des sciences en Union soviétique est payé pour écrire son œuvre; qu'aux Etats-Unis, veut-il terminer un ouvrage, tout savant sérieux est assuré de crédits, de congés sabbatiques, parfois d'un détachement grassement payé dans un *Center for advanced study*, et que moi, demandé-je, pour terminer les deux mille pages du *Mythe de Rimbaud* ou mon dictionnaire du franglais un demi-poste de collaborateur technique, on me rit au nez ou on me refuse tout crédit — oui, je me demande pourquoi je n'accepte pas les chaires ou les sinécures qu'on m'offre, ici ou là, aux Etats-Unis. Non, je ne me demande pas pourquoi. Je sais pourquoi! Mais je sais aussi que je ne pourrai jamais terminer les travaux que j'ai commencés, parce qu'Edmund Wilson a raison et qu'en littérature du moins nous n'avons plus de bibliothèques dignes de ce nom, les Républiques n'ont pas d'argent pour l'humanisme. On parle de *brain drain*, et c'est vrai que les Américains nous achètent nos bons esprits : à qui la faute, sinon à notre pingrerie qui ne lâche de l'argent qu'aux milliardaires et aux casseurs de têtes. Pas un sou pour ceux qui rêvent de les former, de les sauver, les têtes.

De même qu'Edmund Wilson était lucide en observant dès 1962 l'intérêt porté par la France au Canada français, intérêt qui lui paraissait intéressé (et dont les bombes qui explosent de nouveau en Bretagne sont le rendu pour le prêté), il est lucide en signalant l'état déplorable de nos bibliothèques. L'entendrons-nous? Je n'en sais rien mais il ne sera pas dit que je n'aurai pas relayé son cri d'alerte.

Cri n'est pas le mot. Edmund Wilson ne crie jamais, lors même qu'il exagère (quand, par exemple, il se déclare désemparé à Paris parce qu'au *Café de la Paix* tous les clients, avant de parler, regardent anxieusement autour de soi « comme c'était le cas à Moscou pour s'assurer qu'on ne peut surprendre leur conversation »), il ne hausse pas le ton. Il ne hausse même pas la voix quand il commente l'assassinat de Kennedy, c'est discrètement qu'il rapporte qu'un avion survolait le cortège présidentiel, traînant une banderole où se lisaient ces mots : « *Coexistence is surrender* » (Coexistence = capitulation) et qu'un gars du Texas déclarait après l'assassinat : « Qui que ce soit qui ait fait le coup, je suis content qu'il ait eu la peau de ce type qu'aimait les nègres. » Il ne hausse pas même le ton dans la dernière chronique de lui que j'ai lue (*New Yorker*, 9 décembre 1967). Il y recensait deux livres qui pourtant lui auraient permis de crier un peu fort, puisqu'il s'agissait de *The Deserted House* de Lidia Tchoukovskaïa et des *Mémoires* de la fille de Staline. Comparant à l'original russe, qu'il sait lire, la version anglaise de ces *Mémoires* selon Mrs Priscilla Johnson Macmillan, il se borne à démontrer posément que cette « traduction anglaise » est une trahison systématique des sentiments de Svetlana.

J'ai donc quelques raisons de penser qu'Edmund Wilson aura peu de succès dans une France qui n'adore que Belphégor et le Veau d'or. Dans la France des *snacks*, du *strip-tease* et du pathos jargonneur, il n'y a guère de place pour l'auteur de *La Princesse aux cheveux d'or, The Princess with the golden hair.*

La Nouvelle Revue française, *août 1968.*

TABLE

DU MÊME AUTEUR

L'ENFANT DE CHŒUR, nouvelle édition, 1947.

PEAUX DE COULEUVRE, tomes I, II, III, 1948.

RIMBAUD, *avec* Yassu Gauclère, troisième édition revue et augmentée, *Les Essais*, 1968.

SIX ESSAIS SUR TROIS TYRANNIES, 1951.

HYGIÈNE DES LETTRES, I, 1952.

HYGIÈNE DES LETTRES, II : Littérature dégagée, 1955.

HYGIÈNE DES LETTRES, III : Savoir et goût, 1958.

HYGIÈNE DES LETTRES, IV : Poètes ou faiseurs? 1966.

HYGIÈNE DES LETTRES, V : C'est le bouquet! 1967.

LE MYTHE DE RIMBAUD, 1952-1968.
   Tome I : Genèse du Mythe (nouvelle édition, revue et corrigée).
   Tome II : Structure du Mythe (nouvelle édition, augmentée).
   Tome V : L'année du Centenaire (nouvelle édition, augmentée).

LE PÉCHÉ VRAIMENT CAPITAL, 1957.

L'ENNEMIE PUBLIQUE, 1957.

LE NOUVEAU SINGE PÈLERIN, 1958.

SUPERVIELLE, *Bibliothèque idéale*, 1960, *Coll. Idées*, 1968.

BLASON D'UN CORPS, 1961.

REY-MILLET, 1962.

COMPARAISON N'EST PAS RAISON *(La crise de la littérature comparée)*, 1963.

PARLEZ-VOUS FRANGLAIS? *Coll. Idées*, 1964.

CONNAISSONS-NOUS LA CHINE? *Coll. Idées*, 1964.

CONFUCIUS, *Coll. Idées*, 1966.

LE SONNET DES VOYELLES, *Les Essais*, 1968.

Traductions

T. E. Lawrence : LETTRES, avec Yassu Gauclère, 1949.

T. E. Lawrence : LA MATRICE, 1955.

T. E. Lawrence : LES TEXTES ESSENTIELS, 1965.

En préparation

LE MYTHE DE RIMBAUD :
  Tome III : Le mythe de Rimbaud dans le monde slave et communiste.
  Tome IV : Succès du Mythe.
PEAUX DE COULEUVRE, tomes IV et V.

Chez divers éditeurs

CŒURS DOUBLES, spectacle en dix tableaux avec illustrations par Eric de Nemès, Alexandrie, le Scarabée, 1948.
PROUST ET LA CRISE DE L'INTELLIGENCE, Alexandrie, le Scarabée, 1945 *(épuisé)*.
CINQ ÉTATS DES JEUNES FILLES EN FLEUR, H. C.
MADE IN U.S.A. *(écrits en anglais)*, H. C.
CONFUCIUS, quatrième édition revue, Club français du livre, 1968.
L'ORIENT PHILOSOPHIQUE, trois tomes, C.D.U., 1957-1959.
LE BABÉLIEN, trois tomes, C.D.U., 1960-1962.
LE MYTHE DE RIMBAUD EN POLOGNE, C.D.U., 1963.
LE MYTHE DE RIMBAUD EN RUSSIE TSARISTE, C.D.U., 1964.
L'ÉCRITURE, Delpire, 1961.
LE JARGON DES SCIENCES, Hermann, 1966.
LES JÉSUITES EN CHINE, Julliard, 1966.
DOUZE LEÇONS SUR LA THÉORIE DE LA TRADUCTION, C.D.U., 1969.

Traduction

LA MARCHE DU FASCISME, de G.-A. Borgese, Montréal, l'Arbre, 1943.

ACHEVÉ D'IMPRIMER
LE 19 AVRIL 1969
IMPRIMERIE FIRMIN-DIDOT
PARIS - MESNIL - IVRY

Imprimé en France
N° d'édition : 14262
Dépôt légal : 2ᵉ trimestre 1969. — 1922